冲刺2

U0605590

斯尔99记

经济法

注册会计师
考试辅导用书

斯尔教育 组编

2022

民主与建设出版社
·北京·

目 录

经济法

模块	对应记数	命题角度	页数
第一模块 飞越重难点	第1记	公司的设立登记	4
		公司设立阶段债务的承担	4
	第2记	要求判断可以出资的财产	6
		以需要办理登记的财产出资，要求判断出资人何时取得股东权利	6
		抽逃出资具体情形的认定	6
		有限公司股东资格解除权行使的四大条件	6
	第3记	各类"开会规则"的记忆和辨析	9
	第4记	不得担任董、监、高的情形	11
	第5记	上市公司股东大会职权	14
		独立董事的要求、任职资格和履职保障	14
	第6记	公司对外担保程序的考查	16
		越权担保情形下是否承担担保责任的判断	16
	第7记	要求判断股份有限公司股东是否可以行使异议回购请求权	18
		判断查阅权的行使范围和条件	18
		判断相关情形下是否可以行使增资优先认缴权	19
		关联交易的限制	19
	第8记	判断相关当事人是否按照股东代表诉讼程序提起诉讼（注意"躲坑"）	21
		判断相关当事人是否具备提起股东代表诉讼的资格	21
		各类诉讼相关当事人	21
	第9记	股份回购是实务热点内容，很有可能会在主观题当中出现，有以下几个命题陷阱需要注意	24
	第9记	股份公司股东持股比例相关规定汇总	24
	第11记	公司财务会计制度是历年客观题热门考点，有以下几种常见的命题方法	26
	第13记	投资者保护制度的应用	31
	第14记	首发条件的应用	33
		首发程序的应用	33

第一模块　飞越重难点

相信自己的选择，坚持自己的信念，勇敢克服一切困难，胜利就在前方！

　　本模块包括公司法律制度、证券法律制度、物权法律制度、合同法律制度的相关考点，在考试中合计50分以上，而且在主观题、客观题当中均会进行考查，可以说是通过注会经济法考试的"磐石"。同时，本模块涉及的章节知识点数量多、难度大，是难啃的"硬骨头"，但是考查规律相对清晰，重点相对突出。由于这部分属于不折不扣的"重难点"，我们调整了书写顺序，选择把它安排在大家学习劲头最足的冲刺起始阶段供大家学习，以保证大家的学习效果。

公司的设立和登记

使用斯尔教育 APP
扫码观看本节好课 ▶

新【1分】

飞越必刷题：1、31

（一）公司的设立

（1）股份有限公司的设立与有限责任公司的设立。

公司形式	股份有限公司	有限责任公司
人数	发起人为2人以上200人以下，其中须有半数以上的发起人在中国境内有住所	50个以下股东出资设立，允许设立一人有限责任公司
登记	由董事会向公司登记机关申请设立登记	由全体股东指定的代表或者共同委托的代理人向公司登记机关申请设立登记
章程	由发起人制定公司章程	公司章程应由全体发起人签章

注：　（大）　主观题的重要考点　　（新）　本年教材新增或变化的考点

　　　（背）　需要背诵以应对客观题或主观题的考点

　　《飞越必刷题》为斯尔教育冲刺飞越阶段课程的配套题册。

（2）股份有限公司的发起设立与募集设立。

设立形式	发起设立	募集设立
出资	认缴制	实缴制（发起人、认股人在公司设立阶段均须实缴出资）
验资	不强制验资	强制验资
关于股本的其他要求	在发起人认购的股份缴足前，不得向他人募集股份	发起人认购的股份不得少于公司股份总数的35%
创立大会	—	发起人应当在发起人、认股人足额缴纳股款、验资证明出具之日后30日内召开公司创立大会。创立大会应有代表股份总数过半数的发起人、认股人出席，方可举行
人员选举	董事、监事由发起人选举	董事、监事由创立大会选举

（3）股份公司募集设立失败的情形。

发生以下情况的，认股人可以按照所缴股款并加算银行同期存款利息，要求发起人返还：

①发行的股份超过招股说明书规定的截止期限尚未募足的；

②发行股份的股款缴足后，发起人在30日内未召开创立大会的；

③创立大会作出不设立公司决议的。

（二）公司的设立登记

事项	规定
登记事项	（1）名称； （2）公司类型； （3）经营范围； （4）住所； （5）注册资本； （6）法定代表人姓名； （7）有限责任公司股东或者股份有限公司发起人的姓名或者名称
备案事项	（1）公司章程； （2）经营期限； （3）有限责任公司股东或者股份有限公司发起人认缴的出资数额、缴付期限和出资方式； （4）公司董事、监事、高级管理人员； （5）公司登记联络员、外商投资企业法律文件送达接受人； （6）公司受益所有人相关信息

续表

事项	规定
营业执照签发	（1）营业执照签发日期为公司的成立日期； （2）营业执照分为正本和副本，具有同等法律效力； （3）电子营业执照与纸质营业执照具有同等法律效力； （4）营业执照遗失或者毁坏的，公司应当通过国家企业信用信息公示系统声明作废，申请补领
虚假登记	（1）登记申请人应当对提交材料的真实性、合法性和有效性负责。提交虚假材料或者采取其他欺诈手段隐瞒重要事实取得公司登记的，受虚假登记影响的自然人、法人和其他组织可以向登记机关提出撤销公司登记的申请。 （2）相关公司和人员无法联系或者拒不配合的，登记机关可以将相关公司的登记时间、登记事项等通过国家企业信用信息公示系统向社会公示，公示期为45日。相关公司及其利害关系人在公示期内没有提出异议的，登记机关可以撤销登记。 （3）因虚假登记被撤销的公司，其直接责任人自登记被撤销之日起3年内不得再次申请公司登记，登记机关应当通过国家企业信用信息公示系统对此予以公示
变更登记	公司变更登记事项，应当自作出变更决议、决定或者法定变更事项发生之日起30日内向登记机关申请变更登记
歇业备案	（1）因自然灾害、事故灾难、公共卫生事件、社会安全事件等原因造成经营困难的，公司可以自主决定在一定时期内歇业； （2）公司应当在歇业前向登记机关办理备案； （3）公司歇业的期限最长不得超过3年； （4）公司在歇业期间开展经营活动的，视为恢复营业

（三）公司设立阶段的债务

（1）外部债务承担。

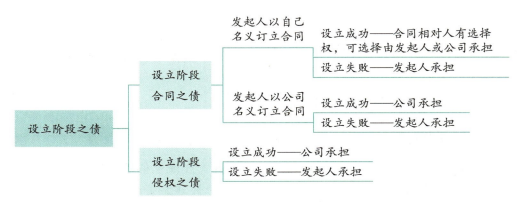

（2）内部债务承担：

①合同之债：对外连带、对内按份（对内承担的份额按照约定→出资比例→均等份额的顺序依次推定）。

②侵权之债：公司或者无过错的发起人承担赔偿责任后，可以向有过错的发起人追偿。

通关绿卡

命题角度1：公司的设立登记。

公司的设立登记是今年教材变化内容，是客观题的潜在考点。不过本部分内容很多，记忆背诵难度很大，希望大家可以关注其中日期等可考性较强的内容；另外，本部分当中的歇业备案制度是疫情大背景下推出的一项新制度，大家应重点关注。

命题角度2：公司设立阶段债务的承担。

公司设立阶段债务的承担涉及到两重判断：

其一，区分合同之债与侵权之债。在判断具体责任承担时，先要分清公司设立阶段的债务属于合同之债还是侵权之债，常见的合同之债包括公司设立前承租办公室、仓库，进行办公室装修，购买部分原材料等事由产生的债务；常见的侵权之债包括运送办公设备撞伤行人、材料掉落砸伤行人等事由产生的债务。

其二，判断设立阶段债务具体由公司承担还是发起人承担。在记忆外部责任承担规则时，需要重点记忆设立阶段合同之债中，发起人以自己名义订立合同并设立成功这一特殊情形；其余情形，均为设立成功便是公司承担，设立失败便是发起人承担。

公司的出资

背【2分】

飞越必刷题：2～3、32

（一）不可用于出资的财产

（1）劳务；（2）信用；（3）自然人姓名；（4）商誉；（5）特许经营权；（6）设定担保的财产。

（二）出资瑕疵及处理规则

出资瑕疵情形	处理规则
未对非货币财产出资进行评估并因此发生争议	人民法院应当委托具有合法资格的评估机构对该财产评估作价。评估确定的价额显著低于公司章程所定价额的，人民法院应当认定出资人未依法全面履行出资义务
出资后市场变化等客观因素导致出资财产贬值	公司、其他股东或者公司债权人无权请求该出资人承担补足出资责任。当事人另有约定的除外

续表

出资瑕疵情形		处理规则
以需要办理权属登记的财产出资	已交付未登记	人民法院应当责令当事人在指定的合理期间内办理权属变更手续；在前述期间内办理了权属变更手续的，人民法院应当认定其已经履行了出资义务；出资人主张自其实际交付财产给公司使用时享有相应股东权利的，人民法院应予支持
	已登记未交付	出资人已经就前述财产出资，办理权属变更手续但未交付给公司使用，公司或者其他股东主张其向公司交付、并在实际交付之前不享有相应股东权利的，人民法院应予支持
以划拨土地或设定担保的土地出资		人民法院应当责令当事人在指定的合理期间内办理土地变更手续或者解除权利负担；逾期未办理或者未解除的，人民法院应当认定出资人未依法全面履行出资义务
以贪污、受贿、侵占、挪用等违法犯罪所得的货币出资		司法机关对违法犯罪行为予以追究、处罚时，不得直接将出资的财产从公司抽出，应当采取拍卖或者变卖的方式处置其股权
以不享有处分权的财产出资		该出资行为并非一概无效，公司只要符合善意取得条件，即可取得该财产的所有权

（三）抽逃出资情形认定

（1）通过虚构债权债务关系将其出资转出；

（2）制作虚假财务会计报表虚增利润进行分配；

（3）利用关联交易将出资转出；

（4）公司在减少注册资本时，未通知已知的债权人，致使债权人在公司向股东返还出资财产前无法请求公司向其清偿债务或者提供担保；

（5）公司不符合分配利润的法定条件而直接向股东支付"股利"，尤其是支付固定收益；

（6）股东之间转让股权而公司为其提供担保等。

（四）未履行、未全面履行出资义务以及抽逃出资情形下股东权利的限制

（1）对财产权的限制。

股东未履行或者未全面履行出资义务或者抽逃出资，公司可以根据公司章程或者股东会决议对其利润分配请求权、新股优先认购权、剩余财产分配请求权等股东权利作出相应的合理限制。

（2）解除股东资格。

满足如下四个条件，公司才可以解除股东资格：

①"只有限"：公司类型为有限责任公司；

②"全没出"：股东未履行出资义务或抽逃全部出资（未全面履行、抽逃部分出资的情形下不得解除股东资格）；

③"先催告"：公司先催告缴纳或者返还，经催告后其在合理期间内仍未缴纳或者返还出资；

④"股东会"：经过股东会决议。

通关绿卡

　　命题角度1：要求判断可以出资的财产。

　　出资财产范围是客观题常考点，原则上，除了前述列举的劳务、信用、自然人姓名、商誉、特许经营权以及设定担保的财产共六类不得出资的财产外，其余可依法评估作价并可转让的财产均可以用于出资。常见的迷惑选项包括股权、债权、土地使用权以及著作权、专利权、商标权等知识产权（均属于可以出资的财产）。

　　命题角度2：以需要办理登记的财产出资，要求判断出资人何时取得股东权利。

　　出资财产瑕疵的情形下需要重点关注以需要办理权属登记的财产出资的情形。在登记与交付时点存在不一致的情形下，只要出资人已依法办理了登记手续，法律认可，以交付时点作为出资人实际取得股东权利的时点。

　　命题角度3：抽逃出资具体情形的认定。

　　教材列举了六类抽逃出资的情形，这些情形可能在客观题当中出现，让大家对符合抽逃出资的选项进行选择；也可能在主观题当中出现，作为题目的"引子"，要求先判断是否属于抽逃出资的情形，此后再判断具体抽逃出资法律责任的承担。

　　命题角度4：有限公司股东资格解除权行使的四大条件。

　　考试当中一个常见的命题陷阱是股东资格解除权的行使，需要注意，该项权利行使的条件非常严格，只有满足上述四个条件，有限责任公司才能够行使，任一条件未经满足，都不得行使。

NO.3　公司治理中的机关

使用斯尔教育 APP
扫码观看本节好课

　　大、背【2分】

飞越必刷题：3、148

（一）公司治理机关概览

机关类型	股份有限公司	有限责任公司
权力机关	股东大会（必设）	股东会（一人有限公司不设股东会）
决策机关	董事会（必设）	董事会（或执行董事）
监督机关	监事会（必设）	监事会（或1到2名监事）
执行机关	经理（必设）	经理（选设）

（二）股东大会与股东会

维度		股东大会	股东会
职权		（1）大政方针：决定公司的经营方针和投资计划。 （2）人事任命：选举和更换非由职工代表担任的董事、监事，决定有关董事、监事的报酬事项。（不要求股东会或者股东大会解除董事职务时须提供法定理由。董事任期届满前被股东会或者股东大会以有效决议解除职务的，该董事如向人民法院起诉主张解除不发生法律效力，则人民法院不予支持。） （3）审批报告：审议批准董事会、监事会或监事的报告。 （4）审批方案：审议批准公司的年度财务预算方案、决算方案、利润分配方案和弥补亏损方案。 （5）发行债券：对发行公司债券作出决议。 （6）特别决议事项（绝对多数决，2/3）： ①"改宪法"：修改公司章程； ②"动资本"：增加或者减少注册资本； ③"生与死"：公司合并、分立、解散； ④"男变女"：变更公司形式（有限公司变更为股份公司）	
会议形式	定期会议	年会：应当每年召开一次	一般每年召开一次
会议形式	临时会议	（1）董事人数不足公司法规定人数或者公司章程所定人数的2/3时； （2）公司未弥补的亏损达实收股本总额1/3时； （3）单独或者合计持有公司10%以上股份的股东请求时（2016年案例分析题）； （4）董事会认为必要时； （5）监事会提议召开时； （6）公司章程规定的其他情形	（1）代表1/10以上表决权的股东提议； （2）1/3以上的董事提议； （3）监事会或者不设监事会的公司的监事提议召开临时会议的
会议召集	召集和主持	（1）召集推定顺序：董事会→监事会→代表1/10以上表决权的股东（股份公司要求连续90日以上单独或合计持股10%以上）； （2）主持推定顺序：董事长→副董事长→半数以上董事推举一名董事→监事→代表1/10以上表决权的股东（股份公司要求连续90日以上单独或合计持股10%以上）	
会议召集	通知时间	（1）年会应于召开20日前通知； （2）临时股东大会应于召开15日前通知	召开前15日 通知全体股东
临时提案权		（1）单独或者合计持有公司3%以上股份的股东，可以在股东大会召开10日前提出临时提案并书面提交董事会。 （2）董事会应当在收到提案后2日内通知其他股东，并将该临时提案提交股东大会审议	—
表决权基数		出席会议股东表决权为基数	全体股东表决权为基数
会议记录签名人		主持人、出席会议的董事	出席会议的股东

（三）董事会

维度	股份有限公司董事会	有限责任公司董事会
人数	5～19人	3～13人，股东人数较少或者规模较小的有限责任公司，可以设一名执行董事，不设立董事会，执行董事的职权与董事会相当
任期	由公司章程规定，但每届不得超过三年；任期届满可以连选连任	
职权	（1）与股东（大）会相关职权（向上）： ①召集股东（大）会会议，并向股东大会报告工作； ②执行股东（大）会的决议。 （2）制定方案（自身）： ①决定公司的经营计划和投资方案； ②制订公司的年度财务预算方案、决算方案； ③制订公司的利润分配方案和弥补亏损方案； ④制订公司增加或者减少注册资本以及发行公司债券的方案； ⑤制订公司合并、分立、解散或者变更公司形式的方案。 （3）人事任命（向下）：决定聘任或者解聘公司经理及其报酬事项，并根据经理的提名决定聘任或者解聘公司副经理、财务负责人及其报酬事项。 （4）内部管理（向下）： ①决定公司内部管理机构的设置； ②制定公司的基本管理制度	
选举程序	（1）除职工代表外的董事由股东大会选举产生； （2）董事会中的职工代表由公司职工通过职工代表大会、职工大会或者其他形式民主选举产生	
职工代表的特别规定	董事会成员中可以有公司职工代表	两个以上的国有企业或者其他两个以上的国有投资主体投资设立的有限责任公司，其董事会成员中应当有公司职工代表；其他有限责任公司董事会成员中可以有公司职工代表
议事方式、表决程序和会议形式	（1）过半数董事出席方可举行； （2）一人一票，全体董事过半数通过； （3）董事会每年度至少召开2次会议，每次会议应当于会议召开10日前通知全体董事和监事	董事会的议事方式和表决程序由公司章程规定，董事会决议的表决实行一人一票
临时会议	（1）代表1/10以上表决权的股东、1/3以上董事或监事会，可以提议召开董事会临时会议； （2）董事长应当自接到提议后10日内，召集和主持董事会会议	—

（四）监事会

（1）人数：不得少于3人，有限责任公司可以设监事会（3人以上）或设一至两名监事；

（2）职工代表：比例不得低于1/3，由公司职工通过职工代表大会、职工大会或者其他形式民主选举产生；

（3）兼职限制：董事、高级管理人员不得兼任监事；

（4）任期：每届为3年，可以连选连任。

（五）公司决议制度

（1）决议的效力。

①决议对参与作出决议的人具有约束力，包括赞同的、弃权的和反对的决议参加者；

②决议对决议机构成员或公司的全体股东具有约束力；

③决议调整公司内部关系，而不是公司与第三人之间的关系。

（2）公司决议效力瑕疵。

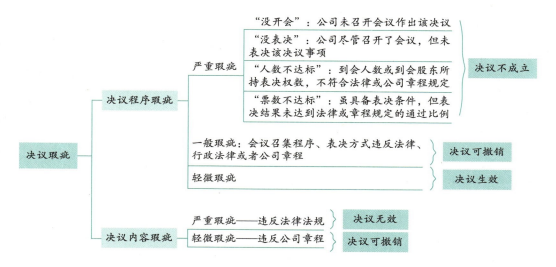

（3）公司决议效力瑕疵相关诉讼。

诉讼主张	原告	被告	第三人
确认公司决议不成立、无效	股东、董事、监事	公司	其他利害关系人，例如高级管理人员、员工、公司债权人等
撤销公司决议	股东		

通关绿卡

命题角度：各类"开会规则"的记忆和辨析。

关于股东（大）会、董事会、监事会这类"开会规则"，在客观题中往往考查得比较浅，但在主观题当中往往考查得比较深：

（1）浅的考法主要考查大家的记忆准确性，如考查股东大会职权、董事会职权、召开临时股东大会的情形等。

通关绿卡

（2）深的考法需要大家能够理解、应用上述的"开会规则"，并结合公司决议的效力进行回答。例如，2011年案例分析题中，出现了两场股东大会同时召开的情况，缘由是某持股10%以上的股东书面请求公司董事会在年度股东大会中增加临时提案，要求罢免某位董事的职务，但被董事会拒绝，遂该股东自己召开了临时股东大会，时间恰巧与公司的年度股东大会"撞车"。这一情形看似教材中并未提及，无从下手，但其实考查的是公司股东大会的召集顺序，应先由董事会（执行董事）召集，董事会不履行职责的，由监事会召集，监事会不履行职责的，由连续90日以上单独或合计持有公司10%以上股份的股东自行召集。题目中的大股东虽然持股比例达标，但跳过了董事会、监事会而直接自行召集了股东大会，故其程序并不合法，其决议可经股东起诉，由人民法院予以撤销。

NO.4　　公司治理中的人

使用斯尔教育 APP
扫码观看本节好课

大、背【2分】

飞越必刷题：5～6、33～35、37、148

（一）公司董监高的任职条件

有下列情形之一的，不得担任公司的董事、监事、高级管理人员：

类型	规则
小孩	无民事行为能力或者限制民事行为能力
老赖	个人所负数额较大的债务到期未清偿
违法	（1）个人违法：因贪污、贿赂、侵占财产、挪用财产或者破坏社会主义市场经济秩序，被判处刑罚，执行期满未逾5年，或者因犯罪被剥夺政治权利，执行期满未逾5年。 （2）单位违法+个人责任：担任因违法被吊销营业执照、责令关闭的公司、企业的法定代表人，并负有个人责任的，自该公司、企业被吊销营业执照之日起未逾3年
破产	担任破产清算的公司、企业的董事或者厂长、经理，对该公司、企业的破产负有个人责任的，自该公司、企业破产清算完结之日起未逾3年

（二）公司董监高的法定义务

（1）忠实义务。

①董事、监事、高级管理人员的忠实义务：

a.不得利用其关联关系损害公司利益；

b.股份有限公司不得直接或者通过子公司向董事、监事、高级管理人员提供借款（2013年案例分析题）；

c.不得利用职权收受贿赂或者其他非法收入，不得侵占公司的财产。

②董事、高级管理人员的忠实义务：

公司董事、高级管理人员违反下列规定所得的收入应当归公司所有。

分类	事项	豁免方式
绝对禁止	挪用公司资金	无
	将公司资金以其个人名义或者以其他个人名义开立账户存储	
	接受他人与公司交易的佣金归为己有	
	擅自披露公司秘密	
相对禁止	将公司资金借贷给他人或者以公司财产为他人提供担保	在公司章程的规定下经股东会、股东大会或者董事会同意
	自我交易——与本公司订立合同或者进行交易	公司章程规定或股东会或者股东大会同意
	经营竞业——利用职务便利为自己或者他人谋取属于公司的商业机会，自营或者为他人经营与所任职公司同类的业务	股东会或者股东大会同意

（2）勤勉义务。

要求公司管理者勤勉尽责，如按时出席各类会议，参与公司日常经营活动，在一定情形下列席股东（大）会接受股东的质询和监督等。

通关绿卡

命题角度：不得担任董、监、高的情形。

这类法律给出"负面资格"的知识点，如不得担任董、监、高的情形，不得担任独立董事的情形，不得担任破产管理人的情形，在考试当中主客观题都有较强的可考性。考查方式也比较类似，往往会给出一些具体人物，题干中会描述该人物过往具体的经历，然后要求考生判断是否可以担任董、监、高、独立董事或破产管理人。

上市公司的组织机构

六、背、新【2分】

飞越必刷题：4、6、36~38、43、148

（一）上市公司股东大会的特别规定

事项	相关规定
决议事项	（1）对公司聘用、解聘会计师事务所作出决议。 （2）审议批准变更募集资金用途事项。 （3）审议股权激励计划。 （4）审议批准下列对外担保行为： ①本公司及本公司控股子公司的对外担保总额，达到或超过最近一期经审计净资产的50%以后提供的任何担保； ②公司的对外担保总额，达到或超过最近一期经审计总资产的30%以后提供的任何担保； ③为资产负债率超过70%的担保对象提供的担保； ④单笔担保额超过最近一期经审计净资产10%的担保； ⑤对股东、实际控制人及其关联方提供的担保
特别决议事项	（1）重大资产重组； （2）上市公司在一年内购买、出售重大资产或者担保金额超过公司资产总额30%的事项
召开时间	上市公司的年度股东大会应当于上一会计年度结束后的6个月内举行
投票权征集	上市公司董事会、独立董事和持股1%以上的股东、投资者保护机构可向上市公司股东征集其在股东大会上的投票权。投票权征集应采取无偿的方式进行，并应向被征集人充分披露信息
累积投票制	（1）适用主体：控股股东控股比例在30%以上的上市公司应当采用累积投票制，其他股份有限公司也可以依据公司章程的规定或者股东大会的决议，实行累积投票制； （2）适用场景：选举董事或监事

（二）上市公司董事会的特别规定

（1）上市公司董事会秘书。

①职责：负责公司股东大会和董事会会议的筹备、文件保管以及公司股权管理，办理信息披露事务等事宜；

②定位：董事会秘书是上市公司高级管理人员。

（2）关联关系董事表决权排除制度。

内容	解析
适用情形	上市公司董事与董事会会议决议事项所涉及的企业有关联关系
表决权排除	此类董事不得对该项决议行使表决权，也不得代理其他董事行使表决权
董事会举行条件	该董事会会议由过半数的无关联关系董事出席即可举行
决议作出机制	董事会会议所作决议须经无关联关系董事过半数通过
不满足会议条件的解决方案	出席董事会的无关联关系董事人数不足3人的，应将该事项提交上市公司股东大会审议

（三）上市公司独立董事制度

（1）独立董事的要求及职权。

要求类型	要求内容
人数要求	①上市公司董事会成员中应当至少1/3为独立董事，且上市公司董事会中的审计委员会、提名委员会、薪酬与考核委员会中独立董事应占多数并担任召集人； ②上市公司应当在公司章程中明确，聘任适当人员担任独立董事，其中至少包括一名会计专业人士
提名要求	上市公司董事会、监事会、单独或者合并持有上市公司已发行股份1%以上的股东可以提出独立董事候选人，并经股东大会选举决定
任期要求	①与上市公司其他董事相同之处：任期3年，任期届满可以连选连任； ②与上市公司其他董事不同之处：连任时间不得超过6年
履职要求	①独立董事应当积极履行职责，如果连续3次未亲自出席董事会会议，应由董事会提请股东大会予以撤换； ②独立董事应当向公司股东大会提交年度述职报告，对其履行职责的情况进行说明
免职情形	①独立董事任期届满前，上市公司可以经法定程序解除其职务； ②提前解除职务的，上市公司应将其作为特别披露事项予以披露
兼职要求	独立董事原则上最多在五家上市公司兼任独立董事，并应当确保有足够的时间和精力有效地履行独立董事的职责
职权	独董除应具有董事的职权外，还应当行使以下特别职权： ①重大关联交易应由独立董事事前认可；独立董事作出判断前，可以聘请中介机构出具独立财务顾问报告，作为其判断的依据。 提示：这里的"重大关联交易"指上市公司拟与关联方达成的总额高于300万元或高于上市公司最近经审计净资产值的5%的关联交易。 ②向董事会提议聘用或解聘会计师事务所。 ③向董事会提请召开临时股东大会。 ④提议召开董事会。 ⑤在股东大会召开前公开向股东征集投票权。 ⑥独立聘请外部审计机构和咨询机构。 独立董事行使上述第①项至第⑤项职权时，应当取得全体独立董事的1/2以上同意；行使上述第⑥项职权的，应当经全体独立董事同意

（2）独立董事的任职资格。

正面条件	①根据法律、行政法规及其他有关规定，具备担任上市公司董事的资格； ②具备上市公司运作的基本知识，熟悉相关法律、行政法规、规章及规则； ③具有5年以上法律、经济或者其他履行独立董事职责所必需的工作经验
负面条件 （禁止任职 情形）	①在上市公司或者其附属企业任职的人员及其直系亲属、主要社会关系； ②直接或间接持有上市公司已发行股份1%以上或者是上市公司前十名股东中的自然人股东及其直系亲属（即，持股1%以上的个人股东或前十名的个人股东及近亲属）； ③在直接或间接持有上市公司已发行股份5%以上的股东单位或者在上市公司前五名股东单位任职的人员及其直系亲属（即，在持股5%以上的公司股东处或前五名公司股东处任职的人员及其近亲属）； ④最近一年内曾经具有前三项所列举情形的人员； ⑤为上市公司或者其附属企业提供财务、法律、咨询等服务的人员

（3）独立董事的履职保障。

知情权	①上市公司应当保证独立董事享有与其他董事同等的知情权。凡须经董事会决策的事项，上市公司必须按法定的时间提前通知独立董事并同时提供足够的资料，独立董事认为资料不充分的，可以要求补充； ②上市公司向独立董事提供的资料，上市公司及独立董事本人应当至少保存五年
中介费用 承担	独立董事聘请中介机构的费用及其他行使职权时所需的费用由上市公司承担
履职津贴	①上市公司应当给予独立董事适当的津贴。津贴的标准应当由董事会制订预案，股东大会审议通过，并在公司年报中进行披露。 ②除上述津贴外，独立董事不应从该上市公司及其主要股东或有利害关系的机构和人员取得额外的、未予披露的其他利益

通关绿卡

命题角度1：上市公司股东大会职权。

在主观题部分当中，公司法和证券法两个章节是往往结合在一起进行考查，所以上市公司相关的公司治理规则是主观题考试的重点。不过此部分的考查往往不会很难，通常是给出一个上市公司内部决议事项（如更换会计师事务所），该事项本应由股东大会决议，但此次仅经过了董事会决议，要求判断决议流程是否符合公司法律制度的规定。

命题角度2：独立董事的要求、任职资格和履职保障。

独立董事的任职要求、任职资格和履职保障有部分今年新增内容，如1名会计专业人员要求、5家兼职上限要求以及独立董事履职保障等，此部分内容可以在客观题当中进行直接的考查，也可以在主观题当中描述上市公司独立董事的选任流程、选任背景以及履职情况，要求判断正误。

使用斯尔教育 APP
扫码观看本节好课 ▶

公司对外担保

大、背、新【2分】

飞越必刷题：148

（一）公司对外担保的程序

适用情形	决议程序	说明
通用情形	至少经董事会决议	（1）公司向其他企业投资或者为他人提供担保，依照公司章程的规定，由董事会或者股东会、股东大会决议； （2）公司章程对投资或者担保的总额及单项投资或者担保的数额有限额规定的，不得超过规定的限额
向公司股东、实控人提供担保	股东（大）会普通决议	（1）必须经股东会或者股东大会决议； （2）接受担保的股东或者受实际控制人支配的股东，不得参加上述规定事项的表决； （3）该项表决由出席会议的其他股东所持表决权的过半数通过
上市公司对外提供的特殊担保	股东大会普通决议	上市公司的股东大会审议批准下列担保行为： （1）本公司及本公司控股子公司的对外担保总额，达到或超过最近一期经审计净资产的50%以后提供的任何担保； （2）公司的对外担保总额，达到或超过最近一期经审计总资产的30%以后提供的任何担保； （3）为资产负债率超过70%的担保对象提供的担保； （4）单笔担保额超过最近一期经审计净资产10%的担保； （5）对股东、实际控制人及其关联方提供的担保
	股东大会特别决议	上市公司在1年内担保金额超过公司资产总额30%的，应当由股东大会作出决议，并经出席会议的股东所持表决权的2/3以上通过

（二）越权担保

（1）法定代表人和公司分支机构的越权担保。

情形	相对人情形	公司是否需要承担担保责任	效力
法定代表人违反公司法关于公司对外担保决议程序的规定越权提供担保	善意	√	担保合同对公司发生效力
	非善意	×	担保合同对公司不发生效力
公司的分支机构未经公司股东（大）会或者董事会决议以自己的名义对外提供担保	不知情	√	担保合同对公司发生效力
	知情	×	担保合同对公司不发生效力

（2）公司必须就越权担保承担责任的情况。

公司类型	情形
非上市公司	①"老本行"：金融机构开立保函或者担保公司提供担保； ②"是亲妈"：公司为其全资子公司开展经营活动提供担保； ③"签字啦"：担保合同系由单独或者共同持有公司2/3以上对担保事项有表决权的股东签字同意
上市公司	①"老本行"：（上市）金融机构开立保函或者（上市）担保公司提供担保； ②"信披啦"：相对人根据上市公司公开披露的关于担保事项已经董事会或者股东大会决议通过的信息，与上市公司订立担保合同，相对人主张担保合同对上市公司发生效力，并由上市公司承担担保责任的，人民法院应予支持。相对人未根据上市公司公开披露的关于担保事项已经董事会或者股东大会决议通过的信息，与上市公司订立担保合同，上市公司主张担保合同对其不发生效力，且不承担担保责任或者赔偿责任的，人民法院应予支持

通关绿卡

命题角度1：公司对外担保程序的考查。

本部分在主观题当中进行过考查，考查方式比较基础，通常是案例当中出现一笔股份公司对股东、实际控制人的担保，但仅由董事会进行决策，要求判断是否符合公司法律制度的规定（不符合，应由股东大会进行决策）。

命题角度2：越权担保情形下是否承担担保责任的判断。

本部分综合了公司法、合同法的内容，且是近年来的实务热点内容，非常适合在主观题当中进行考查。具体的考查方式可以是在案例当中给出一个公司越权担保的情形（如相对人依据上市公司公告得知，该担保已经董事会决议，与上市公司订立了担保合同，但实际上该决议为公司高管伪造），要求判断该公司是否需要承担担保责任。

NO.7 股东的权利与义务

225 1-7
使用斯尔教育APP
扫码观看本节好课

大、背【2分】

飞越必刷题：7、39

（一）股东权利

（1）查阅权。

①查阅范围。

公司类型	股份有限公司	有限责任公司
可查阅范围	公司章程、股东（大）会会议记录、董事会会议决议、监事会会议决议、财务会计报告	
	股东名册、公司债券存根	会计账簿
可复制范围	不得复制（除约定外）	除会计账簿外均可复制（除约定外）

②权利的行使。

a.主体：提出查阅请求者应当具备股东资格。公司股东无论持股多少，均享有知情权。

b.辅助：股东查阅公司文件材料的，在该股东在场的情况下，可以由会计师、律师等依法或者依据执业行为规范负有保密义务的中介机构执业人员辅助进行。

③有限责任公司股东查阅账簿的特殊规定：

a.股东要求查阅公司会计账簿的，应当向公司提出书面请求，说明目的；

b.公司有合理根据认为股东查阅会计账簿有不正当目的，可能损害公司合法利益的，可以拒绝提供查阅，并应当自股东提出书面请求之日起15日内书面答复股东并说明理由。

（2）增资优先认缴权。

公司类型	股份有限公司	有限责任公司
股东是否当然享有增资优先认缴权	股东并不当然享有新股优先认购权，除非股东大会在发行新股时作出向原股东配售新股的决议	优先认缴权是法定权利，认购数额以其实缴出资比例为准，除非全体股东约定其他认购比例
增资优先认缴权的特性及行使条件	①公司吸收合并导致其注册资本增加的情况下，原有股东不享有增资优先认缴权；②在具备行使该项权利的条件的前提下，股东应当在公司形成增资决议的过程中，向公司作出明确且合格的行使增资优先认缴权的意思表示；③增资优先认缴权性质上属于形成权，股东作出意思表示后即与公司形成认缴出资的合意；④股东可以放弃行使自己的增资优先认缴权，其放弃的认缴份额并不当然成为其他股东行使增资优先认缴权的对象；⑤增资优先认缴权可以在公司原股东之间自由转让，但不得转让给股东以外的人	

（3）异议股东股份回购请求权。

公司类型	股份有限公司	有限责任公司
行使条件	股东大会+投反对票+合并、分立事项	股东会+投反对票+如下三个事项之一：①公司连续5年不向股东分配利润，而公司连续5年盈利并符合利润分配条件；②公司合并、分立、转让主要财产；③公司章程规定的营业期限届满或者章程规定的其他解散事由出现，股东会会议通过决议修改章程使公司存续

（4）股利分配请求权。

公司类型	股份有限公司	有限责任公司
分配比例	按照持有的股份	实缴的出资比例
分配程序	董事会制定方案→股东（大）会普通多数决通过→董事会实施	
分配期限	先按决议，决议未载明按章程，决议、章程中均未规定时间或者时间超过一年的，公司应当自决议作出之日起一年内完成利润分配	

（二）股东权利的限制

（1）法人人格否认（刺破"公司面纱"）：公司股东滥用公司法人独立地位和股东有限责任，逃避债务，严重损害公司债权人利益的，应当对公司债务承担连带责任。

（2）关联交易的限制。

情形	规制
发生关联交易，损害公司利益怎么办	原告公司可以请求控股股东、实际控制人、董事、监事、高级管理人员赔偿所造成的损失
对方找借口已经按程序办事怎么办	若被告仅以该交易已经履行了信息披露、经股东会或者股东大会同意等法律、行政法规或者公司章程规定的程序为由抗辩的，人民法院不予支持
公司怠于起诉怎么办	符合条件的股东，可以提起股东代表诉讼
公司只起诉了控股股东、实际控制人、董监高，但是他们的关联方才是通过关联交易获益的一方，公司不起诉他们怎么办	上述损害公司利益的关联交易合同，如果存在无效或可撤销的情形，而公司又没有起诉合同相对方的，满足股东代表诉讼条件的股东，可以提起股东代表诉讼

（三）股东义务

（1）出资义务；（2）善意行使股权义务；（3）组织清算义务。

> **通关绿卡**
>
> **命题角度1：要求判断股份有限公司股东是否可以行使异议回购请求权。**
>
> 在主客观题中经常考查股份有限公司股东异议回购请求权的行使条件，即同时满足"股东大会+投反对票+合并、分立事项"三点；在公司不分配利润、公司存在内幕交易、虚假陈述等情形下，股东不能主张异议回购请求权；在公司股东大会对合并、分立事项进行决议的过程中，没有投反对票的股东，事后也不能主张异议回购请求权。
>
> **命题角度2：判断查阅权的行使范围和条件。**
>
> （1）查阅权的考查经常聚焦于财务会计账簿的查阅具体规则，通常情况下，在股份有限公司中，会计账簿不得查阅；在有限责任公司中，会计账簿可以查阅但不得复制。

通关绿卡

（2）在股份有限公司和有限责任公司中，查阅的范围包括股东（大）会、董事会和监事会形成的相关会议文件；但需要能够区分不同文件的具体名称，股东（大）会相关的可供查阅的文件是股东（大）会会议纪录，而董事会和监事会相关的可供查阅的文件是董事会会议决议、监事会会议决议。

命题角度3：判断相关情形下是否可以行使增资优先认缴权。

（1）需明确，增资优先认缴权是有限责任公司股东拥有的法定权利，而股份有限公司股东并不当然享有；

（2）行使增资优先认缴权的股东应当在公司形成增资决议的过程中，作出行使增资优先认缴权的意思表示（注册资本的增加是股东大会特别决议事项），而不能在股东会上"默不作声"，待实际发行时，外部股东已经认购之后主张其认购行为无效；

（3）增资优先认缴权属于形成权，增资优先认缴权的行使属于单方民事法律行为。

命题角度4：关联交易的限制。

此部分很适合在主观题当中进行考查，常见的命题思路是案例当中的公司与某大股东名下公司发生关联交易，该交易损害了公司利益，但由于大股东"一手遮天"，该交易已经经过了股东大会的决议认可。此时某中小股东站出来要求该大股东赔偿关联交易的损失，该大股东声称交易已经"走了程序"。此时，我们要能够论述出：关联交易损害公司利益，原告公司依据法律规定请求控股股东、实际控制人、董事、监事、高级管理人员赔偿所造成的损失，被告仅以该交易已经履行了信息披露、经股东会或者股东大会同意等法律、行政法规或者公司章程规定的程序为由抗辩的，人民法院不予支持。

股东诉讼

使用斯尔教育APP
扫码观看本节好课

大、背【2分】

飞越必刷题：150

（一）请求分配利润的诉讼——适用于已经决议分配利润但不分配情形

（1）诉讼当事人：股东（作为原告）请求公司分配利润案件，应当列公司为被告。

（2）起诉前提：

①股东提交载明具体分配方案的股东会或者股东大会的有效决议，请求公司分配利润，公司拒绝分配利润且其关于无法执行决议的抗辩理由不成立的，人民法院应当判决公司按照决议载明的具体分配方案向股东分配利润。

②股东未提交载明具体分配方案的股东会或者股东大会决议，请求公司分配利润的，人民法院应当驳回其诉讼请求。

（二）股东代表诉讼——适用于公司利益受损情形

类型	诉讼原因	诉讼提起方式	起诉股东资格
董高违法找监事	董事、高级管理人员给公司造成损失	（1）通过监事会或监事提起（公司为原告）； （2）若监事会或监事拒绝或怠于提起，或情形紧急，不立即起诉将使公司利益受到难以弥补的损害的，股东可以自己提起（股东为原告）	（1）有限责任公司的股东； （2）股份有限公司连续180日以上单独或者合计持有公司1%以上股份的股东（2011年案例分析题）
监事违法找董事（2017年案例分析题）	监事执行公司职务给公司造成损失	（1）通过董事会或者董事提起（公司为原告）； （2）若董事会或董事拒绝或怠于提起，或情形紧急，不立即起诉将使公司利益受到难以弥补的损害的，股东可以自己提起（股东为原告）	
他人损害都能管	他人侵犯公司合法权益，给公司造成损失的	（1）书面请求监事会或者监事、董事会或者执行董事向人民法院提起诉讼（公司为原告）； （2）若董事会、董事、监事会、监事拒绝或怠于提起，或不立即起诉将使公司利益受到难以弥补的损害的，股东可以自己提起（股东为原告）	

（三）股东直接诉讼——适用于股东利益受损情形

公司董事、高级管理人员违反法律、行政法规或者公司章程的规定，损害股东利益的，股东可以依法直接向人民法院提起诉讼。

（四）解散公司诉讼

（1）适用情形：公司僵局。

强制解散公司的条件：
- 公司持续2年以上无法召开股东会或者股东大会，公司经营管理发生严重困难的
- 股东表决时无法达到法定或者公司章程规定的比例，持续2年以上不能作出有效的股东会或者股东大会决议，公司经营管理发生严重困难的
- 公司董事长期冲突，且无法通过股东会或者股东大会解决，公司经营管理发生严重困难的
- 经营管理发生其他严重困难，公司继续存续会使股东利益受到重大损失的情形

（2）诉讼主体。
①原告：持有公司全部股东表决权10%以上的股东；
②被告：公司。

（3）调解：当事人协商一致以下列方式解决分歧，且不违反法律法规规定的，人民法院应予支持。

①公司回购部分股东股份；②其他股东受让部分股东股份；③他人受让部分股东股份；④公司减资；⑤公司分立。

通关绿卡

命题角度1：判断相关当事人是否按照股东代表诉讼程序提起诉讼（注意"躲坑"）。

股东自己提起股东代表诉讼，前提是监事（会）、董事（会）拒绝或怠于提起，或不立即起诉将使公司利益受到难以弥补的损害（拒、拖、急）；若非情形紧急且未先找到董事会或监事会提起诉讼，而是自己直接提起股东代表诉讼，人民法院将不予受理。

命题角度2：判断相关当事人是否具备提起股东代表诉讼的资格。

在股份有限公司当中，提起股东代表诉讼的股东需要同时满足连续180日以上单独或者合计持有公司1%以上股份，持股时长不足连续180天或持股比例不足1%都不满足提起股东代表诉讼的条件。

命题角度3：各类诉讼相关当事人。

诉讼类型	原告	被告
主张公司决议 不成立、无效	股东、董事、监事	公司
主张撤销公司决议	股东	公司
股东请求行使知情权	股东	公司
股东请求分配利润	股东	公司
股东直接诉讼	股东	违法的董事、 高级管理人员
股东代表诉讼 （前置程序）	公司（受股东请求的 董事会、执行董事代表）	违法的公司监事
	公司（受股东请求的 监事会、监事代表）	违法的董事、 高级管理人员
股东代表诉讼	具有资格的股东	违法的公司董监高
解散公司之诉	股东	公司

公司股权

使用斯尔教育 APP
扫码观看本节好课

大【2分】

飞越必刷题：8～9、148

（一）股权代持

（1）股权代持协议效力：如无其他违法情形，该约定有效。

（2）股权代持相关权利义务：

情形	解析
实际出资人的权利	实际出资人与名义股东因投资权益的归属发生争议，实际出资人以其实际履行了出资义务为由向名义股东主张权利的，人民法院应予支持
实际出资人向名义股东转化	视为向股东以外的人转让股权；在有限责任公司中应当经其他股东半数以上（人数）同意
对善意第三人的效力	实际出资人不得对抗善意第三人，善意第三人可以基于善意取得制度取得股权
未履行出资义务的名义股东	如果公司债权人以名义股东未履行出资义务为由，请求其对公司债务不能清偿的部分在未出资本息范围内承担补充赔偿责任，股东以其仅为名义股东而非实际出资人为由进行抗辩的，人民法院不予支持。名义股东在承担相应的赔偿责任后可以向实际出资人追偿

（3）冒名股东：冒名登记行为人应当承担相应责任，被冒名者并不需要承担任何责任。

（二）股权转让

（1）股份有限公司股份转让。

自由转让为原则，法律限制为例外，所谓"法律限制"如下表所示。

股份类型	禁售期间
发起人持股	自公司成立之日起1年内不得转让
上市前持股	自公司股票在证券交易所上市交易之日起1年内不得转让
董监高持股	①在任职期间每年转让的股份不得超过其所持有本公司股份总数的25%； ②所持本公司股份自公司股票上市交易之日起1年内不得转让； ③离职后半年内，不得转让其所持有的本公司股份； ④上市公司董监高所持股份不超过1 000股的，可一次全部转让，不受上述转让比例的限制

提示：因司法强制执行、继承、遗赠、依法分割财产等导致股份变动的除外。

（2）有限责任公司股权移转。

移转类型	解析
自愿转让	①原则：对内自由转让，对外限制规则+优先购买权。 ②对外转让限制： a.决议机制：经其他股东过半数（人数）同意； b.其他股东自接到书面通知之日起满30日未答复的，视为同意转让； c.其他股东半数以上不同意转让的，不同意的股东应当购买该转让的股权；不购买的，视为同意转让。 ③优先购买权：经股东同意转让的股权，在同等条件下，其他股东有优先购买权
基于法院强制执行的强制移转	①人民法院依照法律规定的强制执行程序移转股东股权的，应当通知公司及全体股东，其他股东在同等条件下有优先购买权； ②其他股东自人民法院通知之日起满20日不行使优先购买权的，视为放弃优先购买权
股权继承	①直接继承：在公司章程没有另外规定的情况下，自然人股东死亡后，其合法继承人可以直接继承股东资格（公司章程可以排除合法继承人的直接继承）； ②优先购买权的排除：除章程另有规定或全体股东另有约定外，其他股东主张优先购买权，人民法院不予支持

（三）股份回购

情形	决议机制	处分期限	数量上限	程序
减少公司注册资本	股东大会决议	收购之日起10日内注销	不适用	上市公司应当履行信息披露义务
与持有本公司股份的其他公司合并		6个月内转让或者注销		
股东因对股东大会作出的公司合并、分立决议持异议，要求公司回购股份（行使异议回购请求权）（2021年案例分析题）	不适用（股东请求）			
将股份用于员工持股计划或者股权激励	可以依公司章程规定或股东大会授权，经2/3以上董事出席的董事会会议决议	3年内转让或者注销	公司合计持有的本公司股份数不得超过本公司已发行股份总额的10%	上市公司应当履行信息披露义务，且应当通过公开的集中交易方式进行
将股份用于转换上市公司发行的可转换为股票的公司债券				
上市公司为维护公司价值及股东权益所必需的				

通关绿卡

命题角度1：股份回购是实务热点内容，很有可能会在主观题当中出现，有以下几个命题陷阱需要注意。

（1）用于"激转维"（股权激励、转换为可转债、维护公司价值）的股份回购，不一定需要股东大会决议，而是可以经股东大会授权，由2/3以上董事出席的董事会决议；

（2）用于"激转维"的回购股份拥有更长持有期，应于3年内转让或注销；

（3）用于"激转维"的回购股份有数量上限，不得超过本公司已发行股份总额的10%；

（4）用于"激转维"的股份进行回购时，应当通过公开的集中交易方式进行。

命题角度2：股份公司股东持股比例相关规定汇总。

比例	具体规定
1%	单独或者合并持有上市公司已发行股份1%以上的股东可以提出独立董事候选人
	持股1%以上的个人股东或前十名的个人股东及直系亲属不得担任独立董事
	上市公司（单独）持股1%以上的股东可以作为股东大会代理权征集的征集人
	股份有限公司连续180日以上单独或者合计持有公司1%以上股份的股东可以提出股东代表诉讼
3%	单独或者合计持有公司3%以上股份的股东享有临时提案权
5%	在持股5%以上的公司股东处任职的个人及其直系亲属或前五名公司股东处任职的个人及其近亲属不得担任独立董事
10%	单独或者合计持有公司10%以上股份的股东可以请求召开临时股东大会
	在董事会、监事会不履行召集股东大会会议职责时，连续90日以上单独或者合计持有公司10%以上股份的股东可以自行召集和主持
	公司合计持有的本公司股份数不得超过本公司已发行股份总额的10%
	持有公司全部股东表决权10%以上的股东可以请求人民法院解散公司
30%	控股股东控股比例在30%以上的上市公司应当采用累积投票制

NO.10

特殊的有限责任公司

使用斯尔教育 APP
扫码观看本节好课 ▶

【1分】

飞越必刷题：10

（一）一人有限责任公司

规定类型	解析
独子无孙	一个自然人只能投资设立一个一人有限责任公司，禁止其设立多个一人有限责任公司；一人有限责任公司不能投资设立新的一人有限责任公司
单独股东	一人有限责任公司不设股东会，股东会职权由股东行使
定期审计	一人有限责任公司应当在每一会计年度终了时编制财务会计报告，并经会计师事务所审计
推定混同	一人有限责任公司的股东不能证明公司财产独立于股东自己财产的，应当对公司债务承担连带责任

（二）国有独资公司

机关设置	解析
股东会	国有独资公司不设股东会，由国有资产监督管理机构行使股东会职权；公司的合并、分立、解散、增减注册资本和发行公司债券，必须由国有资产监督管理机构决定
董事会	董事会成员中应当有公司职工代表，由公司职工代表大会选举产生；其他董事会成员由国有资产监督管理机构委派，董事长、副董事长由国有资产监督管理机构从董事会成员中指定
监事会	国有独资公司监事会成员不得少于5人，职工代表的比例不得低于1/3，由公司职工代表大会选举产生；监事会成员由国有资产监督管理机构委派，监事会主席由国有资产监督管理机构从监事会成员中指定

NO.11

公司的财务会计

使用斯尔教育 APP
扫码观看本节好课 ▶

背【1分】

飞越必刷题：40

（一）公积金

（1）公积金的产生：

①资本公积金：直接由资本原因形成的公积金。股份有限公司以股本溢价以及国务院财政

部门规定列入资本公积金的其他收入，应当列为公司资本公积金。

②盈余公积金：

a.法定公积金：按照税后利润10%提取，累计额为公司注册资本的50%以上的，可以不再提取；

b.任意公积金：按照股东（大）会决议，从公司税后利润中提取。

（2）公积金的用途：

用途	资本公积金	盈余公积金 （法定公积金和任意公积金）
弥补公司亏损	×	√
扩大公司生产经营 （如购买设备、对外投资等）	√	√
转增公司资本	√	√ （法定公积金转增资本时，转增后所留存的法定公积金不得少于转增前公司注册资本的25%）

（二）公司的利润分配

（1）利润分配顺序：

①弥补以前年度的亏损，但不得超过税法规定的弥补期限；

②缴纳所得税；

③弥补在税前利润弥补亏损之后仍存在的亏损；

④提取法定公积金；

⑤提取任意公积金；

⑥向股东分配利润。

（2）违法分配利润的法律责任：

①民事责任：

a.股东责任：股东承担违规分配利润的返还责任。如果借利润分配之名抽回出资，则构成抽逃出资，除了必须退还抽回的资金外，还可能在抽逃出资范围内承担公司债务；

b.董事责任：赞同违规分配的董事会成员或执行董事，可能因其违法行为给公司造成损失而承担赔偿责任。

②行政责任：县级以上人民政府财政部门可以责令公司补提法定公积金，并对公司课处不超过20万元的行政罚款。

通关绿卡

命题角度： 公司财务会计制度是历年客观题热门考点，有以下几种常见的命题方法。

（1）考查利润分配顺序，要求进行排序；

（2）考查公积金的产生及用途；

（3）考查法定公积金转增资本金额上限的计算（转增后余额不得低于转增前注册资本的25%）；

（4）违法分配利润的法律责任是近年教材新增知识点，需要熟悉。

公司的重大变更和解散清算

新【1分】

（一）合并

（1）法定合并的三大便利：

①消灭公司的债务转移不需要经过债权人的同意，直接由合并后的公司承继债务；

②消灭公司的人格在合并完成后可以直接消灭，不需要经过清算程序；

③股东手中持有的股权发生变化，不需要征求每一个股东的意见，因为合并是公司行为，只要股东（大）会通过即可。

（2）法定合并需要遵守的程序：

①签订合并协议；

②编制资产负债表及财产清单；

③参与合并的公司股东（大）会各自作出合并决议（特别多数决）；

④通知债权人；

⑤依法进行登记（注销登记）。

（二）分立

公司分立前的债务由分立后的公司承担连带责任。但是，公司在分立前与债权人就债务清偿达成的书面协议另有约定的除外。

（三）增资

适用公司设立时股东出资或认股的规范，由董事会制定和提出增资并经股东（大）会进行特别决议。

（四）减资

减资方式：

（1）返还出资或股款；（2）减免出资或购股义务；（3）缩减股权或股份。

（五）解散

公司解散的原因：

（1）公司章程规定的营业期限届满或者公司章程规定的其他解散事由出现；

（2）股东会或者股东大会决议解散；

（3）因公司合并或者分立需要解散；

（4）依法被吊销营业执照、责令关闭或者被撤销；

（5）人民法院依法予以解散（解散公司之诉）。

公司有上述第（1）项情形的，可以通过修改公司章程（特殊决议事项）而存续。

（六）清算

（1）清算组的成立。

①自行成立清算组。

a.根据《公司法》的规定，公司应当在解散事由出现之日起15日内成立清算组。

b.有限责任公司的清算组由股东组成，股份有限公司的清算组由董事或者股东大会确定的人员组成。

②法院指定清算组。

事项	说明
适用情形	a.公司解散逾期不成立清算组进行清算的； b.虽然成立清算组但故意拖延清算的； c.违法清算可能严重损害债权人或者股东利益的
申请主体	具有上述情形之一，债权人、公司股东、董事或其他利害关系人申请人民法院指定清算组进行清算的，人民法院应予受理
人员构成	人民法院受理公司清算案件，应当及时指定有关人员组成清算组。清算组成员可以从下列人员或者机构中产生： a.公司股东、董事、监事、高级管理人员； b.依法设立的律师事务所、会计师事务所、破产清算事务所等社会中介机构； c.依法设立的律师事务所、会计师事务所、破产清算事务所等社会中介机构中具备相关专业知识并取得执业资格的人员

（2）清算义务人：是指有义务组织公司清算的人，包括有限公司的股东、股份公司的董事和控股股东。

（3）清算当中的各类期限。

①公司应当在解散事由出现之日起15日内成立清算组。

②清算组应当自成立之日起10日内将公司解散清算事宜通知全体已知债权人，将清算组成员、清算组负责人通过国家企业信用信息公示系统公告，并于60日内在报纸上公告。清算组可以通过国家企业信用信息公示系统发布债权人公告。

③人民法院组织清算的，清算组应自成立之日起6个月内清算完毕。

④清算组应当自清算结束之日起30日内向登记机关申请注销登记。

⑤公司未发生债权债务或者已将债权债务清偿完结，未发生或者已结清清偿费用、职工工资、社会保险费用、法定补偿金、应缴纳税款（滞纳金、罚款），并由全体股东书面承诺对上述情况的真实性承担法律责任的，可以按照简易程序办理注销登记。公司应当将承诺书及注销登记申请通过国家企业信用信息公示系统公示，公示期为20日。

（4）清偿债务及财产分配顺序：公司财产在分别支付清算费用、职工的工资、社会保险费用和法定补偿金，缴纳所欠税款，清偿公司债务后的剩余财产，有限责任公司按照股东的出资比例分配，股份有限公司按照股东持有的股份比例分配。

使用斯尔教育APP
扫码观看本节好课

证券法基础知识

背、新【1分】

飞越必刷题：12、16、41

（一）《证券法》的适用范围

种类	发行环节	交易环节
股票、公司债券、存托凭证	适用《证券法》	适用《证券法》
资产支持证券、资产管理产品（"准证券"）	适用《证券法》	适用《证券法》
政府债券、证券投资基金份额	不适用《证券法》	适用《证券法》

（二）存托凭证法律关系

相关主体	权利与义务
基础证券发行人	应符合证券法关于股票等证券发行的基本条件，参与存托凭证发行，依法履行信息披露等义务，并按规定接受证监会及证券交易所监督管理
存托凭证持有人	依法享有存托凭证代表的境外基础证券权益，并按照存托协议约定，通过存托人行使其权利
存托人	按照存托协议约定，根据存托凭证持有人意愿行使境外基础证券相应权利，办理存托凭证分红、派息等业务，资质应符合证监会有关规定

（三）证券市场的结构

交易场所类型	说明
证券交易所（以下简称"交易所"）	上海证券交易所（会员制）：主板、科创板 深圳证券交易所（会员制）：主板、创业板 北京证券交易所（公司制）
全国中小企业股份转让系统（以下简称"新三板"）	基础层、创新层（原精选层的挂牌公司已全部转为北京证券交易所第一批上市公司）
区域性股权市场	地方设立，国有产权交易一般通过产权交易所进行

（四）北京证券交易所

（1）北京证券交易所的成立。

北京证券交易所于2021年9月3日注册成立，是经国务院批准设立的中国第一家公司制证券交易所，受中国证监会监督管理。

（2）北京证券交易所适用的证券发行制度。

北京证券交易所适用注册制，公开发行申请报北京证券交易所审核并经证监会注册。在北京证券交易所公开发行并上市的公司，依法履行《证券法》规定的注册程序，可以向不特定合格投资者公开发行股票。

（3）北京证券交易所的特点。

①发行人范围有法定限制。存量发行人为全国股转系统原精选层的挂牌公司，（新增）发行人应当为在全国股转系统连续挂牌满12个月的创新层挂牌公司。

②投资者范围有法定限制。发行人仅得向不特定的合格投资者进行公开发行。

（五）投资者保护制度

（1）区分普通投资者和专业投资者。

①区分标准：根据财产状况、金融资产状况、投资知识和经验、专业能力等因素将投资者分为"普通投资者"和"专业投资者"。普通投资者和专业投资者在一定条件下可以互相转化。

②区分目的：举证责任倒置。

普通投资者与证券公司发生纠纷的，证券公司应当证明其行为符合法律、行政法规以及国务院证券监督管理机构的规定，不存在误导、欺诈等情形。证券公司不能证明的，应当承担相应的赔偿责任。

（2）投资者保护机构。

职能	具体规定
代理权征集	投资者保护机构也可以作为征集人，公开请求上市公司股东委托其代为出席股东大会，并代为行使提案权、表决权。 提示：上市公司董事会、独立董事、持有1%以上有表决权股份的股东也可以作为征集人，自行或者委托证券公司、证券服务机构，公开请求上市公司股东委托其代为出席股东大会，并代为行使提案权、表决权等股东权利
证券纠纷调解	投资者与发行人、证券公司等发生纠纷的，双方可以向投资者保护机构申请调解。普通投资者与证券公司发生证券业务纠纷，普通投资者提出调解请求的，证券公司不得拒绝
证券支持诉讼	投资者保护机构对损害投资者利益的行为，可以依法支持投资者向人民法院提起诉讼
股东派生诉讼	发行人的董监高执行公司职务时违反法律、行政法规或者公司章程的规定给公司造成损失，发行人的控股股东、实际控制人等侵犯公司合法权益给公司造成损失，投资者保护机构持有该公司股份的，可以为公司的利益以自己的名义向人民法院提起诉讼，持股比例和持股期限不受《公司法》规定的限制
代表人诉讼	投资者保护机构受50名以上投资者委托，可以作为代表人参加诉讼

（3）先行赔付机制。

发行人因欺诈发行、虚假陈述或者其他重大违法行为给投资者造成损失的，发行人的控股股东、实际控制人、相关的证券公司可以委托投资者保护机构，就赔偿事宜与受到损失的投资者达成协议，予以先行赔付。先行赔付后，可以依法向发行人以及其他连带责任人追偿。

通关绿卡

命题角度：投资者保护制度的应用。

投资者保护制度是近年实务热点内容，需要大家给予足够的重视，其中，可考性较高的内容汇总整理如下：

（1）对于普通投资者的特殊保护包括：

①普通投资者与证券公司发生纠纷的，举证责任由证券公司承担；

②普通投资者与证券公司发生证券业务纠纷，普通投资者提出调解请求的，证券公司不得拒绝。

（2）投资者保护机构的特殊职能包括：

①投资者保护机构进行表决权征集，并出席股东大会，并代为行使提案权、表决权；

②发生适用股东代表诉讼的情形时，投资者保护机构持有该公司股份的，可以为公司的利益以自己的名义向人民法院提起诉讼，持股比例和持股期限不受《公司法》规定的限制（180天+1%）。但请务必注意，该类诉讼仍旧有前提条件，投资者保护机构需要持该公司股份，并非与公司没有任何关系的投资者保护机构均可以起诉。

NO.14 　　　　　　　　**股票的首次公开发行**

使用斯尔教育 APP
扫码观看本节好课

大、熟【2分】

飞越必刷题：11、42

（一）首发条件

事项	主板	科创板
存续时间	（1）发行人应当是依法设立且持续经营时间在3年以上的股份有限公司。 （2）有限责任公司按原账面净资产值折股整体变更为股份有限公司的，持续经营时间可以从有限责任公司成立之日起计算	
业务稳定	发行人最近3年内主营业务没有发生重大变化	最近2年内主营业务没有发生重大不利变化
人员稳定	发行人最近3年内董事、高级管理人员没有发生重大变化	最近2年内董事、高级管理人员及核心技术人员均没有发生重大不利变化
股权稳定	发行人最近3年内实际控制人没有发生变更	发行人最近2年内实际控制人没有发生变更

续表

事项	主板	科创板
资本充实	（1）发行前股本总额不少于3 000万元。 （2）发行人的注册资本已足额缴纳	
资产情况	最近一期期末无形资产（扣除土地使用权、水面养殖权和采矿权等后）占净资产的比例不高于20%	
盈利情况	（1）发行人具有持续盈利能力。 （2）最近一期期末不存在未弥补亏损。 （3）财务指标应当达到以下要求： ①最近3个会计年度净利润（取扣除非经常性损益前后较低者，下同）均为正数且累计超过3 000万元。 ②最近3个会计年度经营活动产生的现金流量净额累计超过5 000万元；或最近3个会计年度营业收入累计超过3亿元	在上市条件中加以规定
合法合规	发行人最近36个月内不存在重大违法行为。 提示：三个板块的首发条件里列举的违法行为存在差异，但36个月（3年）的报告期相同，因此须特别注意	

（二）首发程序

（1）核准制（上交所主板、深交所主板）：

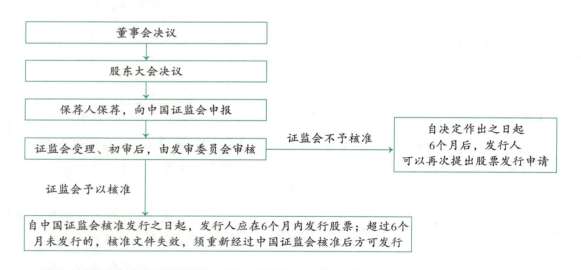

（2）注册制（上交所科创板、深交所创业板、北交所）：

①注册制下的发行程序。

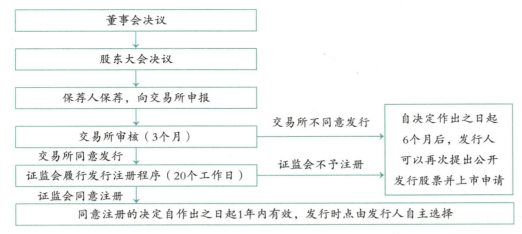

②责任承担：自注册文件受理之日起，发行人及其控股股东、实际控制人、董事、监事、高级管理人员，以及与本次股票公开发行并上市相关的保荐人、证券服务机构及相关责任人员，即承担相应法律责任。

（三）股票承销

承销类型	解析	承销期限
代销	（1）含义：指证券公司代发行人发售股票，在承销期结束时，将未售出的股票全部退还给发行人的承销方式。 （2）发行失败：股票发行采用代销方式，代销期限届满，向投资者出售的股票数量未达到拟公开发行股票数量70%的，为发行失败。 （3）发行失败的后果：发行人应当按照发行价并加算银行同期存款利息返还股票认购人	证券的代销、包销期限最长不得超过90日
包销	（1）先买断：证券公司将发行人的股票按照协议全部购入，然后再向投资者销售。 （2）后买断：证券公司在承销期结束后，将售后剩余股票全部自行购入	

通关绿卡

命题角度1：首发条件的应用。

首发条件有如下两种考查思路：

（1）在客观题当中，要求选出哪些属于主板、科创板（创业板）首发上市需要满足的条件。但此类题目出现频率并不高，面对这么多项发行上市条件，建议大家抓大放小，重点把握与数字有关的条件。

（2）在主观题当中，结合借壳上市考查首发条件，要求判断相关借壳上市方案是否可行。

命题角度2：首发程序的应用。

教材收录了主板和科创板两套首发程序，其核心区别是在主板当中，证监会发审委负责审核工作，而在科创板当中，交易所负责审核工作，证监会履行发行注册程序。

使用斯尔教育APP
扫码观看本节好课

股票的上市与退市

【1分】

飞越必刷题：9

（一）股票的上市

（1）股票上市的程序：申请证券上市交易，应当向证券交易所提出申请，由证券交易所依法审核同意，并由双方签订上市协议。

（2）股票上市的条件——以上交所主板为例。

①股票经中国证监会核准已公开发行；

②具备健全且运行良好的组织机构；

③具有持续经营能力；

④公司股本总额不少于人民币5 000万元；

⑤公开发行的股份达到公司股份总数的25%以上，公司股本总额超过人民币4亿元的，公开发行股份的比例为10%以上；

⑥公司及其控股股东、实际控制人最近3年不存在贪污、贿赂、侵占财产、挪用财产或者破坏社会主义市场经济秩序的刑事犯罪；

⑦最近3个会计年度财务会计报告均被出具无保留意见审计报告。

（二）股票的退市

（1）主动退市。

类型	程序
上市公司主动申请退市或者转市	①股东大会"2/3+2/3"通过： a.第一个"2/3"指出席会议股东所持表决权的2/3以上； b.第二个"2/3"指除董监高和持股5%以上大股东以外的股东所持表决权的2/3以上。 ②上市公司在股东大会作出终止上市决议后的15个交易日内向证券交易所提交退市申请。 ③证券交易所应当自上市公司提交退市申请之日起5个交易日内作出是否受理的决定并通知公司
通过要约收购实施的退市和通过合并、解散实施的退市	①及时向交易所提交主动终止上市申请，并及时发布相关公告； ②证券交易所应当在上市公司公告回购或者收购结果、完成合并交易、作出解散决议之日起15个交易日内，作出终止其股票上市的决定

（2）强制退市。

类型	具体情形	程序
重大违法行为强制退市	上市公司存在欺诈发行（包括常规IPO和借壳上市）、重大信息披露违法（2017年案例分析题）	①退市风险警示（"*ST"）；②交易所决定终止上市；③进入退市整理期（不适用于主动退市和交易类强制退市）；④进入全国股转系统交易
	上市公司存在涉及国家安全、公共安全、生态安全、生产安全和公众健康安全等领域的违法行为，情节恶劣	
不满足交易所要求发生的强制退市	交易类强制退市	
	财务类强制退市	
	规范类强制退市	

通关绿卡

命题角度1：股票上市的条件结合要约收购和退市规则进行考查。

上市条件当中有一条"公开发行的股份达到公司股份总数的25%以上，公司股本总额超过人民币4亿元的，公开发行股份的比例为10%以上"，此条经常跟要约收购结合进行考查。当要约收购比例较高，未收购部分不足25%或10%时，则不再满足上市条件，构成交易类强制退市的情形。

命题角度2：主动退市制度的规则。

主动退市制度是客观题考点，其中，上市公司主动申请退市相关程序非常具有特点（可考性较高），需要股东大会"2/3+2/3"通过，既需要全体股东作出决议，也需要中小股东作出决议，意在保护中小股东的利益。

命题角度3：重大违法行为强制退市制度的情形认定。

重大违法行为强制退市制度是主客观题的高频考点，同时也是实务热点，本年度还进行了小幅修改。考试当中常见的考法是，上市公司出现了适用强制退市的情形（如存在欺诈发行行为，或存在危害公共安全、公众健康安全的违法行为，如生产假疫苗等），要求判断证监会能否要求该公司强制退市。

上市公司信息披露

使用斯尔教育APP
扫码观看本节好课 ▶

新【1分】

飞越必刷题：13、45、47

（一）信息披露的内容

（1）首次信息披露（主要介绍招股说明书）。

①招股说明书相关期限：

a.招股书引用的财务报表应当以年度末（1231）、半年度末（630）或者季度末（331、930）为截止日；

b.招股书中引用的财务报表在其最近一期截止日后6个月内有效，特别情况下发行人可申请适当延长，但至多不超过3个月；

c.招股书的有效期为6个月，自公开发行前招股书最后一次签署之日起计算。

②招股说明书的预披露：预先披露的招股书不是发行人发行股票的正式文件，不能含有价格信息，发行人不得据此发行股票。

③招股说明书的签署。

分类	说明
发行人内部	发行人及其全体董事、监事和高级管理人员应当在招股书上签署书面确认意见，保证招股书的内容真实、准确、完整
发行人股东	发行人的控股股东、实际控制人应当对招股说明书出具确认意见，并签名、盖章
中介机构	保荐人（机构）及其保荐代表人（个人）应当对招股说明书的真实性、准确性、完整性进行核查，并在核查意见上签字、盖章

（2）定期披露。

披露类型	时间要求	披露截止日
年度报告	每个会计年度结束之日起4个月内	4月30日
中期报告	每个会计年度的上半年结束之日起2个月内	8月31日

（3）临时披露。

①影响股票价格的重大事件（应进行临时披露的事件）。

类型	明细
业务	公司的经营方针和经营范围的重大变化； 公司生产经营的外部条件发生的重大变化
交易	公司的重大投资行为，公司在一年内购买、出售重大资产超过公司资产总额30%； 公司营业用主要资产的抵押、质押、出售或者报废一次超过该资产的30%； 公司订立重要合同、提供重大担保或者从事关联交易，可能对公司的资产、负债、权益和经营成果产生重要影响

续表

类型	明细
风险	公司发生重大债务和未能清偿到期重大债务的违约情况； 公司发生重大亏损或者重大损失（2017年案例分析题）； 涉及公司的重大诉讼、仲裁； 股东大会、董事会决议被依法撤销或者宣告无效； 公司涉嫌犯罪被依法立案调查； 公司的控股股东、实际控制人、董事、监事、高级管理人员涉嫌犯罪被依法采取强制措施
人事	公司的董事、1/3以上监事或者经理发生变动，董事长或者经理无法履行职责
股权	持有公司5%以上股份的股东或者实际控制人持有股份或者控制公司的情况发生较大变化； 公司的实际控制人及其控制的其他企业从事与公司相同或者相似业务的情况发生较大变化； 公司分配股利、增资的计划； 公司股权结构的重要变化； 公司减资、合并、分立、解散及申请破产的决定； 公司依法进入破产程序、被责令关闭
投资	上市公司控股子公司发生重大事件，可能对上市公司证券及其衍生品种交易价格产生较大影响的，上市公司应当履行信息披露义务（2017年案例分析题）； 上市公司的参股公司发生可能对上市公司证券及其衍生品种交易价格产生较大影响事件的，上市公司应当履行信息披露义务

②进行临时披露的时点。

常规披露时点	提前披露情形
以下三个时点孰早+两个交易日内进行披露（2019年案例分析题）： a.“形成决议时”——董事会或者监事会就该重大事件形成决议时； b.“签署协议时”——有关各方就该重大事件签署意向书或者协议时； c.“董监高知悉时”——董事、监事或者高级管理人员知悉该重大事件发生时	出现下列情形，上市公司应及时披露相关事项的现状及潜在风险因素（2016年、2020年案例分析题）： a.该重大事件难以保密； b.该重大事件已经泄露或者市场出现传闻； c.公司证券及其衍生品种出现异常交易情况

（二）信息披露的渠道

（1）官方渠道。

①依法披露的信息，应当在证券交易所的网站和符合中国证监会规定条件的媒体发布，同时将其置备于上市公司住所、证券交易所，供社会公众查阅。

a.信息披露文件的全文应当在证券交易所的网站和符合中国证监会规定条件的报刊依法开办的网站披露；

b.定期报告、收购报告书等信息披露文件的摘要应当在证券交易所的网站和符合中国证监会规定条件的报刊披露。

②将公告文稿和相关备查文件报送上市公司注册地证监局。

（2）其他渠道。

除依法需要披露的信息之外，信息披露义务人可以自愿披露与投资者作出价值判断和投资决策有关的信息。但须注意：

①内容上，自愿披露的信息不得与依法披露的信息相冲突，不得误导投资者；

②时间上，在公司网站及其他媒体发布信息的时间不得先于指定媒体；

③信息披露义务人不得以新闻发布或者答记者问等任何形式代替应当履行的报告、公告义务。

（三）信息披露事务管理

（1）上市公司董监高在信息披露工作中的职责。

①上市公司董监高异议声明制度。

a.董事、监事和高级管理人员无法保证证券发行文件和定期报告内容的真实性、准确性、完整性或者有异议的，应当在书面确认意见中发表意见并陈述理由，发行人应当披露。

b.发行人不予披露的，董事、监事和高级管理人员可直接申请披露（2021年案例分析题）。

②主要责任归属。

a.上市公司董事、监事、高级管理人员应当对公司信息披露的真实性、准确性、完整性、及时性、公平性负责，但有充分证据表明其已经履行勤勉尽责义务的除外。

b.上市公司董事长、经理、董事会秘书，应当对公司临时报告信息披露的真实性、准确性、完整性、及时性、公平性承担主要责任。

c.上市公司董事长、经理、财务负责人应当对公司财务会计报告的真实性、准确性、完整性、及时性、公平性承担主要责任。

（2）上市公司的股东、实际控制人在信息披露中的职责。

上市公司的股东、实际控制人发生以下事件时，应当主动告知上市公司董事会，并配合上市公司履行信息披露义务（2020年案例分析题）：

类型	事件
权益变动	持有公司5%以上股份的股东或者实际控制人，其持有的股份或者控制公司的情况发生较大变化的
同业竞争	公司的实际控制人及其控制的其他企业从事与公司相同或者相似业务的情况发生较大变化
权益限制	①法院裁决禁止控股股东转让其所持股份； ②任何一个股东所持公司5%以上股份被质押、冻结、司法拍卖、托管（委托管理）、设定信托或者被依法限制表决权的
改头换面	拟对上市公司进行重大资产或者业务重组的

通关绿卡

命题角度1：首次披露和定期披露的相关细节规则记忆。

招股说明书的有效期、引用财务报表的有效期、签字人以及定期披露的时限都是客观题较为高频的考点，需要准确记忆。

命题角度2：应进行临时披露的重大事件范围及披露时间。

主观题常考点为应进行临时披露的重大事件，虽然重大事件这部分内容庞杂，难以记忆，但是考试也并不会直接要求默写重大事件范畴，而是要求能够识别出题目中情形属于应进行临时披露的重大事件，并结合事件性质判断应进行临时披露的时间点，若未在规定的时间点之前进行临时披露，则有可能构成虚假陈述行为，可以结合虚假陈述相关规则进一步考查。

命题角度3：上市公司董监高异议声明制度。

本制度是今年新增内容，有较强的可考性。需要重点注意的是，发行人的董监高，如果想主张自己不承担虚假陈述民事赔偿责任，则应按前述规定，在该信息披露文件予以公布时，以书面方式发表附具体理由的意见并依法披露，且在公司内部审议、审核该信息披露文件时未投赞成票。简言之，单纯地只是在信息披露文件中声称自己无法保证该文件内容的真实性、准确性、完整性，不构成主观上没有过错的理由。

上市公司发行新股

使用斯尔教育 APP
扫码观看本节好课

大、背【2分】

飞越必刷题：17、48

（一）主板上市公司发行新股的条件

形式	重要一般条件	个性条件
配股	（1）连续盈利——最近3个会计年度连续盈利；	（1）拟配售股份数量不超过本次配售股份前股本总额的30%。 （2）控股股东应当在股东大会召开前公开承诺认配股份的数量。 （3）采用证券法规定的代销方式发行（存在配股不成功的情形）

形式	重要一般条件	个性条件
增发	（2）没有业绩大跳水——最近24个月内曾公开发行证券的，不存在发行当年营业利润比上年下降50%以上的情形； （3）不是铁公鸡——最近3年以现金方式累计分配的利润不少于最近3年实现的年均可分配利润的30%（2012年案例分析题）； （4）没有核心人员变动——高管及核心技术人员最近12个月内未发生重大不利变化	（1）最近3个会计年度加权平均净资产收益率平均不低于6%。 （2）除金融类企业外，最近一期期末不存在持有金额较大的交易性金融资产和可供出售的金融资产、借予他人款项、委托理财等财务性投资的情形。 （3）发行价格应不低于公告招股意向书前20个交易日公司股票均价或前一个交易日的均价
非公开发行		（1）发行对象不超过35名： ①证券投资基金管理公司以其管理的两只以上基金认购的，视为一个发行对象（2014案例分析题）； ②信托公司作为发行对象，只能以自有资金认购。 （2）锁定期： ①18个月： a.上市公司的控股股东、实际控制人或其控制的关联人； b.通过认购本次发行的股份取得上市公司实际控制权的投资者； c.董事会拟引入的境内外战略投资者。 ②6个月： 除上述情形外，发行对象认购的股份自发行结束之日起6个月内不得转让。 （3）发行对象认购本次非公开发行股票的发行价格不低于定价基准日前20个交易日公司股票均价的80%。 （4）董事会决议确定具体发行对象的，上市公司应当在召开董事会的当日或者前一日与相应发行对象签订附条件生效的股份认购合同

（二）主板上市公司发行新股的程序（核准制）

董事会审议→股东大会审议（特别决议）→保荐人保荐→证监会核准→承销商承销。须注意：

（1）自中国证监会核准发行之日起，上市公司应在12个月内发行证券；超过12个月未发行的，核准文件失效，须重新经中国证监会核准后方可发行。

（2）非公开发行股票，发行对象均属于原前10名股东的，可以由上市公司自行销售。

通关绿卡

命题角度1：非公开发行相关规则。

上述上市公司股权再融资的三种方式当中，非公开发行考查频率最高，而且2021年教材还根据最新的再融资规则进行了修改，所以大家需要重点关注此部分内容。关于非公开发行，存在如下考查角度：

（1）在主观题当中给出一个非公开发行的方案，据此考查关于发行对象的限制。如：

①发行主体共36个，但有三只基金归属于同一证券投资基金管理公司，是否符合证券法律制度的要求——符合，因为证券投资基金管理公司以其管理的两只以上基金认购的，视为一个发行对象，实际计算所得的发行对象是34名，未超35名；

②信托公司以信托资金认购非公开发行的股份，是否符合证券法律制度的要求——不符合，信托公司仅能以自有资金认购。

（2）在主观题当中考查锁定期相关规定：考查方式往往是某主体认购非公开发行股份后一段时间以内进行转让，要求判断其转让行为是否符合证券法律制度规定。

（3）判断发行价格是否合理：考试当中不曾考查定价基准日前20个交易日股票交易均价的计算，而是会直接给出该价格，要求判断发行价格是否合理，也就是是否不低于该价格的80%。

命题角度2：各类锁定期相关规则。

锁定期汇总（司法强制执行、继承、遗赠、依法分割财产导致股份变动不受锁定期限制）：

（1）6个月锁定期：上市公司非公开发行股票，除控股股东、实际控制人及关联人，通过认购取得控制权的投资者，以及战略投资者之外的发行对象，自发行结束之日起6个月内不得转让。

（2）1年锁定期：

①发起人持有本公司股份，自公司成立之日起1年内不得转让；

②公司公开发行股份前已发行的股份，自公司上市之日起1年内不得转让；

③公司董监高所持本公司股份，自公司股票上市交易之日起1年内不得转让。

（3）18个月锁定期：上市公司非公开发行股票，上市公司的控股股东、实际控制人或其控制的关联人，通过认购取得公司实际控制权的投资者，董事会拟引入的境内外战略投资者，自发行结束之日起18个月内不得转让。

（4）特别锁定期：上市公司董监高，在任职期间每年转让的股份不得超过其所持有的本公司股份总数的25%；所持股份不超过1 000股的，可一次全部转让。离职半年内，不得转让其所持有的本公司股份。

优先股的发行与交易

大、背【2分】

飞越必刷题：14、46

（一）优先股的特点

（1）何谓"优先"：

①优先于普通股分配利润：公司应当以现金的形式向优先股股东支付股息，在完全支付约定的股息之前，不得向普通股股东分配利润；

②优先于普通股分配公司剩余财产。

（2）优先的"代价"：

①通常情况下，优先股股东不出席股东大会会议，所持股份没有表决权。

②特殊情况下，与优先股股东利益息息相关的事项，优先股股东可以参与表决（出席会议普通股股东2/3+出席会议优先股股东2/3），包括：

a.修改公司章程中与优先股相关的内容；

b.一次或累计减少公司注册资本超过10%；

c.公司合并、分立、解散或变更公司形式；

d.发行优先股。

（3）当不再"优先"，则可以不付出"代价"——表决权恢复：

公司累计3个会计年度或连续2个会计年度未按约定支付优先股股息的，优先股股东有权出席股东大会，每股优先股股份享有公司章程规定的表决权。

（二）优先股的发行条件

情形	条件
一般条件	（1）股份数和筹资金额双重限制——公司已发行的优先股不得超过公司普通股股份总数的50%，且筹资金额不得超过发行前净资产的50%（2014年、2021年案例分析题）； （2）我国目前可以发行优先股的只有上市公司和非上市公众公司，且只有上市公司可以公开发行优先股
上市公司发行优先股的条件	（1）付息能力：最近3个会计年度实现的年均可分配利润应当不少于优先股1年的股息。 （2）遵纪守法： 不存在下列情形： ①本次发行申请文件有虚假记载、误导性陈述或重大遗漏； ②最近十二个月内受到过中国证监会的行政处罚； ③因涉嫌犯罪正被司法机关立案侦查或涉嫌违法违规正被中国证监会立案调查； ④上市公司的权益被控股股东或实际控制人严重损害且尚未消除；

续表

情形	条件
上市公司发行优先股的条件	⑤上市公司及其附属公司违规对外提供担保且尚未解除； ⑥存在可能严重影响公司持续经营的担保、诉讼、仲裁、市场重大质疑或其他重大事项； ⑦其董事和高级管理人员不符合法律、行政法规和规章规定的任职资格； ⑧严重损害投资者合法权益和社会公共利益的其他情形
上市公司公开发行优先股的条件	（1）财务条件：最近3个会计年度应当连续盈利。 （2）章程必备（2014年案例分析题）： ①采取固定股息率； ②在有可分配税后利润的情况下必须向优先股股东分配股息； ③未向优先股股东足额派发股息的差额部分应当累积到下一会计年度； ④优先股股东按照约定的股息率分配股息后，不再同普通股股东一起参加剩余利润分配。 （3）资质适格——符合下列情形之一： ①其普通股为上证50指数成份股； ②以公开发行优先股作为支付手段收购或吸收合并其他上市公司； ③以减少注册资本为目的回购普通股的，可以公开发行优先股作为支付手段，或者在回购方案实施完毕后，可公开发行不超过回购减资总额的优先股

通关绿卡

命题角度：要求判断相关优先股发行方案是否合规。

优先股过往在客观题当中考频较高，主观题偶尔涉及，但近几年教材对于优先股部分内容逐步进行了补充，另外，2020和2021年度考试的主观题当中已经出现了大篇幅的对于可转债的考查，同为性质比较特殊的金融工具，在真题中若以优先股为蓝本编制一道主观题，也非常合情合理。优先股的考查方式主要为题目中给出一个优先股发行方案，要求判断是否符合规定。重点需要关注优先股发行股份数以及筹资金额的限制（50%+50%）、上市公司发行优先股的各类条件。

NO.19　上市公司收购中的"人"

使用斯尔教育APP
扫码观看本节好课 ▶

大、背、新【2分】

飞越必刷题：149

（一）实际控制人

满足以下条件之一的，可以构成实际控制人中的"实际控制"（2018年案例分析题）：

（1）投资者为上市公司持股50%以上的控股股东；

（2）投资者可以实际支配上市公司股份表决权超过30%；

（3）投资者通过实际支配上市公司股份表决权能够决定公司董事会半数以上成员选任；

（4）投资者依其可实际支配的上市公司股份表决权足以对公司股东大会的决议产生重大影响。

（二）一致行动人

如无相反证据，投资者有下列情形之一的，为一致行动人：

分类	明细
协议关系	相关方之间签署了一致行动协议或表决权委托协议
控制关系	（1）投资者之间有股权控制关系； （2）投资者受同一主体控制； （3）投资者的董事、监事或者高级管理人员中的主要成员，同时在另一个投资者担任董事、监事或者高级管理人员； （4）投资者参股另一投资者，可以对参股公司的重大决策产生重大影响
利益关系	（1）银行以外的其他法人、其他组织和自然人为投资者取得相关股份提供融资安排； （2）投资者之间存在合伙、合作、联营等其他经济利益关系（上市公司收购人）
人事关系	（1）投资者层面的人事关系： ①持有投资者30%以上股份的自然人，与投资者持有同一上市公司股份； ②在投资者任职的董事、监事及高级管理人员，与投资者持有同一上市公司股份。 （2）上市公司层面的人事关系： 上市公司董事、监事、高级管理人员和员工与其所控制或者委托的法人或者其他组织持有本公司股份
亲属关系	（1）持有投资者30%以上股份的自然人和在投资者任职的董事、监事及高级管理人员，其父母、配偶、子女及其配偶、配偶的父母、兄弟姐妹及其配偶、配偶的兄弟姐妹及其配偶等亲属，与投资者持有同一上市公司股份； （2）在上市公司任职的董事、监事、高级管理人员及其前项所述亲属同时持有本公司股份的，或者与其自己或者其前项所述亲属直接或者间接控制的企业同时持有本公司股份

通关绿卡

命题角度：一致行动人规则的应用。

（1）需要重点掌握的认定情形包括：

①投资者之间有股权控制关系或受同一主体控制；

②投资者参股另一投资者，可以对参股公司的重大决策产生重大影响；

③投资者之间存在合伙、合作、联营等其他经济利益关系；

④相关方之间签署了一致行动协议或表决权委托协议。

（2）一致行动人相关规则的考查方式：

一致行动人的规则并不需要大家死记硬背，往往案例中会描述相关情形，诸位做到可以识别出一致行动人即可。另外，一致行动人往往与强制要约义务的认定、实际控制人的认定结合考查，因为一致行动人规则的核心就是其持股合并计算。

若合并后触发了持股权益披露义务，则需要按规定进行持股权益披露；若合并后触发了强制要约义务，则需要进行强制要约；若合并后满足了上述实际控制人的条件，则成为了上市公司实际控制人，需要履行相关信披义务并承担相关证券欺诈的法律责任。

持股权益披露

使用斯尔教育 APP
扫码观看本节好课

大、背、新【2分】

（一）持股权益披露的触发条件

（1）场内交易受让股份（集中竞价、大宗交易）——"散买"。

①信披及"缓行"规则：

情形	信息披露	"缓行"规则
首次触及5%	T+3公告	T+3不得买卖 （事实发生之日起3日内不得买卖）
达到5%后，±5%	T+3公告	3+3不得买卖 （事实发生之日起至公告后3日内不得买卖）
达到5%后，±1%	T+1公告	只信披，不"缓行"

②违反上述规定买入上市公司有表决权的股份的，在买入后的36个月内，对该超过规定比例部分的股份不得行使表决权。

（2）协议收购。

情形	信息披露
达到或超过5% （一笔超过5%的可以直接根据一笔过之后的实际持股比例进行披露）	协议达成之日起3日内公告
达到5%后，±5%	T+3公告 （事实发生或协议达成之日起3日内公告）

（二）持股权益披露的内容

（1）简式权益变动报告书与详式权益变动报告书的适用。

满足条件	投资者不是第一大股东或实控人	投资者是第一大股东或实控人
5%≤持股比例<20%	简权	详权
20%≤持股比例<30%	详权	详权

（2）权益变动报告书披露的核心内容。

事项	"简权"须披露的内容	"详权"须进一步披露的内容
你咋来的？	①上市公司的名称、股票的种类、数量、比例。 ②在上市公司中拥有权益的股份变动的时间及方式	取得相关股份的价格、所需资金额，或者其他支付安排
我认识你吗？	权益变动事实发生之日前6个月内通过证券交易所的证券交易买卖该公司股票的简要情况	前24个月内投资者及其一致行动人与上市公司之间的重大交易
你想干嘛？	持股目的，是否有意在未来12个月内继续增加其在上市公司中拥有的权益	未来12个月内对上市公司资产、业务、人员、组织结构、公司章程等进行调整的后续计划

通关绿卡

命题角度1：持股权益变动披露时间点。

（1）近年新增的"爬行增减持"规则需要注意，即持股5%后，通过公开市场每增持或减持1%都要在"T+1"进行披露，如持股5%之后通过公开市场增持至10%，则在到达5%、6%、7%、8%、9%、10%时都需要进行披露；

（2）通过协议转让方式取得股权的，无法恰好在5%的时点停下来，很可能一次性就购入了5%以上的股份，在这种情况下，在签订该笔协议之日起3日内进行披露即可，无须把一笔交易拆分成5%和剩余部分。

> **通关绿卡**
>
> 命题角度2：权益变动报告书相关内容。
>
> 　　（1）权益变动报告书的适用：即何时适用"简权"，何时适用"详权"，要能够进行判断；
>
> 　　（2）权益变动报告书的内容：内容过多，无须全面背诵和记忆，通过反复浏览，对关键内容有个印象，主观题当中能够识别即可。

NO.21　要约收购

使用斯尔教育 APP
扫码观看本节好课

大、背、新【2分】

飞越必刷题：49、149

（一）强制要约义务的触发

情形		要约义务	规范表述（用于回答主观题）
满30%+散买		全面要约或者部分要约	通过证券交易所的证券交易，投资者持有或者通过协议、其他安排与他人共同持有一个上市公司已发行的有表决权股份达到30%时，继续进行收购的，应当依法向该上市公司所有股东发出收购上市公司全部或者部分股份的要约
一笔超过30%	协议收购"一笔过"	（1）在30%处停下来，超过30%的部分，改以要约方式进行，则可以发出部分要约；（2）在30%处未停下来，应发出全面要约	收购人拟通过协议方式收购一个上市公司的股份超过30%的，超过30%的部分，应当改以要约方式进行；不符合前述规定情形的，在履行其收购协议前，应当发出全面要约（2021年案例分析题）
	间接收购"一笔过"	（1）应当发出全面要约；（2）不能发出全面要约的，应在30日内减持至30%或30%以下	通过间接收购，收购人拥有权益的股份超过该公司已发行股份的30%的，应当向该公司所有股东发出全面要约；收购人预计无法在事实发生之日起30日内发出全面要约的，应当在前述30日内促使其控制的股东将所持有的上市公司股份减持至30%或者30%以下，并自减持之日起2个工作日内予以公告（2018年案例分析题）

（二）强制要约义务的豁免

分类	说明
免于以要约收购方式增持	（1）同控转让：收购人与出让人能够证明本次股份转让是在同一实际控制人控制的不同主体之间进行，未导致上市公司的实际控制人发生变化。 （2）挽救危机：上市公司面临严重财务困难，收购人提出的挽救公司的重组方案取得该公司股东大会批准，且收购人承诺3年内不转让其在该公司中所拥有的权益
免于发出要约	（1）国资重组：经政府或者国有资产管理部门批准进行国有资产无偿划转、变更、合并，导致投资者在一个上市公司中拥有权益的股份占该公司已发行股份的比例超过30%。 （2）被动增加：因上市公司按照股东大会批准的确定价格向特定股东回购股份而减少股本，导致投资者在该公司中拥有权益的股份超过该公司已发行股份的30%。 （3）定增重组：经上市公司股东大会非关联股东批准，投资者取得上市公司向其发行的新股，导致其在该公司拥有权益的股份超过该公司已发行股份的30%，投资者承诺3年内不转让本次向其发行的新股，且公司股东大会同意投资者免于发出要约。 （4）爬行增持：在一个上市公司中拥有权益的股份达到或者超过该公司已发行股份的30%的，自上述事实发生之日起1年后，每12个月内增持不超过该公司已发行的2%的股份。 提示：上述增持不超过2%的股份锁定期为增持行为完成之日起6个月。 （5）自由增持：在一个上市公司中拥有权益的股份达到或者超过该公司已发行股份的50%的，继续增加其在该公司拥有的权益不影响该公司的上市地位。 （6）金融业务：证券公司、银行等金融机构在其经营范围内依法从事承销、贷款等业务导致其持有一个上市公司已发行股份超过30%，没有实际控制该公司的行为或者意图，并且提出在合理期限内向非关联方转让相关股份的解决方案。 （7）继承：因继承导致在一个上市公司中拥有权益的股份超过该公司已发行股份的30%。 （8）金融业务：因履行约定购回式证券交易协议购回上市公司股份导致投资者在一个上市公司中拥有权益的股份超过该公司已发行股份的30%，并且能够证明标的股份的表决权在协议期间未发生转移。 （9）优先股恢复：因所持优先股表决权依法恢复导致投资者在一个上市公司中拥有权益的股份超过该公司已发行股份的30%

（三）要约收购的程序

（1）收购要约（买方角度）。

事项	规定
收购比例	无论是自愿要约还是强制要约，其预定收购的股份比例不得低于该上市公司已发行股份的5%
要约期限	收购要约约定的收购期限不得少于30日，并不得超过60日，但出现竞争要约的除外
收购价格	①收购人对同一种类股票的要约价格不得低于要约收购提示性公告日前6个月内收购人取得该种股票所支付的最高价格。 ②要约价格低于提示性公告前30个交易日该种股票的每日加权平均价格的算术平均值的，收购人聘请的财务顾问应当就该种股票前6个月的交易情况进行分析，说明是否存在股价被操纵、要约价格是否合理等情况（2018年主观题、2020年主观题）
公平性	收购要约提出的各项收购条件，应当适用于被收购公司的所有股东
撤销	在收购要约确定的承诺期内，收购人不得撤销其收购要约
变更	①在收购要约确定的承诺期内，收购人需要变更收购要约的，必须及时公告，载明具体变更事项，并通知被收购公司。 ②收购要约的变更不得存在下列情形：降低收购价格、减少预定收购股份数额、缩短收购期限。 ③在收购要约期限届满前15日内，收购人不得变更收购要约，但出现竞争要约的除外

（2）预受要约（卖方角度）。

①在要约收购期限届满3个交易日前，预受股东可以委托证券公司办理撤回预受要约的手续，证券登记结算机构根据预受要约股东的撤回申请解除对预受要约股票的临时保管。

②在要约收购期限届满前3个交易日内，预受股东不得撤回其对要约的接受（2018年、2020年案例分析题）。

（3）要约期满。

收购期限届满，发出部分要约的收购人应当按照收购要约约定的条件购买被收购公司股东预受的股份；预受要约股份的数量超过预定收购数量时，收购人应当按照同等比例收购预受要约的股份。

（四）要约收购当事人的义务

义务人	义务内容
收购人	（1）收购人在要约收购期限内，不得卖出被收购公司的股票； （2）收购人在要约收购期限内，不得采取要约规定以外的形式和超出要约的条件买入被收购公司的股票，也不得在证券交易所外公开求购被收购公司的股份； （3）收购人在公告要约收购报告书之前可以自行取消收购计划，不过应当公告原因；自公告之日起12个月内，该收购人不得再次对同一上市公司进行收购

续表

义务人	义务内容
被收购公司董事会	（1）被收购公司董事会应当对收购人的主体资格、资信情况及收购意图进行调查，对要约条件进行分析，对股东是否接受要约提出建议，并聘请独立财务顾问提出专业意见； （2）在收购人作出提示性公告后至要约收购完成前，被收购公司除继续从事正常的经营活动或者执行股东大会已经作出的决议外，未经股东大会批准，被收购公司董事会不得通过处置公司资产、对外投资、调整公司主要业务、担保、贷款等方式，对公司的资产、负债、权益或者经营成果造成重大影响； （3）在要约收购期间，被收购公司董事不得辞职； （4）在收购人公告要约收购报告书后20日内，被收购公司董事会应当将被收购公司董事会报告书与独立财务顾问的专业意见报送中国证监会，同时抄报派出机构，抄送证券交易所，并予公告（2018年主观题，要求判断披露的时间是否合法）

通关绿卡

命题角度1：要求判断是否适用要约收购制度，如果适用则需发出全面要约还是发出部分要约。

（1）首先需明确预定收购5%以下的，不适用要约收购制度。

（2）判断全面要约还是部分要约，则可以适用上文中的表格，需注意此部分往往会进行主观题的考查，所以在表格中也为大家展示了法条原文，需要大家在考场上能够作答出相关表述。

命题角度2：要约收购是否可以豁免。

此部分条目繁多，部分可以豁免的情形同学们可能难以理解。但此部分并不要求大家逐字、逐句进行背诵，在主观题中能够识别出相关情形，答出该情形符合要约收购豁免情形即可。其中，可考性较高的情形包括同控转让、挽救危机、爬行增持、自由增持四项。

命题角度3：要约收购的程序和相关当事人义务。

此部分内容较多，其中需要重点关注收购要约的具体规定和预受要约的规定：收购要约的价格（无须计算，题目中往往会给出，仅判断是否合规即可）、收购要约的期限、预受要约是否可以撤回的判断等内容反复在主观题当中出现。剩余内容大家不一定要死记硬背，多看几遍，加深印象即可。

No.22 特殊类型收购

使用斯尔教育APP
扫码观看本节好课 ▶

【1分】

飞越必刷题：149

（一）协议收购

（1）过渡期安排。

以协议方式进行上市公司收购的，自签订收购协议起至相关股份完成过户的期间为上市公司收购过渡期。在过渡期内：

①收购人不得通过控股股东提议改选上市公司董事会，确有充分理由改选董事会的，来自收购人的董事不得超过董事会成员的1/3；

②被收购公司不得为收购人及其关联方提供担保；

③被收购公司不得公开发行股份募集资金，不得进行重大购买、出售资产及重大投资行为或者与收购人及其关联方进行其他关联交易，但收购人为挽救陷入危机或者面临严重财务困难的上市公司的情形除外。

（2）出让股份之控股股东的义务。

被收购公司控股股东向收购人协议转让其所持有的上市公司股份的，应当对收购人的主体资格、诚信情况及收购意图进行调查，并在其权益变动报告书中披露有关调查情况。

（二）间接收购

投资者虽不是上市公司的股东，但通过投资关系取得对上市公司股东的控制权，而受其支配的上市公司股东所持股份达到相关比例，且对该股东的资产和利润构成重大影响的，也应当履行权益预警披露义务，以及履行在引发强制要约收购时编制要约收购报告书，或免于发出要约时编制上市公司收购报告书的义务。

（三）管理层收购

上市公司董事、监事、高级管理人员、员工或者其所控制或者委托的法人或者其他组织，拟对本公司进行收购或者通过间接收购取得本公司控制权的：

（1）该上市公司应当具备健全且运行良好的组织机构以及有效的内部控制制度；

（2）公司董事会成员中独立董事的比例应当达到或者超过1/2；

（3）公司应当聘请具有证券、期货从业资格的资产评估机构提供公司资产评估报告；

（4）本次收购应当经董事会非关联董事作出决议，且取得2/3以上的独立董事同意后，提交公司股东大会审议；独立董事发表意见前，应当聘请独立财务顾问就本次收购出具专业意见，独立董事及独立财务顾问的意见应当一并予以公告；

（5）本次收购应当经出席股东大会的非关联股东所持表决权过半数通过；

（6）上市公司董事、监事、高级管理人员存在《公司法》规定不得担任公司董监高的情形，或者最近3年有证券市场不良诚信记录的，不得收购本公司。

上市公司重大资产重组

使用斯尔教育APP
扫码观看本节好课

大【2分】

飞越必刷题：50

（一）重大资产重组行为的界定

类型	普通重大资产重组	特殊重大资产重组（借壳上市）
前提	无	上市公司发生控制权变更，且在变更之日起36个月内向收购人及其关联人购买资产（2015年案例分析题）
购买资产的规模条件	（1）购买、出售的资产总额占上市公司最近一个会计年度经审计的合并财务会计报告期末资产总额的比例达到50%以上； （2）购买、出售的资产在最近一个会计年度所产生的营业收入占上市公司同期经审计的合并财务会计报告营业收入的比例达到50%以上； （3）购买、出售的资产净额占上市公司最近一个会计年度经审计的合并财务会计报告期末净资产额的比例达到50%以上，且超过5 000万元人民币	（1）购买的资产总额占上市公司控制权发生变更的前一个会计年度经审计的合并财务会计报告期末资产总额的比例达到100%以上； （2）购买的资产在最近一个会计年度所产生的营业收入占上市公司控制权发生变更的前一个会计年度经审计的合并财务会计报告营业收入的比例达到100%以上； （3）购买的资产净额占上市公司控制权发生变更的前一个会计年度经审计的合并财务会计报告期末净资产额的比例达到100%以上； （4）为购买资产发行的股份占上市公司首次向收购人及其关联人购买资产的董事会决议前一个交易日的股份的比例达到100%以上； （5）未达到上述（1）至（4）的标准，但可能导致上市公司主营业务发生根本变化
核准	—	中国证监会核准
信息披露	属于"重大事件"，应及时披露	

（二）借壳上市需满足的条件

（1）上市公司购买的资产对应的经营实体应当是股份有限公司或者有限责任公司；且符合《首发管理办法》规定的其他发行条件；

（2）上市公司及其最近3年内的控股股东、实际控制人不存在因涉嫌犯罪正被司法机关立案侦查或涉嫌违法违规正被中国证监会立案调查的情形；

（3）上市公司及其控股股东、实际控制人最近12个月内未受到证券交易所公开谴责，不存在其他重大失信行为。

（三）重大资产重组的决议

（1）特别决议：必须经出席会议的股东所持表决权的2/3以上通过。

（2）回避表决：

①关联股东回避；

②交易对方已经与上市公司控股股东就受让上市公司股权或者向上市公司推荐董事达成协议或者默契，可能导致上市公司的实际控制权发生变化的，上市公司控股股东及其关联人应当回避表决。

（3）会议形式：应当以现场会议形式召开，并应当提供网络投票或者其他合法方式为股东参加股东大会提供便利。

（4）投票统计：除上市公司的董事、监事、高级管理人员、单独或者合计持有上市公司5%以上股份的股东以外，其他股东的投票情况应当单独统计并予以披露。

通关绿卡

命题角度1：要求识别出借壳上市方案，并判断其是否符合规定。

（1）认定为借壳上市的前提是存在控制权转移，所以若在整体的重大资产重组方案中发现了控制权转移的情形，需要高度关注，极有可能该方案构成借壳上市；

（2）一旦认定为借壳上市，拟借壳的公司需要满足《首发办法》的规定，若为主板借壳则需要满足前文中介绍过的主板首发上市的条件，不满足则无法通过证监会核准。

命题角度2：重大资产重组的决议。

本考点主要在客观题中出现，由于重大资产重组行为对上市公司业务影响重大，牵涉利益众多，所以除了构成上市公司特别决议事项外，还有诸多流程、表决机制上的特别规定。

NO.24　发行股份购买资产

使用斯尔教育APP
扫码观看本节好课

大【2分】

飞越必刷题：15

（一）发行股份的定价

（1）上市公司发行股份的价格不得低于市场参考价的90%（2016年案例分析题）。

（2）市场参考价的确定（2016年案例分析题）。

①市场参考价为本次发行股份购买资产的董事会决议公告日前20个交易日、60个交易日或者120个交易日的公司股票交易均价之一；

②本次发行股份购买资产的董事会决议应当说明市场参考价的选择依据。

（二）发行股份的锁定

（1）一般情形：

①特定对象以资产认购而取得的上市公司股份，自股份发行结束之日起12个月内不得转让。（2016年主观题）

②属于下列情形之一的，36个月内不得转让：

a.特定对象为上市公司控股股东、实际控制人或者其控制的关联人；

b.特定对象通过认购本次发行的股份取得上市公司的实际控制权；

c.特定对象取得本次发行的股份时，对其用于认购股份的资产持续拥有权益的时间不足12个月。

（2）构成借壳上市的特殊情形：

①上市公司原控股股东、原实际控制人及其控制的关联人，以及在交易过程中从该等主体直接或间接受让该上市公司股份的特定对象应当公开承诺，在本次交易完成后36个月内不转让其在该上市公司中拥有权益的股份；

②除收购人及其关联人以外的特定对象应当公开承诺，其以资产认购而取得的上市公司股份自股份发行结束之日起24个月内不得转让。

（三）发行股份购买资产的许可

经证监会核准方可实施。

NO.25 公司债券

使用斯尔教育 APP
扫码观看本节好课

大、背、新【2分】

飞越必刷题：18、52

（一）公司债券的公开发行

发行方式	通用条件	特殊条件	转让
向专业投资者公开发行（"小公募"）	（1）发行人具备健全且运行良好的组织机构。	—	应当在依法设立的证券交易所上市交易，或在全国股转系统转让
向公众投资者公开发行（"大公募"）	（2）发行人最近3年平均可分配利润足以支付公司债券1年的利息（2014年案例分析题）。（3）应当委托具有从事证券服务业务资格的资信评级机构进行信用评级。（4）不存在债务违约或迟延支付本息的事实	（1）发行人最近3年无债务违约或者迟延支付本息的事实；（2）发行人最近3年平均可分配利润不少于债券1年利息的1.5倍；（3）发行人最近一期末净资产规模不少于250亿元；（4）发行人最近36个月内累计公开发行债券不少于3期，发行规模不少于100亿元	

（二）公司债券的非公开发行

发行方式	发行条件	转让
非公开发行	（1）应当向专业投资者发行，不得采用广告、公开劝诱和变相公开方式，每次发行对象不得超过200人；（2）承销机构或依法自行销售的发行人应当在每次发行完成后5个工作日内向中国证券业协会备案	（1）可以申请在证券交易所、全国股转系统、证券公司柜台转让；（2）转让仅限于专业投资者范围内，且转让后持有同次发行债券的专业投资者合计不得超过200人

（三）公司债券的发行程序和期限

（1）发行程序。

①申报注册文件。

a.发行人向证券交易所申报注册申请文件；

b.证券交易所收到注册申请文件后，在5个工作日内作出是否受理的决定；

c.自注册申请文件受理之日起，发行人及其控股股东、实际控制人、董事、监事、高级管理人员，以及与本次债券公开发行并上市相关的主承销商、证券服务机构及相关责任人员，即承担相应法律责任。

②交易所审核：证券交易所应当自受理注册申请文件之日起2个月内出具审核意见。

③证监会履行注册程序：中国证监会应当自证券交易所受理注册申请文件之日起3个月内作出同意注册或者不予注册的决定。

（2）发行期限。

①公开发行公司债券，可以申请一次注册，分期发行；

②中国证监会同意注册的决定自作出之日起2年内有效，发行人应当在注册决定有效期内发行公司债券，并自主选择发行时点；

③公开发行公司债券的募集说明书自最后签署之日起6个月内有效。

（四）公司债券持有人的权益保护

（1）公司债券的受托管理。

①受托管理人的确认

a.公开发行公司债券的，发行人应当为债券持有人聘请债券受托管理人，并订立债券受托管理协议；非公开发行公司债券的，发行人应当在募集说明书中约定债券受托管理事项；

b.债券受托管理人由本次发行的承销机构或其他经中国证监会认可的机构担任，为本次发行提供担保的机构不得担任本次债券发行的受托管理人。

②公开发行公司债券的受托管理人的核心职责：

a.持续关注发行人和保证人的资信状况、担保物状况、增信措施及偿债保障措施的实施情况，出现可能影响债券持有人重大权益的事项时，召集债券持有人会议；

b.预计发行人不能偿还债务时，要求发行人追加担保，并可以依法申请法定机关采取财产保全措施；

c.发行人不能偿还债务时，可以接受全部或部分债券持有人的委托，以自己名义代表债券持有人提起民事诉讼、参与重组或者破产的法律程序（2020年案例分析题）。

（2）债券持有人会议：

①会议决议的效力：对全体债券持有人有约束力。

②存在法定情形时，债券受托管理人应当召集债券持有人会议；在债券受托管理人应当召集而未召集债券持有人会议时，单独或合计持有本期债券总额10%以上的债券持有人有权自行召集债券持有人会议（2020年案例分析题）。

通关绿卡

命题角度1：公司债券的公开发行条件。

此部分今年教材有重大变化，可考性较高，如果在主观题当中考查，可能的考查方式是给出一些上市公司的基础信息，如最近一期期末净资产、最近3年年均可分配利润以及过往3年内公开发行债券的期数和规模，要求判断是否满足债券公开发行的条件（"大公募"或"小公募"）。

命题角度2：公司债券的发行程序和期限。

债券的发行注册程序是今年教材新增内容，大家先要明确，在公司债券发行注册程序中，交易所进行审核，证监会履行发行注册程序。另外，本部分当中涉及到的一些日期、数字等等也建议大家有个印象，作为新增内容有较高概率在客观题当中作为选项出现。

NO.26　可转换公司债券

使用斯尔教育APP
扫码观看本节好课

六、背【2分】

飞越必刷题：53

（一）上市公司在主板发行可转债的条件

（1）符合发行新股的一般条件；

（2）符合向合格投资者公开发行债券的条件；

（3）最近3个会计年度加权平均净资产收益率平均不低于6%；

（4）最近3个会计年度实现的年均可分配利润不少于公司债券1年的利息（2020年案例分析题）；

（5）本次发行后累计公司债券余额不超过最近一期期末净资产额的40%。

（二）可转债的发行条款

（1）债券期限：可转换公司债券的期限最短为1年，最长为6年。

（2）债券面值：可转换公司债券每张面值100元。

（3）债券利息：可转换公司债券的利率由发行公司与主承销商协商确定，但必须符合国家规定。

（4）转股价格：可转债的转股价格应不低于募集说明书/认购邀请书公告日前20个交易日该公司股票交易均价和前1交易日的均价。

（5）必须披露事项：

①募集说明书应当约定，上市公司改变公告的募集资金用途的，赋予债券持有人一次回售的权利。

②募集说明书应当约定转股价格调整的原则及方式。

（6）可选披露事项：赎回条款与回售条款。

（三）可转债的转股

（1）转股时间：可转换公司债券自发行结束之日起6个月后方可转换为公司股票。

（2）转股价格：

①上市公司向不特定对象发行可转债的转股价格不得向上修正。

②上市公司向特定对象发行可转债的转股价格不得向下修正。

③（上市公司向不特定对象发行可转债）募集说明书约定转股价格向下修正条款的，应当同时约定：转股价格修正方案须提交公司股东大会表决，且须经出席会议的股东所持表决权的2/3以上同意；股东大会进行表决时，持有公司可转换债券的股东应当回避（2020年案例分析题）。

（3）期满未转股：上市公司应当在可转换公司债券期满后5个工作日内办理完毕偿还债券余额本息的事项。

（四）可转债的债券持有人权利保护

（1）公开发行可转换公司债券应当委托具有资格的资信评级机构进行信用评级和跟踪评级。资信评级机构每年至少公告一次跟踪评级报告。

（2）公开发行可转换公司债券应当约定保护债券持有人权利的办法，以及债券持有人会议的权利、程序和决议生效条件。有下列事项之一的，应当召开债券持有人会议：

①拟变更募集说明书的约定；

②发行人不能按期支付本息；

③发行人减资、合并、分立、解散或者申请破产；

④保证人或者担保物发生重大变化等

（五）可转债的担保

（1）需担保的可转债类型：公开发行可转换公司债券，应当提供担保，但最近一期期末经审计的净资产不低于人民币15亿元的公司除外（2020年案例分析题）。

（2）担保范围：提供担保的，应当为全额担保，担保范围包括债券的本金及利息、违约金、损害赔偿金和实现债权的费用。

（3）担保方式：

①以保证方式提供担保的，应当为连带责任担保，且保证人最近一期经审计的净资产额应不低于其累计对外担保的金额。

②设定抵押或质押的，抵押或质押财产的估值应不低于担保金额。

（4）担保人的主体要求：证券公司或上市公司不得作为发行可转债的担保人，但上市商业银行除外。

通关绿卡

命题角度：可转债的发行条件、发行条款、转股规则和担保。

可转债作为近年来资本市场非常热门的融资工具，已经连续两年在注会考试主观题当中大篇幅出现。可转债的发行和转股这部分的考查很多同学觉得很难，但其实单纯从考查难度上来看，其灵活程度是要比考查虚假陈述、上市公司收购等等要低的，更多的是对规则比较直白的考查。觉得难的同学往往是忽略了可转债这部分的复习。希望过去几年的连续出题能够引起大家对这部分内容的重视，需要大家重点、全面进行复习。

 **NO.27**

非上市公众公司

使用斯尔教育APP
扫码观看本节好课

【1分】

飞越必刷题：14

（一）非上市公众公司的转让与发行

转让或发行方式	股东人数	是否需要向证监会申请核准
股票向特定对象转让	转让后≤200人	否
	转让后＞200人	是 （3个月将股东人数降至200人以内的，可以不提出申请）
股票公开转让	转让前≤200人	否
	转让前＞200人	是
股票向特定对象发行	发行后≤200人	否
	发行后＞200人	是

（二）非上市公众公司"转板"

在全国股转系统挂牌的公司，达到股票上市条件的，可以直接向证券交易所申请上市交易。

NO.28

虚假陈述

使用斯尔教育 APP
扫码观看本节好课

六、背、新【5分】

飞越必刷题：19、148、150

（一）虚假陈述行为的界定

可被界定为 虚假陈述的行为	行为说明
虚假记载	指信息披露义务人披露的信息中对相关财务数据进行重大不实记载，或者对其他重要信息作出与真实情况不符的描述
误导性陈述	指信息披露义务人披露的信息隐瞒了与之相关的部分重要事实，或者未及时披露相关更正、确认信息，致使已经披露的信息因不完整、不准确而具有误导性
重大遗漏	指信息披露义务人违反关于信息披露的规定，对重大事件或者重要事项等应当披露的信息未予披露
未按照规定 披露信息	指信息披露义务人未按照规定的期限、方式等要求及时、公平披露信息

（二）虚假陈述行为的分类

分类标准	具体类型	是否适用《虚假陈述民事赔偿规定》
根据披露 信息分类	"硬信息"披露中的虚假陈述	适用
	"软信息"披露中的虚假陈述	（1）原则上不适用：原告以信息披露文件中的盈利预测、发展规划等预测性信息与实际经营情况存在重大差异为由主张发行人实施虚假陈述的，人民法院不予支持； （2）以下三种特殊情形下适用： ①信息披露文件未对影响该预测实现的重要因素进行充分风险提示的； ②预测性信息所依据的基本假设、选用的会计政策等编制基础明显不合理的； ③预测性信息所依据的前提发生重大变化时，未及时履行更正义务的

续表

分类标准	具体类型	是否适用《虚假陈述民事赔偿规定》
根据诱导方向分类	诱多型虚假陈述（行为人发布虚假的利多消息，或隐瞒实质的利空消息不予公布或不及时公布）	适用
	诱空型虚假陈述（指行为人发布虚假的消极利空消息，或者隐瞒实质性的利好消息不予公布、不及时公布等）	适用
根据披露义务人分类	积极信息披露义务人（指按照证券法律制度规定负有积极的、明确的信息披露义务的主体）的虚假陈述行为	适用
	消极信息披露义务人（根据证券法律制度并不负有信息披露义务的主体）的行为	其行为均不适用，具体来说：（1）沉默：不构成虚假陈述，因其并没有法定义务披露；（2）将相关信息予以公开：不构成法定的信息披露，而是信息泄露；（3）主动编造、传播虚假信息或误导性信息：属于编造、传播虚假信息或者误导性信息行为，也不适用《虚假陈述民事赔偿规定》
根据发生场所	信息披露义务人在证券交易场所发行、交易证券过程中实施的虚假陈述	适用
	信息披露义务人在区域性股权市场中发生的虚假陈述	参照适用

（三）虚假陈述的行政责任

（1）行政责任类型。

主体	责任类型	具体责任
上市公司及其董监高	过错推定责任	上市公司及其董事、监事和高级管理人员应当视情形认定其为直接负责的主管人员或者其他直接责任人员承担行政责任，但其能够证明已尽忠实、勤勉义务，没有过错的除外
信息披露义务人的控股股东、实控人	过错责任	如有证据证明出现以下情形，应当认定控股股东、实际控制人的信息披露违法责任：①信息披露义务人受控股股东、实际控制人指使进行虚假陈述行为；②控股股东、实际控制人直接授意、指挥从事信息披露违法行为；③控股股东、实际控制人隐瞒应当披露信息、不告知应当披露信息的
证券服务机构及其从业人员		证券服务机构未勤勉尽责，所制作、出具的文件有虚假记载、误导性陈述或者重大遗漏的，需承担行政责任

（2）不得单独作为不予处罚的情形。

特点	情况
"领空饷"	不直接从事经营管理
能力不行	①能力不足、无相关职业背景；（2017年案例分析题） ②任职时间短、不了解情况
未独立判断	①相信专业机构或者专业人员出具的意见和报告； ②受到股东、实际控制人控制或者其他外部干预

（四）虚假陈述的民事责任

（1）民事责任承担。

①一般承担规则。

责任主体	责任类型	具体责任
信息披露义务人（发行人、上市公司）	无过错责任	应当承担赔偿责任
发行人的控股股东、实际控制人、董事、监事、高级管理人员和其他直接责任人员以及保荐人、承销的证券公司及其直接责任人员	过错推定责任	应当与发行人承担连带赔偿责任，但是能够证明自己没有过错的除外
证券服务机构		其制作、出具的文件有虚假记载、误导性陈述或者重大遗漏，给他人造成损失的，应当与发行人、上市公司承担连带赔偿责任，但是能够证明自己没有过错的除外

②相关责任人"自证无罪"有效的方式。

相关责任人	证明方式
发行人的董事、监事、高级管理人员和其他直接责任人员	发行人的董事、监事、高级管理人员依照法律规定，以书面方式发表附具体理由的意见并依法披露的，人民法院可以认定其主观上没有过错，但在审议、审核信息披露文件时投赞成票的除外（书面发表意见+披露+投反对票）
独立董事、外部监事和职工监事	a.在签署相关信息披露文件之前，对不属于自身专业领域的相关具体问题，借助会计、法律等专门职业的帮助仍然未能发现问题的； b.在揭露日或更正日之前，发现虚假陈述后及时向发行人提出异议并监督整改或者向证券交易场所、监管部门书面报告的； c.在独立意见中对虚假陈述事项发表保留意见、反对意见或者无法表示意见并说明具体理由的，但在审议、审核相关文件时投赞成票的除外； d.因发行人拒绝、阻碍其履行职责，导致无法对相关信息披露文件是否存在虚假陈述作出判断，并及时向证券交易场所、监管部门书面报告的； e.能够证明勤勉尽责的其他情形

相关责任人	证明方式
保荐机构、承销机构等机构及其直接责任人员	a.已经按照法律、行政法规、监管部门制定的规章和规范性文件、相关行业执业规范的要求，对信息披露文件中的相关内容进行了审慎尽职调查； b.对信息披露文件中没有证券服务机构专业意见支持的重要内容，经过审慎尽职调查和独立判断，有合理理由相信该部分内容与真实情况相符； c.对信息披露文件中证券服务机构出具专业意见的重要内容，经过审慎核查和必要的调查、复核，有合理理由排除了职业怀疑并形成合理信赖
证券服务机构	证券服务机构依赖保荐机构或者其他证券服务机构的基础工作或者专业意见致使其出具的专业意见存在虚假陈述，能够证明其对所依赖的基础工作或者专业意见经过审慎核查和必要的调查、复核，排除了职业怀疑并形成合理信赖的，人民法院应当认定其没有过错
会计师事务所	a.按照执业准则、规则确定的工作程序和核查手段并保持必要的职业谨慎，仍未发现被审计的会计资料存在错误的； b.审计业务必须依赖的金融机构、发行人的供应商、客户等相关单位提供不实证明文件，会计师事务所保持了必要的职业谨慎仍未发现的； c.已对发行人的舞弊迹象提出警告并在审计业务报告中发表了审慎审计意见的； d.能够证明没有过错的其他情形

③特殊情形下的责任承担规则。

情形	详情	责任承担
"幕后黑手"	发行人虚假陈述的发生是源于其控股股东、实际控制人的组织、指使	原告可越过发行人直接以该控股股东、实际控制人为被告请求由其承担赔偿责任，若是发行人在承担了该赔偿责任，发行人可向该控股股东、实际控制人请求赔偿实际支付的赔偿款、合理的律师费、诉讼费用等
"霸王条款"	证券公司与发行人签订协议，约定如若发生虚假陈述民事赔偿而致证券公司承担责任，由发行人对其进行补偿	保荐机构、承销机构等责任主体以存在约定为由，请求发行人或者其控股股东、实际控制人补偿其因虚假陈述所承担的赔偿责任的，人民法院不予支持
"遇人不淑"	公司重大资产重组的交易对方所提供的信息不符合真实、准确、完整的要求，导致公司虚假陈述	原告起诉请求判令该交易对方与发行人等责任主体赔偿由此导致的损失的，人民法院应当予以支持
"蛇鼠一窝"	有证据证明发行人的供应商、客户，以及金融机构等明知发行人实施财务造假活动，仍然为其提供交易合同、发票、存款证明等予以配合，或者故意隐瞒重要事实致使发行人存在虚假陈述	原告起诉请求判令其与发行人等责任主体赔偿由此导致的损失的，人民法院应当予以支持

（2）交易因果关系推定（2016年、2017年、2020年、2021年案例分析题）。

①三个重要时点的认定。

时点	含义	认定标准
虚假陈述实施日	指信息披露义务人作出虚假陈述或者发生虚假陈述之日	a.信息披露义务人在证券交易场所的网站或者符合监管部门规定条件的媒体上公告发布具有虚假陈述内容的信息披露文件，以披露日为实施日； b.通过召开业绩说明会、接受新闻媒体采访等方式实施虚假陈述的，以该虚假陈述的内容在具有全国性影响的媒体上首次公布之日为实施日； c.信息披露文件或者相关报导内容在交易日收市后发布的，以其后的第一个交易日为实施日； d.因未及时披露相关更正、确认信息构成误导性陈述，或者未及时披露重大事件或者重要事项等构成重大遗漏的，以应当披露相关信息期限届满后的第一个交易日为实施日
虚假陈述揭露日	指虚假陈述在具有全国性影响的报刊、电台、电视台或监管部门网站、交易场所网站、主要门户网站、行业知名的自媒体等媒体上，首次被公开揭露并为证券市场知悉之日	除当事人有相反证据足以反驳外，下列日期应当认定为揭露日： a.监管部门以涉嫌信息披露违法为由对信息披露义务人立案调查的信息公开之日； b.证券交易场所等自律管理组织因虚假陈述对信息披露义务人等责任主体采取自律管理措施的信息公布之日
虚假陈述更正日	指信息披露义务人在证券交易场所网站或者符合监管部门规定条件的媒体上，自行更正虚假陈述之日	—

②因果关系推定成立条件。

a.信息披露义务人实施了虚假陈述；

b.原告交易的是与虚假陈述直接关联的证券；

c.原告在虚假陈述实施日之后、揭露日或更正日之前实施了相应的交易行为，即在诱多型虚假陈述中买入了相关证券，或者在诱空型虚假陈述中卖出了相关证券。

（3）损失因果关系推定。

①损失的认定范围：信息披露义务人在证券发行市场或交易市场承担民事赔偿责任的范围，以原告因虚假陈述而实际发生的损失为限。原告实际损失包括投资差额损失、投资差额损失部分的佣金和印花税。

②四种行为模式下损失的计算。

实施日→揭露日或更正日的行为	揭露日或更正日→基准日的行为	损失计算公式
买入	卖出	（买入均价−卖出均价）×卖出数量
买入	未卖出	（买入均价−基准价格）×未卖出数量
卖出	买回	（买回均价−卖出均价）×买回数量
卖出	未买回	（基准价格−卖出均价）×未买回数量

③对损失的抗辩：被告能够举证证明原告的损失部分或者全部是由他人操纵市场、证券市场的风险、证券市场对特定事件的过度反应、上市公司内外部经营环境等其他因素所导致的，对其关于相应减轻或者免除责任的抗辩，人民法院应当予以支持。

（五）虚假陈述的民事诉讼

（1）一般规则。

①中国证监会的行政处罚决定书、法院的生效有罪判决并不是启动这类民事诉讼的必要前置条件（2021年案例分析题）；

②无论有无行政处罚或生效刑事判决，法院都应在民事诉讼程序中对诉争信息是否构成"重大性"进行司法判断。

（2）普通代表人诉讼与特别代表人诉讼

诉讼类型	具体规定
普通代表人诉讼	①适用条件： a.原告一方人数10人以上，起诉符合民事诉讼法规定和共同诉讼条件； b.起诉书中确定2至5名拟任代表人且符合代表人条件； c.原告提交初步证据。 ②明示加入制度：对按照上述规定提起的诉讼，可能存在有相同诉讼请求的其他众多投资者的，人民法院可以发出公告，说明该诉讼请求的案件情况，通知投资者在一定期间向人民法院登记
特别代表人诉讼	①适用条件：投资者保护机构受50名以上投资者委托，可以作为代表人参加诉讼，并为经证券登记结算机构确认的权利人依照前款规定向人民法院登记，但投资者明确表示不愿意参加该诉讼的除外。 ②具体规定： a.对于声明退出的投资者，人民法院不再将其登记为特别代表人诉讼的原告，该投资者可以另行起诉； b.诉讼过程中由于声明退出等原因导致明示授权投资者的数量不足50名的，不影响投资者保护机构的代表人资格； c.特别代表人诉讼案件，由涉诉证券集中交易的证券交易所、国务院批准的其他全国性证券交易场所所在地的中级人民法院或者专门人民法院管辖

（3）诉讼时效的起算：当事人主张以揭露日或更正日起算诉讼时效的，人民法院应当予以支持。揭露日与更正日不一致的，以在先的为准。

通关绿卡

命题角度1：虚假陈述四种情形的认定。

从2019年开始，注会经济法考试开始体现出"越考越深"的趋势，在过往对虚假陈述的考查中，往往针对行政责任、民事责任等操作性较强的知识点进行考查，但是近年来，也会对虚假陈述情形认定这类理论性知识点进行考查。所以，需要大家能够熟悉四类虚假陈述的行为，并根据题目中的具体案例，判断其是否属于虚假陈述，属于四类虚假陈述中的哪一类。

命题角度2：虚假陈述行为的分类。

虚假陈述行为的分类是本年度教材新增的理论内容，比较适合在客观题当中进行考查，可能的考查方式是给出一个虚假陈述的案例，要求判断其属于哪一种虚假陈述类型。

命题角度3：虚假陈述的行政责任不得单独作为不予处罚情形的认定。

虚假陈述的行政责任是主观题的高频考点，其中过往考试当中常见的考法便是不同主体行政责任承担规则结合裁量情节当中的"不得单独作为不予处罚情形"，一同进行考查。如某进行虚假陈述行为的上市公司，其一名董事主张自己不承担行政责任，理由是自己不负责具体业务，或刚刚入职对情况不熟悉，亦或自己在公司没有话语权，都是大股东说了算等。在这种情形下，首先可以判断出，作为上市公司董事，其应承担过错推定责任；此后，根据裁量规则，上述不负责业务、对业务不熟悉、没有话语权等等理由，都不得单独作为不予处罚事项，也就是说，不得据此认定该董事"无过错"。据此，该董事的抗辩无效，应承担行政责任。

命题角度4：虚假陈述民事责任的承担。

此部分原本就是考试的重点，今年教材内容又有大篇幅的扩充和修改。首先，本部分的基础知识是主要责任主体的虚假陈述民事责任承担规则，需要判断承担无过错责任和过错推定责任的主体各自包括哪些。其次，本年度教材新增了相关主体（如发行人的董监高、独立董事、保荐机构、证券服务机构和会计师事务所等）证明自身不承担责任的内容，也很适合在主观题当中作为一个小问进行考查，在案件审理过程中，某主体提出某些抗辩理由，要求判断人民法院是否予以支持。最后，本部分还新增了关于特殊情形下责任承担的规则，也很适合编制成案例，在主观题当中进行考查。

命题角度5：虚假陈述的民事责任因果关系推定。

虚假陈述的民事责任是虚假陈述制度最核心的考点，所谓民事责任，便是"产生损失的股民起诉上市公司赔钱"，那么，该不该赔、赔多少便是其中的核心问题，也是考试中的核心考点：

（1）"该不该赔"的问题指交易因果关系的认定，可根据买入和损失产生时点的方式来进行推定。在题目当中，往往需要大家先行认定虚假陈述实施日和虚假陈述揭露日、更正日，然后看投资者的买入和卖出行为是否落在对应区间内，从而可以推定交易因果关系；

（2）"赔多少"的问题是指损失因果关系的认定，需要计算有多少损失是由虚假陈述行为导致的。

通关绿卡

命题角度6：虚假陈述相关诉讼。

　　虚假陈述相关诉讼是上一年度教材新增的知识点，也是实务领域炙手可热的问题，可考性非常高。大家需要特别注意普通代表人诉讼与特别代表人诉讼的适用条件和流程。另外，此考点也非常适合与上文当中介绍的投资者保护制度（投资者保护机构相关规定）结合进行考查。

NO.29 　　　　　　　　　　　　　**内幕交易**

使用斯尔教育APP
扫码观看本节好课

【六、背、新【2分】】

飞越必刷题：149

（一）内幕信息的认定

　　除法律、行政法规和国务院决定另有规定外，内幕信息的范围与须披露临时报告的重大事件的范围相同（2019年、2020年案例分析题）。

（二）内幕交易的主体

主体类型	判断规则
内幕信息知情人	（1）发行人的董事、监事、高级管理人员； （2）持有公司5%以上股份的股东及其董事、监事、高级管理人员，公司的实际控制人及其董事、监事、高级管理人员； （3）发行人控股或者实际控制的公司及其董事、监事、高级管理人员； （4）由于所任公司职务或者因与公司业务往来可以获取公司有关内幕信息的人员； （5）上市公司收购人或者重大资产交易方及其控股股东、实际控制人、董事、监事和高级管理的人员； （6）因职务、工作可以获取内幕信息的证券交易场所、证券登记结算机构、证券公司、证券服务机构的有关人员； （7）因职责、工作可以获取内幕信息的证券监督管理机构工作人员； （8）因法定职责对证券的发行、交易或者对上市公司及其收购、重大资产交易进行管理可以获取内幕信息的有关主管部门、监管机构的工作人员
非法获取内幕信息的人	（1）非法手段：利用窃取、骗取、套取、窃听、利诱、刺探或者私下交易等手段获取内幕信息的； （2）特殊身份：内幕信息知情人员的近亲属或者其他与内幕信息知情人员关系密切的人员，在内幕信息敏感期内，从事或者明示、暗示他人从事，

续表

主体类型	判断规则
非法获取内幕信息的人	或者泄露内幕信息导致他人从事与该内幕信息有关的证券、期货交易，相关交易行为明显异常，且无正当理由或者正当信息来源的； （3）密切联络：在内幕信息敏感期内，与内幕信息知情人员联络、接触，从事或者明示、暗示他人从事，或者泄露内幕信息导致他人从事与该内幕信息有关的证券、期货交易，相关交易行为明显异常，且无正当理由或者正当信息来源的（2019年案例分析题）

（三）内幕信息敏感期

时点	判断标准
起点	（1）重大事件中涉及的"计划""方案"等的形成时间，应当认定为内幕信息的形成之时。 （2）影响内幕信息形成的动议、筹划、决策或者执行人员，其动议、筹划、决策或者执行初始时间，应当认定为内幕信息的形成之时（2016年、2018年、2019年案例分析题）
终点	内幕信息的公开指内幕信息在国务院证券、期货监督管理机构指定的报刊、网站等媒体披露

（四）内幕交易的具体行为类型

（1）内幕信息知情人员、非法获取证券内幕信息的人员通过掌握的内幕信息买卖证券；

（2）内幕信息知情人员、非法获取证券内幕信息的人员通过掌握的内幕信息建议他人买卖证券；

（3）内幕信息知情人员、非法获取证券内幕信息的人员自己未买卖证券，也未建议他人买卖证券，但将内幕信息泄露给他人，接受内幕信息者依此买卖证券的，也属内幕交易行为。

（五）内幕交易行为的推定

只要监管机构提供的证据能够证明以下情形之一，就可以确认内幕交易行为成立：

（1）内幕信息知情人进行了与该内幕信息有关的证券交易活动；

（2）内幕信息知情人的配偶、父母、子女以及其他有密切关系的人，其证券交易活动与该内幕信息基本吻合；

（3）因履行工作职责知悉上述内幕信息并进行了与该信息有关的证券交易活动；

（4）非法获取内幕信息，并进行了与该内幕信息有关的证券交易活动；

（5）内幕信息公开前与内幕信息知情人或知晓该内幕信息的人联络、接触，其证券交易活动与内幕信息高度吻合。

（六）不构成"内幕交易罪"的情况

（1）持有或者通过协议、其他安排与他人共同持有上市公司5%以上股份的自然人、法人或者其他组织收购该上市公司股份的（换句话说，在该次收购之前就已经达到5%的持股比例）；

（2）按照事先订立的书面合同、指令、计划从事相关证券、期货交易的；

（3）依据已被他人披露的信息而交易的。

命题角度：内幕交易行为的认定。

内幕交易的认定几乎是每年公司法、证券法主观题必考的内容，有可能作为1~2个小问进行考查，也有可能整题进行考查（2019年）。但考试当中不会要求大家写出内幕交易认定的全部条件，而是会给出具体的情形，要求进行判断，大家可以考虑从以下几个角度着手：

（1）判断题目中的主体，是否属于内幕信息知情人/非法获取内幕信息的人；

（2）判断其交易行为是否在内幕信息敏感期内；

（3）判断其行为是否属于自己买卖、建议他人买卖、泄露信息等情形，符合内幕交易的构成要件；

（4）判断其行为是否符合内幕交易推定情形。

在具体作答时，如果大家着实无法回忆起法条原文的表述来进行论证，也可以尝试将题目中的描述进行转换，把案例语言转换为法律语言，如果转换准确，则大概率可以命中采分点。

NO.30 其他证券违法行为

使用斯尔教育APP
扫码观看本节好课

大、背【2分】

飞越必刷题：20、54、150

（一）短线交易

维度	具体内容
主体	（1）上市公司董事、监事、高级管理人员； （2）持有上市公司股份5%以上的股东
情形	买入后6个月内卖出，或者在卖出后6个月内又买入
责任	所得收益归该公司所有

（二）利用未公开信息交易（关注与内幕交易的辨析）

区别	利用未公开信息交易	内幕交易
主体范围	主要是证券交易场所、证券公司、证券登记结算机构、证券服务机构和其他金融机构的从业人员、有关监管部门或者行业协会的工作人员	内幕信息知情人
利用信息	内幕信息以外的其他未公开的信息	内幕信息

（三）操纵市场

（1）单独或者通过合谋，集中资金优势、持股优势或者利用信息优势联合或者连续买卖，操纵证券交易价格或者证券交易量；

（2）与他人串通，以事先约定的时间、价格和方式相互进行证券交易，影响证券交易价格或者证券交易量；

（3）在自己实际控制的账户之间进行证券交易，影响证券交易价格或者证券交易量；

（4）不以成交为目的，频繁或者大量申报并撤销申报；

（5）利用虚假或者不确定的重大信息，诱导投资者进行证券交易；

（6）对证券、发行人公开作出评价、预测或者投资建议，并进行反向证券交易；

（7）利用在其他相关市场的活动操纵证券市场。

（四）编造、传播虚假信息

（1）禁止任何单位和个人编造、传播虚假信息或者误导性信息，扰乱证券市场。

（2）禁止证券交易场所、证券公司、证券登记结算机构、证券服务机构及其从业人员，证券业协会、证券监督管理机构及其工作人员，在证券交易活动中作出虚假陈述或者信息误导。

（3）各种传播媒介传播证券市场信息必须真实、客观，禁止误导。传播媒介及其从事证券市场信息报道的工作人员不得从事与其工作职责发生利益冲突的证券买卖（2020年案例分析题）。

（4）编造、传播虚假信息或者误导性信息，给投资者造成损失的，行为人应当依法承担赔偿责任。

NO.31　物权法基础知识

使用斯尔教育APP
扫码观看本节好课

大、背、新【2分】

飞越必刷题：21～22、55～56

（一）物权法中的物

（1）特性：有体性、可支配性、独立于人的身体之外。

（2）主要分类：

分类依据	分类	典例	总结
可移动性	不动产	房屋、土地、海域、林木等地上定着物	变动规则：不动产以登记为原则，动产以交付为原则
	动产	船舶、汽车、航空器、机器设备等	
流通性	流通物	机器设备、房屋、等绝大多数物	交易客体为禁止流通物的法律行为无效
	限制流通物	文物、黄金、药品	
	禁止流通物	国有土地	

续表

分类依据	分类	典例	总结
是否可以出产新物	原物	苹果树、母牛	孳息的取得，有约定的按约定，若无约定： （1）天然孳息，由所有权人取得，既有所有权人又有用益物权人的，由用益物权人取得。 （2）法定孳息：按交易习惯取得
	孳息	苹果树上掉落的苹果、母牛生出的小牛	

（二）物权法中的物权类型

物权所在物的归属	物权类型		物权能否独立存在
自物权（完全物权）	所有权		独立物权
他物权（限制物权）	用益物权	建设用地使用权	
		宅基地使用权	
		农村土地承包经营权	
	担保物权	地役权	从物权
		抵押权	
		质权	
		留置权	

（三）物权法基本原则

（1）物权法定原则；（2）物权客体特定原则；（3）物权公示原则。

物权变动

使用斯尔教育 APP
扫码观看本节好课

六、背、新【2分】

飞越必刷题：24～25、57、144

（一）物权变动的原因概述

（1）非基于法律行为的物权变动规则。

类型	举例	物权变动生效时间
事实行为	合法建造、拆除房屋	事实行为成就
法律规定	继承	继承开始
公法行为	法院、仲裁机构文书；政府征收决定	法律文书、征收决定生效

（2）基于法律行为的物权变动——物权行为与债权行为的对比。

事项	债权行为	物权行为
性质	负担行为	处分行为
处分权	债权行为则因其只是负担行为而不转让物权，故无处分权之要求。由此决定，出卖他人之物的买卖合同亦可有效	①物权行为使得物权发生变动，故出让人需要对标的物具有处分权。 ②无处分权而转让他人物权（如所有权），称无权处分。 a.无权处分行为处于效力待定状态； b.在得到真权利人追认或处分人取得处分权后变得有效； c.否则，该无权处分行为将归于无效
兼容性	债权行为因其仅负担义务，而不涉及物权变动，故可反复作出，在同一标的物上成立的数重买卖合同均可有效	物权只能被转让一次，出让人在实施转让物权的物权行为后，即失去所转让的物权，故对于同一物不能实施两次处分行为

（二）动产的物权变动

（1）动产的物权变动公示规则。

类型	买卖（所有权）		抵押权		质权	
	生效	对抗	生效	对抗	生效	对抗
普通动产	交付	占有	合同生效	登记	交付	一般不存在对抗问题
特殊动产（如小汽车、船舶、航空器）	交付	登记	合同生效	登记	交付	一般不存在对抗问题

（2）交付的形态。

交付类型		含义	物权转让时点
现实交付		物直接交由对方占有	转移占有时
交付替代	简易交付	动产物权设立和转让前，权利人已经依法占有该动产	法律行为生效时
	指示交付	动产物权设立和转让前，第三人依法占有该动产的，负有交付义务的人可以通过转让请求第三人返还原物的权利代替交付	转让人与受让人之间有关转让返还原物请求权的协议生效时
	占有改定	动产物权转让时，双方约定由出让人继续占有该动产	约定生效时

（三）不动产的物权变动

（1）变动规则：除土地承包经营权、地役权为登记对抗外，均为登记生效。

（2）不动产统一登记制度概述。

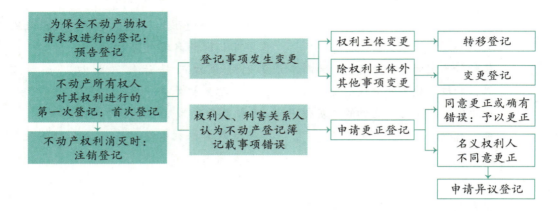

（3）变更登记与转移登记的辨析。

①核心区别：涉及权利主体转移的，要办理转移登记，不涉及权利主体转移的，要办理变更登记。

②适用情形。

变更登记的适用情形	转移登记的适用情形
（1）权利人的姓名、名称、身份证明类型或者身份证明号码发生变更； （2）不动产的坐落、界址、用途、面积、权利期限、来源等状况变更； （3）同一权利人分割或者合并不动产； （4）共有性质发生变更，地役权的利用目的、方法等发生变化； （5）抵押担保的范围、主债权数额、债务履行期限、抵押权顺位发生变化，以及最高额抵押担保的债权范围、最高债权额、债权确定期间等发生变化	（1）不动产的赠与、互换、作价出资、继承、遗赠； （2）不动产本身的分割（包括共有物分割）、合并，以及不动产权利人的合并、分立； （3）共有人增加或减少以及共有不动产份额变化； （4）主债权转移引起不动产抵押权转移、需役地不动产权利转移引起地役权转移； （5）人民法院、仲裁委员会的生效法律文书导致不动产权利发生转移

（4）更正登记与异议登记的辨析。

①权利人和利害关系人均可以申请更正登记，但只有利害关系人可以申请异议登记；

②更正登记在先，异议登记在后；

③登记机构予以异议登记的，申请人在异议登记之日起15日内不起诉，异议登记失效；

④异议登记不当，造成权利人损害的，权利人可以向申请人请求损害赔偿。

（5）预告登记的适用。

①适用预告登记的交易类型：

a.预购商品房；

b.以预购商品房设定抵押；

c.房屋所有权转让、抵押。

②预告登记的效力：

a.未经预告登记的权利人同意处分该不动产（如转移不动产所有权、设定建设用地使用权、设定地役权、设定抵押权等）的，不发生物权效力；

b.债权消灭或者自能够进行不动产登记之日起90日内未申请登记的，预告登记失效。

通关绿卡

命题角度1：判断一物多卖的合同、无权处分的合同效力。

此类问题很高频的在主观题当中出现，应掌握如下表述：由于债权不涉及物权变动，无处分权之要求，所以同一标的物上成立的数个买卖合同均可有效；出卖他人之物的买卖合同亦可有效。

命题角度2：特殊动产的物权变动规则。

请大家务必明确，动产所有权的设立和转让自交付时发生效力；船舶、航空器和机动车也是交付发生所有权变动，在这点上与其他动产并无不同。只是，这三者作为特殊动产，其物权的设立、变更、转让和消灭，未经登记，不得对抗善意第三人。

命题角度3：变更登记与转移登记的辨析。

变更登记与转移登记的适用有如下易错情形：

（1）需要办理转移登记：共有人增加或减少以及共有不动产份额变化的/因主债权转移引起不动产抵押权转移的；

（2）需要办理变更登记：同一权利人分割或者合并不动产的/抵押担保的范围、主债权数额、债务履行期限、抵押权顺位发生变化的/共有性质发生变更的。

NO.33

共　有

使用斯尔教育 APP
扫码观看本节好课

大、背【2分】

飞越必刷题：26、146

（一）共有相关推定

（1）共有类型的推定。

共有形态的推定	是否约定共有形态	有约定：从其约定	
		没有约定：是否是家庭关系	是：共同共有
			否：按份共有

（2）按份共有中份额的推定。

约定 ⟶ 出资额 ⟶ 等额

（二）共有的内部及外部关系（无特殊约定情形下）

维度		按份共有	共同共有
共有物之处分		2/3份额以上同意，不足2/3构成无权处分	全体一致同意，未经全体一致同意构成无权处分
份额之处分		自由处分权+同等条件下的优先购买权（2019年案例分析题）	不存在"份额"之说
共有物的重大修缮、变更性质或用途		2/3份额以上同意	全体共同共有人同意
共有物的分割		（1）约定不得分割的，非重大理由不得分割； （2）没有约定的可随时请求分割	（1）约定不得分割的，非重大理由不得分割； （2）没有约定的，非重大理由或共有基础丧失不得分割
对外债权债务的承担	外部关系	共有人享有连带债权，承担连带债务	
	内部关系	按份共有人按照份额享有债权、承担债务；当对外承担债务的共有人所承担的债务超出其应当承担的份额时，有权向其他共有人追偿	共同共有人共同享有债权、承担债务

（三）按份共有人的优先购买权

（1）前提：对外转让共有份额。

（2）通知义务：按份共有人转让其享有的共有的不动产或者动产份额的，应当将转让条件及时通知其他共有人。

（3）行使期限。

情况	其他共有人行使优先购买权的期限
有约定	按份共有人之间有约定的，按照约定处理
没约定、有通知	①转让人向其他按份共有人发出的包含同等条件内容的通知中载明行使期间的，以该期间为准； ②通知中未载明行使期间，或者载明的期间短于通知送达之日起15日的，为15日
没约定、没通知	①其他按份共有人知道或应当知道最终确定的同等条件之日起15日； ②无法确定其他按份共有人知道或者应当知道最终确定的同等条件的，为共有份额权属转移之日起6个月

（4）效力：优先购买权不具有排他的物权效力。

其他按份共有人以优先购买权受到侵害为由，仅请求撤销共有份额转让合同或者认定该合同无效的，不予支持。

通关绿卡

命题角度：共有物转让结合按份共有人的优先购买权和善意取得制度结合进行考查。

（1）需要注意按份共有人转让共有物的条件是2/3以上份额的按份共有人同意，法律中的"以上"和"以下"均含本数，所以如果恰好为2/3，则视为满足转让条件，不会构成无权处分；

（2）需要注意优先购买权为"同等条件下"的优先购买权，如果共有人无法给出与其他受让人一致的价格、付款条件等等，则不能主张优先购买；

（3）优先购买权需要在约定或法定期限内行使，超过期间再主张行使优先购买权，人民法院不予支持；

（4）基于物权法定原则，优先购买权并不属于我国物权法规定的三大类物权之一（所有权、用益物权、担保物权），不具有排他的物权效力。

（5）无权处分的认定：若共有人之一未征得其他足够共有人同意（视共有为按份共有、共同共有而不同），擅将共有物所有权转让给第三人，该转让行为构成无权处分，效力待定；其终局性的有效性取决于其他共有人追认与否；

（6）善意取得的适用：如果第三人不知并且没有义务知道所受让的标的物存在其他共有人，或者，虽然知道存在其他共有人，但不知并且没有义务知道共有人转让标的物时未征得其他共有人的同意，该第三人即构成善意。符合善意取得的其他条件的，第三人可凭善意取得而获得标的物所有权。

 **善意取得制度**

使用斯尔教育APP
扫码观看本节好课

大、背【2分】

飞越必刷题：27、58、141

（一）善意取得的条件（2014年、2019年、2020年案例分析题）

（1）善意取得的一般条件：

①"善意"：受让人受让该不动产或者动产时是善意；

②"市价"：以合理的价格转让；

③"公示"：转让的不动产或者动产依照法律规定应当登记的已经登记，不需要登记的已经交付给受让人。

（2）动产善意取得的特殊条件：

①动产交付之时，受让人不知道转让人无处分权且对此不知无重大过失，嗣后得知转让人无处分权，不影响受让人之善意；

②转让人基于真权利人的意思合法占有标的物（据此，遗失物、盗窃物等不适用善意取得）。

（3）不动产善意取得的特殊条件：

对于不动产转让，具备下列情形之一时，应该认定不动产受让人知道转让人无处分权从而不构成善意：

①登记簿上存在有效的异议登记；

②预告登记有效期内，未经预告登记的权利人同意；

③登记簿上已经记载司法机关或者行政机关依法裁定、决定查封或者以其他形式限制不动产权利的有关事项；

④受让人知道登记簿上记载的权利主体错误；

⑤受让人知道他人已经依法享有不动产物权。

（二）善意取得的法律后果

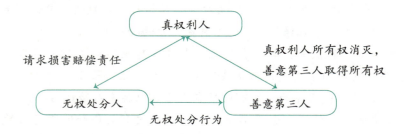

通关绿卡

命题角度：判断善意取得制度是否适用。

善意取得制度是主、客观题的重要考点，同时也可以类推适用到公司法、合伙企业法、破产法、票据法等众多章节当中。关于善意取得制度的适用，有以下几个命题陷阱：

（1）善意取得的前提是无权处分行为，如果转让人有处分权，则不可能构成善意取得；

（2）在动产的善意取得中，关于善意的判断，以交付作为时点。若满足善意取得的条件，交付后受让人即善意取得标的物所有权；即便嗣后受让人得知该物并非转让人所有的事实，也不能推翻关于善意取得的认定；

（3）善意取得以"转让人基于真权利人的意思合法占有标的物"为前提，据此，赃物、遗失物不适用善意取得；同理，若转让人对标的物的占有是基于抢夺等情形，也不适用善意取得。

所有权基础知识

【1分】

飞越必刷题：28

（一）国家所有的财产

类型	内容
全部国有	（1）城市的土地； （2）矿藏、水流、海域，以及无居民海岛； （3）法律规定为国家所有的铁路、公路、电力设施、电信设施和油气管道等基础设施； （4）法律规定属于国家所有的野生动植物资源和文物； （5）国防资产； （6）无线电频谱资源
原则上国有	森林、山岭、草原、荒地、滩涂等自然资源（法律规定属于集体所有的除外）
例外情况下国有	法律规定属于国家所有的农村和城市郊区的土地

（二）拾得遗失物

（1）拾得遗失物的法律后果：

①拾得行为不足以令拾得人取得遗失物的所有权，而负有归还权利人的义务；

②遗失物自发布招领公告之日起1年内无人认领的，归国家所有；

③拾得人虽不能取得遗失物的所有权，却可享有费用偿还请求权，在遗失人发出悬赏广告时，归还遗失物的拾得人还享有悬赏广告所允诺的报酬请求权。

（2）拾得人处分遗失物的法律后果：

①权利人有权向无处分权人请求损害赔偿或者自知道或者应当知道受让人之日起2年内向受让人请求返还原物；

②如权利人请求受让人返还原物，受让人通过拍卖或者向具有经营资格的经营者购得该遗失物的，权利人请求返还原物时应当支付受让人所付的费用，权利人向受让人支付所付费用后，有权向无处分权人追偿。

（三）添附

类型	含义	举例	所有权归属
附合	不同所有人的物密切结合，构成不可分割的一物	动产附合于不动产：油漆漆于墙体，钢筋附合于房屋	不动产所有人取得附合之物所有权
		动产附合于动产：油漆漆于木板	按动产附合时的价值共有

续表

类型	含义	举例	所有权归属
混合	所有权不属同一人的动产，相互混杂，难以识别或分离	牛奶、咖啡、冰块混合成拿铁	按动产附合时的价值共有
加工	在他人之动产上进行改造或劳作	书法、绘画、印刷、雕刻	只要加工改造价值不明显低于材料价值，加工者取得新物所有权

用益物权

使用斯尔教育APP
扫码观看本节好课

背【1分】

飞越必刷题：23、29～30

（一）用益物权概述

类型	说明
土地承包经营权	（1）土地承包经营权自土地承包经营权合同生效时设立； （2）土地承包经营权互换、转让的，当事人可以向登记机构申请登记，未经登记，不得对抗善意第三人
建设用地使用权	建设用地使用权自登记时设立
宅基地使用权	—
居住权	居住权自登记时设立
地役权	（1）地役权自地役权合同生效时设立； （2）当事人要求登记的，可以向登记机构申请地役权登记；未经登记，不得对抗善意第三人

（二）建设用地使用权

（1）取得：

取得方式	类型	提示
创设取得	无偿划拨	严格限制以划拨方式设立建设用地使用权，用于商业开发的建设用地，不得以划拨方式取得建设用地使用权
	有偿出让	①城市规划区内的集体所有的土地，经依法征用转为国有土地后，该幅国有土地的使用权方可有偿出让； ②工业、商业、旅游、娱乐和商品住宅等经营性用地以及同一土地有两个以上意向用地者的，应当采取招标、拍卖等公开竞价的方式出让，没有条件招标、拍卖的方能采取双方协议方式

续表

取得方式	类型	提示
移转取得	无偿划拨土地取得土地转让条件	应当报有批准权的人民政府审批，并由受让方办理土地使用权出让手续，依照国家有关规定缴纳土地使用权出让金
	出让方式取得土地的转让条件	①按照出让合同约定已经支付全部土地使用权出让金，并取得土地使用权证书； ②按照出让合同约定进行投资开发，属于房屋建设工程的，完成开发投资总额的25%以上，属于成片开发土地的，形成工业用地或者其他建设用地条件； ③转让房地产时房屋已经建成的，还应当持有房屋所有权证书

（2）有偿出让方式取得建设用地使用权，出让的最高年限：

类型	年限
居住用地	70年
工业用地；教育、科技、文化、卫生、体育用地；综合或者其他用地	50年
商业、旅游、娱乐用地	40年

（3）建设用地使用权的续约条件：

类型	续约条件
住宅建设用地使用权	期间届满，自动续期
其他建设用地使用权	应当至迟于届满前一年申请续期，除根据社会公共利益需要收回该幅土地的，应当予以批准。经批准准予续期的，应当重新签订土地使用权出让合同，依照规定支付土地使用权出让金

（三）集体土地的使用

（1）农田：建设占用土地，涉及农用地转为建设用地的，应当办理农用地转用审批手续。其中，永久基本农田转为建设用地的，由国务院批准。

（2）集体经营性建设用地：

①规划确定为工业、商业等经营性用途，并经依法登记的集体经营性建设用地，土地所有权人可以通过出让、出租等方式交由单位或者个人使用，并应当签订书面合同；

②以上集体经营性建设用地出让、出租等，应当经本集体经济组织成员的村民会议三分之二以上成员或者三分之二以上村民代表的同意；

③原则上，通过出让等方式取得的集体经营性建设用地使用权可以转让、互换、出资、赠与或者抵押。

抵押权

使用斯尔教育APP
扫码观看本节好课

六、背【2分】

飞越必刷题：59、145、147

（一）抵押权标的

（1）抵押标的一般范围：

分类	列举
可以作为抵押标的	①建筑物和其他土地附着物； ②建设用地使用权； ③海域使用权； ④生产设备、原材料、半成品、产品； ⑤正在建造的建筑物、船舶、航空器； ⑥交通运输工具； ⑦家庭承包方式取得的土地经营权； ⑧通过招标、拍卖、公开协商等方式承包农村土地并经依法登记取得权属证书的土地经营权
不得作为抵押标的	①土地所有权； ②宅基地、自留地、自留山等集体所有土地的使用权，但是法律规定可以抵押的除外； ③学校、幼儿园、医院等为公益目的成立的非营利法人的教育设施、医疗卫生设施和其他公益设施； ④所有权、使用权不明或者有争议的财产； ⑤依法被查封、扣押、监管的财产

（2）不动产抵押房地一体原则：

①以建筑物抵押的，该建筑物占用范围内的建设用地使用权一并抵押；以建设用地使用权抵押的，该土地上的建筑物一并抵押（房随地走，地随房走）；

②抵押权效力及于土地上已有的建筑物以及正在建造的建筑物已完成部分，不及于正在建造的建筑物的续建部分以及新增建筑物；

③实现抵押权时，应将该土地上新增的建筑物与建设用地使用权一并处分，但新增建筑物所得的价款，抵押权人无权优先受偿。

（3）动产浮动抵押：

内容	规定
抵押物范围	现有的以及将有的生产设备、原材料、半成品、产品
生效要件	抵押合同生效时，动产的浮动抵押设立，不登记不得对抗善意第三人
浮动抵押中抵押财产确定的情形（2021年案例分析题）	①债务履行期届满，债权未实现； ②抵押人被宣告破产或者解散； ③当事人约定的实现抵押权的情形

（4）抵押物的物上代位：担保期间，担保财产毁损、灭失或者被征收等。

①担保物权人可以按照原抵押权顺位就获得的保险金、赔偿金或者补偿金等优先受偿；

②被担保债权的履行期限未届满的，也可以提存该保险金、赔偿金或者补偿金等。

（5）抵押物瑕疵的处理规则：

情况	规则
违建抵押	①以违法的建筑物抵押的，抵押合同无效，但在一审法庭辩论终结前已经办理合法手续的除外； ②当事人以建设用地使用权依法设立抵押，抵押人以土地上存在违法建筑物为由主张抵押合同无效的，不予支持
权属瑕疵	当事人以所有权、使用权不明或者有争议的财产抵押，构成无权处分的，准用善意取得制度
划拨地抵押	抵押人以划拨建设用地上的建筑物抵押或划拨方式取得的建设用地使用权抵押： ①抵押人以未办理批准手续为由主张抵押合同无效或者不生效的，不予支持； ②抵押权实现所得价款，应当优先用于补缴建设用地使用权出让金

（二）抵押权的生效规则

（1）一般规则：

抵押权	生效要件	对抗要件
动产	合同生效（书面合同）	登记（动产抵押登记对抗效力存在例外）
不动产	登记	登记

（2）流押条款无效：抵押权人在债务履行期限届满前，与抵押人约定债务人不履行到期债务时抵押财产归债权人所有的，只能依法就抵押财产优先受偿。

（3）动产抵押登记对抗效力的例外：

①以动产抵押的，不得对抗正常经营活动中已经支付合理价款并取得抵押财产的买受人（2021年案例分析题）；

②从买受人的角度判断，以下购买情况不属于"正常经营活动"：

a.购买商品的数量明显超过一般买受人；

b.购买出卖人的生产设备；

c.订立买卖合同的目的在于担保出卖人或者第三人履行债务；

d.买受人与出卖人存在直接或者间接的控制关系；

e.买受人应当查询抵押登记而未查询的其他情形。

（三）抵押存续期间抵押双方的主要权利和义务

（1）抵押物转让规则：除非当事人另有约定，否则抵押人有权转让抵押物所有权，抵押人转让抵押财产的，应当及时通知抵押权人。抵押权的存续不会因为抵押财产转让而受影响。（2021年案例分析题）

（2）抵押权之保全：抵押财产价值减少的，抵押权人有权请求恢复抵押财产的价值，或者提供与减少的价值相应的担保，抵押人不恢复抵押财产的价值也不提供担保的，抵押权人有权请求债务人提前清偿债务。

（3）抵押权人的孳息收取权：自扣押之日起抵押权人有权收取该抵押财产的天然孳息或者法定孳息。

（四）抵押权实现的限制

（1）土地出让金优先清偿：拍卖划拨的国有土地使用权所得的价款，应先依法缴纳相当于应缴纳的土地使用权出让金的款额，抵押权人可主张剩余价款的优先受偿权。

（2）建设工程承揽人优先受偿：建筑工程承包人工程价款的优先受偿权优于抵押权和其他债权。

通关绿卡

命题角度1：判断可以抵押的标的物范围。

上述表格当中明确了可以抵押和不得抵押的标的物范围，本考点经常作为客观题进行考查。

命题角度2：不动产抵押房地一体原则结合抵押权的实现方式、抵押权实现的限制进行主观题考查。

此类考查方式往往是在主观题当中出现，题目中会告知抵押担保的主债权金额，以及房地一体拍卖后所得价款。大家要能根据房地一体抵押的原则，确定抵押权人能够优先受偿的价款金额范围，并扣除土地出让金（如有）、建设工程价款（如有），计算出抵押权人的债权能否全额得到清偿。

命题角度3：抵押权何时生效的判断。

抵押权的生效规则可以根据上文中的表格进行判断。考试当中非常喜欢挖的一个"坑"便是动产抵押的生效时间，往往以登记时间来进行混淆。大家务必明确，动产抵押合同生效时便设立。

命题角度4：动产抵押登记对抗效力例外的应用。

本规则是《民法典》重点修订内容，可考性较高。本规则的核心是"正常经营活动"的判断，若属于"正常经营活动"的范畴，则相关买受人可以对抗已登记的抵押权，取得标的物所有权。特别值得关注的是购买出卖人的生产设备这一情形，在一般生产企业当中，买卖生产设备自然不属于正常经营活动的范畴；但若在设备制造企业，买卖生产设备属于正常经营活动，所以大家进行此类判断时要注意题目中当事人所从事的行业和业务。

命题角度5：抵押权转让规则的应用。

本规则是《民法典》重点修订内容，所以可考性较高，主客观题当中都有可能进行考查。根据本规定，除非当事人另有约定，否则抵押人有权转让抵押物所有权。

质　权

使用斯尔教育APP
扫码观看本节好课

大【2分】

飞越必刷题：60

（一）质权的客体（不动产不得设立质权）

质权客体		设立的生效要件
动产		交付
权利	有价证券（汇票、支票、本票、债券、存款单、仓单、提单）	有权利凭证的：交付
		没有权利凭证的：登记
	基金份额与股权	登记
	知识产权	
	现有的以及将有的应收账款	

（二）质权与抵押权效力的对比

效力	质权	抵押权
孳息收取权	质押期间，质押财产孳息由质权人收取，但合同另有约定的除外	抵押期间，抵押财产孳息由抵押人收取，扣押之后才由抵押权人收取
保管义务	质权人负有妥善保管质押财产的义务	抵押权人不负责保管抵押财产
保全	因不能归责于质权人的事由可能使质押财产毁损或者价值明显减少，足以危害质权人权利的，质权人有权要求出质人提供相应的担保	抵押财产价值减少的，抵押权人有权要求恢复抵押财产的价值，或者提供与减少的价值相应的担保
处分限制	（1）对质权人的限制：未经出质人同意，擅自使用、处分质押财产或转质，给出质人造成损害的，应当承担赔偿责任。（2）对出质人的限制：基金份额、股权、知识产权中的财产权、应收账款出质后，原则上不得转让	除非另有约定，抵押人（所有权人）有权转让抵押物，但应及时通知抵押权人

（三）应收账款质权的实现

（1）可以质押的应收账款范围：包括现有的和未来的金钱债券及其产生的收益，但不包括因票据或其他有价证券而产生的付款请求权。具体包括下列权利：

①销售产生的债券（销售货物及供应水、电、气、暖，知识产权的许可使用等）；

②出租产生的债权；

③提供服务产生的债权；

④公路、桥梁、隧道、渡口等不动产收费权；

⑤提供贷款或其他信用产生的债权。

（2）以现有应收账款出质。

应收账款债务人是否确认应收账款真实性	具体情形	人民法院是否支持质权人优先受偿
确认	应收账款债务人又以应收账款不存在或者已经消灭为由主张不承担责任的	应予支持（不予支持应收账款债务人的请求）
未确认	质权人能够举证证明办理出质登记时应收账款真实存在	应予支持
未确认	质权人不能举证证明办理出质登记时应收账款真实存在	不予支持

（3）以将有的应收账款出质。

①当事人为应收账款设立特定账户，发生法定或者约定的质权实现事由时，质权人请求就该特定账户内的款项优先受偿的，人民法院应予支持；

②特定账户内的款项不足以清偿债务或者未设立特定账户，质权人请求折价或者拍卖、变卖项目收益权等将有的应收账款，并以所得的价款优先受偿的，人民法院依法予以支持。

NO.39　留置权

使用斯尔教育APP
扫码观看本节好课

大【2分】

（一）留置权的性质

留置权是法定担保物权。

（二）留置的标的

（1）动产才适用留置，不动产、权利均不适用留置。

（2）当事人可以特约排除留置权。当事人约定不得留置的财产，债权人不得留置。

（3）若无特殊约定，债务人动产与第三人动产之上均可设立留置权。

（三）留置权成立的条件

（1）债权人合法占有债务人或第三人之动产（第三人之动产也可以留置）。

（2）债权已届清偿期。

（3）动产之占有与债权属同一法律关系（企业之间留置不受该限制）。

（四）留置双方主要权利义务

1.留置物的保管

（1）留置权人负有妥善保管留置财产的义务；因保管不善致使留置财产毁损、灭失的，应当承担赔偿责任。

（2）留置权人有权收取留置财产的孳息，所收取的孳息应当先充抵收取孳息的费用。

2.留置发生后债务的履行

留置权人与债务人应当约定留置财产后的债务履行期限。没有约定或者约定不明确的，留置权人应当给债务人60日以上履行债务的期限，但是鲜活易腐等不易保管的动产除外（2020年案例分析题）。债务人逾期未履行的，留置权人可以与债务人协议以留置财产折价，也可以就拍卖、变卖留置财产所得的价款优先受偿。

NO.40　担保物权综合问题

使用斯尔教育APP
扫码观看本节好课

大【2分】

飞越必刷题：147

（一）"一物数保"情形的处理

（1）"一物数保"情形处理的总体原则：

"先看公示，再看时间，若有留置，它最优先"。

（2）多个抵押在同一物上并存的处理：

①抵押权已登记的，按照登记的先后顺序清偿；

②抵押权已登记的先于未登记的受偿；

③抵押权均未登记的，按照债权比例清偿。

（3）抵押、质押在同一物上并存的处理：按照登记（抵押的公示）、交付（质押的公示）的时间先后确定清偿顺序，纯以"公示"（交付、登记）之先后判断动产抵押、质押的顺位。

（4）留置与抵押、质押在同一物上并存的处理：同一动产上已经设立抵押权或者质权，该动产又被留置的，留置权人优先受偿。

（二）最高额担保

（1）含义：指为担保债务的履行，债务人或者第三人对一定期间内将要连续发生的债权提供担保财产的，债务人不履行到期债务或者发生当事人约定的实现抵押权的情形，抵押权人有权在最高债权额限度内就该担保财产优先受偿。

（2）主债权确定的情形

①约定的债权确定期间届满；

②没有约定债权确定期间或者约定不明确，抵押权人或者抵押人自最高额抵押权设立之日起满2年后请求确定债权；

③新的债权不可能发生；

④抵押权人知道或者应当知道抵押财产被查封、扣押；

⑤债务人、抵押人被宣告破产或者解散。

通关绿卡

　　命题角度：根据"一物数保"情形的处理规则判断相关担保物权人能否主张担保物权，其债权能否得到全额清偿。

　　本考点几乎是每年主观题必考的考点，考题当中往往会告知一物之上设定了多项担保物权，同时告知每项担保债权的金额，以及该标的物拍卖所得价款的金额，要求计算担保物权人优先受偿的范围。希望大家能够掌握上述处理此类问题的"总体原则"，便于记忆和应试。

使用斯尔教育APP
扫码观看本节好课

NO.41　合同与合同的订立

背【1分】

飞越必刷题：61～62、100、144

（一）合同的分类

分类依据	类型	解析	举例
是否互负对价	单务合同	仅一方当事人承担义务	赠与合同、保证合同
	双务合同	双方当事人互负对价	买卖合同
成立条件	诺成合同	意思表示一致 即可认定合同成立	买卖合同
	实践合同	意思表示一致+交付标的物才能成立的合同	保管合同、定金合同、自然人之间的借款合同

（二）合同的相对性

　　合同主要在特定的合同当事人之间发生权利义务关系，当事人只能基于合同向另一方当事人提出请求或提起诉讼，不能向无合同关系的第三人提出合同上的请求，也不能擅自为第三人设定合同上的义务（2015年案例分析题）。

（三）要约与承诺

　　（1）要约的特点。

　　①内容具体确定。

　　②表明经受要约人承诺，要约人即受该意思表示的约束。

　　（2）要约与要约邀请的辨析。

　　①拍卖公告、招标公告、招股说明书、债券募集办法、基金招募说明书、商业广告和宣传、寄送的价目表等，性质通常均为要约邀请。

　　②若商业广告的内容符合要约的规定，则视为要约。

　　③悬赏广告属于要约。

④商品房的销售广告和宣传资料为要约邀请，但是出卖人就商品房开发规划范围内的房屋及相关设施所作的说明和允诺具体确定，并对商品房买卖合同的订立以及房屋价格的确定有重大影响的，应当视为要约。相关内容即使未订入合同，仍属合同的组成部分，当事人违反要承担违约责任。

（3）不得撤销的要约。

①要约人确定了承诺期限的。

②要约人以其他形式明示要约不可撤销的。

③受要约人有理由认为要约不可撤销的，并已经为履行合同作了合理准备工作。

（4）承诺的期限。

①要约如果载明了承诺的期限，承诺应当在要约确定的期限内到达要约人。

②要约没有确定承诺期限的，承诺应当依照下列规定到达：

a.要约以对话方式作出的，应当即时作出承诺；

b.要约以非对话方式作出的，承诺应当在合理期限内到达。

（5）承诺的迟延和迟到。

性质	情形	效力
迟延 "主延新要约"	受要约人超过承诺期限发出承诺，或在承诺期限内发出承诺，按照通常情形不能及时到达要约人	视为新要约
迟到 "客到成承诺"	受要约人在承诺期限内发出承诺，按照通常情形能够及时到达要约人，但因其他原因使承诺到达要约人时超过承诺期限	有效承诺

（6）要约的撤回、撤销以及承诺的撤回相关时点汇总。

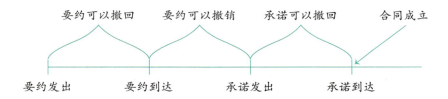

（7）承诺与新要约的区分。

①承诺对要约内容进行了实质性变更的，为新要约，原要约相应失效（2020年案例分析题）。

②承诺对要约的内容作出非实质性变更的，除要约人及时表示反对或者要约表明承诺不得对要约的内容作出任何变更的以外，该承诺有效，合同的内容以承诺的内容为准。

（三）格式条款

（1）格式条款提供方的提示义务。

①采用格式条款订立合同的，提供格式条款的一方应当遵循公平原则确定当事人之间的权利和义务，并采取合理的方式提示对方注意免除或者减轻其责任等与对方有重大利害关系的条款，按照对方的要求，对该条款予以说明；

②提供格式条款一方对已尽合理提示及说明义务承担举证责任；

③格式条款具有导致合同无效和免责条款无效的情形。

（2）导致格式条款无效的事由。

①提供格式条款一方不合理地免除或者减轻其责任、加重对方责任、限制对方主要权利；

②提供格式条款一方排除对方主要权利。

（3）格式条款的解释。

①对格式条款的理解发生争议的，应当按照字面含义及通常理解予以解释。

②对格式条款有两种以上解释的，应当作出不利于提供格式条款一方的解释。

③格式条款和非格式条款不一致的，应当采用非格式条款。

（四）免责条款

（1）双方当事人自愿订立的免责条款，法律原则上不加干涉；

（2）造成对方人身伤害的，因故意或者重大过失造成对方财产损失的免责条款无效。

（五）缔约过失责任

（1）适用情形。

①假借订立合同，恶意进行磋商；

②故意隐瞒与订立合同有关的重要事实或者提供虚假情况；

③当事人泄露或者不正当地使用在订立合同过程中知悉的商业秘密或者其他应当保密的信息。

（2）缔约过失责任与违约责任的区别。

责任类型	责任产生的时间	适用范围	赔偿范围
缔约过失责任	发生在合同成立之前	适用于合同未成立、未生效、合同无效等情况	信赖利益损失
违约责任	发生在合同生效之后	适用于生效合同	可期待利益损失

通关绿卡

命题角度1：实践合同的考查。

近年来考试增强了对实践合同的考查，实践合同的成立时间点与直觉相左，不是双方意思表示一致的时间点，而是现实交付标的物的时间点。如自然人之间的借款合同，成立的时间点应为实际提供借款之时。

命题角度2：商业广告性质的辨析。

通常情况下，商业广告属于要约邀请，但是如果商业广告的内容具体确定，符合要约的规定，则视为要约。最典型的例子便是商品房销售广告，出卖人就商品房开发规划范围内的房屋及相关设施所作的说明和允诺具体确定，并对商品房买卖合同的订立以及房屋价格的确定有重大影响的，应当视为要约，也就是即便相关内容没有订立在合同书当中，该广告的内容也应当视为合同的一部分，开发商如果事后不能实现宣传内容，则应承担违约责任。

命题角度3：承诺的迟延和迟到。

很多考生总是把迟延和迟到二者混淆，无法准确记忆。应试角度应掌握记忆口诀"主延新要约，客到成承诺"，即自己的主观原因导致的称为承诺的迟延，构成新要约，外力客观原因导致的成为承诺的迟到，构成有效承诺。

NO.42

合同的履行

使用斯尔教育 APP
扫码观看本节好课 ▶

六、背【2分】

飞越必刷题：101~102、145

（一）约定不明时的履行规则

事项	规则
质量要求（2017年案例分析题）	按照强制性国家标准履行——按照推荐性国家标准履行——按照行业标准履行——按照通常标准或者符合合同目的的特定标准履行
价款报酬	（1）按照订立合同时履行地的市场价格履行； （2）依法应当执行政府定价或者政府指导价的，按照规定履行
履行地点	（1）给付货币的，在接受货币一方（通常是卖方）所在地履行； （2）交付不动产的，在不动产所在地履行； （3）其他标的在履行义务一方所在地履行
履行期限	债务人可以随时履行，债权人也可以随时请求履行，但应当给对方必要的准备时间

（二）电子合同及其履行

（1）成立：当事人一方通过互联网等信息网络发布的商品或者服务信息符合要约条件的，对方选择该商品或者服务并提交订单成功时合同成立，但是当事人另有约定的除外。

（2）履行规则：

商品形式	交付时间
快递	收货人的签收时间
服务	生成的电子凭证或者实物凭证中载明的时间； 凭证没有载明时间或者载明时间与实际提供服务时间不一致的，以实际提供服务的时间为准
软件	合同标的物进入对方当事人指定的特定系统且能够检索识别的时间

（三）提前履行规则

（1）债权人可以拒绝债务人提前履行债务，但提前履行不损害债权人利益的除外；

（2）提前履行是借款人的一项权利，因此，属于提前履行规则的例外。

（四）双务合同履行中的抗辩权

抗辩权类型	解析
同时履行抗辩权	（1）当事人互负债务，约定同时履行或没有先后履行顺序的，应当同时履行。一方在对方未履行之前有权拒绝其对自己提出的履行要求。 （2）一方在对方履行债务不符合约定时，有权拒绝其相应的履行要求

续表

抗辩权类型	解析
先履行抗辩权	（1）当事人互负债务，有先后履行顺序，先履行一方未履行的，后履行一方有权拒绝其履行要求。 （2）先履行一方履行债务不符合约定的，后履行一方有权拒绝其相应的履行要求
不安抗辩权	（1）应当先履行债务的当事人，有确切证据证明对方有下列情形之一的，可以中止履行： ①经营状况严重恶化； ②转移财产、抽逃资金，以逃避债务； ③丧失商业信誉。 （2）当事人行使不安抗辩权： ①可以中止履行的，应当及时通知对方； ②对方提供适当担保时，应当恢复履行；（2017年案例分析题） ③对方在合理期限内未恢复履行能力并且未提供适当担保的，视为以自己的行为表明不履行主要债务，中止履行的一方可以解除合同并可以请求对方承担违约责任

通关绿卡

命题角度1：电子合同的履行规则。

电子合同履行是近年来教材新增知识点，可考性较高，既可以单独作为客观题进行考查，也可以结合买卖合同标的物风险负担规则在主观题中一并进行考查。

命题角度2：判断双务合同履行中抗辩权的适用。

此知识点是历年主客观题的高频考点，在主观题当中，大家发现题目中出现当事人不履行债务或者履行债务不符合约定的时候，就要有所反应，很可能后面会考查到双务合同履行中的抗辩权。关于具体应用哪种抗辩权，可以按如下规则判断：

（1）先看是否约定履行顺序，若没有约定或约定同时履行，则相关当事人可以主张同时履行抗辩权；

（2）若约定了履行顺序，则判断主张权利的一方是后履行一方还是先履行一方，后履行一方可以主张的是先履行抗辩权，先履行一方可以主张的是不安抗辩权。

命题角度3：不安抗辩权的效力判断。

不安抗辩权行使之后并不能直接解除合同，而是应先中止履行，若中止后对方未能恢复履行能力或未能提供适当担保，中止履行的一方才可以解除合同。考题当中经常"挖坑"，称行使不安抗辩权的直接后果是解除合同，此类描述错误。

合同的保全

使用斯尔教育 APP
扫码观看本节好课 ▶

背【1分】

飞越必刷题：103～104、146

（一）代位权和撤销权的实质规定

	代位权	撤销权
行使条件	（1）债权人对债务人的债权合法； （2）债务人怠于（不诉不裁）行使其到期债权，对债权人造成损害； （3）双向到期：债权人对债务人的债权原则上应到期，债务人对次债务人的债权已到期； （4）债务人的债权不是专属于债务人自身的债权（指基于扶养关系、抚养关系、赡养关系、继承关系产生的给付请求权和劳动报酬、退休金、养老金、抚恤金、安置费、人寿保险、人身伤害赔偿请求权等权利）	（1）债权人须以自己的名义行使撤销权。 （2）债权人对债务人存在有效债权（可以到期也可以不到期）。 （3）债务人实施了减少财产的处分行为，例如： ①放弃债权（到期、未到期均可）、放弃债权担保或者恶意延长到期债权的履行期； ②无偿转让财产； ③以明显不合理的低价转让财产或者以明显不合理的高价受让他人财产或者为他人的债务提供担保，并且相对人知道或应当知道该情形； （4）债务人的处分行为有害于债权人债权的实现
法律效果	次债务人向债权人履行清偿义务；债权人与债务人、债务人与次债务人之间相应权利义务终止	债务人的处分行为即归于无效，债权人就撤销权行使的结果并无优先受偿的权利

（二）代位权和撤销权的诉讼程序规定

	代位权	撤销权
行使程序	诉讼	
行使条件	双向到期	可以到期也可以不到期
原告	债权人	
被告	次债务人	债务人
第三人	债务人	受益人或受让人
诉讼费负担	债权人胜诉，次债务人负担	债权人胜诉，债务人负担
管辖	次债务人所在地人民法院	债务人所在地人民法院

（三）各类撤销权的汇总及归纳

类型	撤销权人	效力	撤销权行使的期限
合同保全中的撤销权	债权人	撤销后，债务人的处分行为无效	（1）知道或应当知道撤销事由之日起1年； （2）行为发生之日起5年
可撤销的民事法律行为中的撤销权	意思表示不真实的一方	撤销后自始无效	（1）知道或应当知道撤销事由之日起90日（重大误解）或1年（显失公平&欺诈）或行为终止之日起1年（胁迫）； （2）行为发生之日起5年
效力待定民事法律行为中的撤销权	善意第三人	撤销后自始无效	权利人追认之前
公司决议撤销之诉中的撤销权	股东	已办理的登记应恢复原状，但不影响与善意相对人形成的民事法律关系	决议作出之日起60日内

通关绿卡

命题角度：要求判断撤销权的行使是否以相对人非善意为前提条件。

原则上，相对人"白捡便宜"的行为（放弃债权、放弃债权担保、恶意延长到期债权的履行期），债权人均可撤销；相对人"有所代价"（以明显不合理的低价转让财产、以明显不合理的高价受让他人财产）的行为，只有在相对人恶意时债权人才可撤销。

NO.44 　　保　证

使用斯尔教育APP
扫码观看本节好课

六、背【2分】

飞越必刷题：63、65～66、147

（一）合同担保方式概述

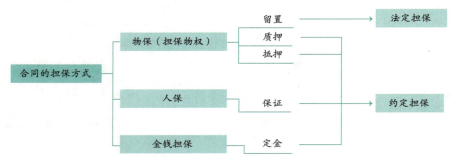

（二）保证合同

（1）特点：单务合同、无偿合同、诺成合同、要式合同、从合同；

（2）成立：

情形	解析
主合同上有保证条款——推定成立	保证合同可以是单独订立的书面合同，也可以是主债权债务合同中的保证条款
单方书面保函——推定成立	第三人单方以书面形式向债权人作出保证，债权人接收且未提出异议的，保证合同成立（2014年案例分析题）
只签字盖章但未亮明身份——推定不成立	当事人在借据、收据、欠条等权利凭证或者借款合同上签字或者盖章，但未表明其保证人身份或者承担保证责任，或者通过其他事实不能推定其为保证人的，出借人不能要求当事人承担保证责任

（三）保证人资格

（1）主债务人不得同时为自身保证人。

（2）机关法人不得为保证人，但是经国务院批准为使用外国政府或者国际经济组织贷款进行转贷的除外。

（3）以公益为目的的非营利性学校、幼儿园、医疗机构、养老机构等非营利法人、非法人组织原则上不得为保证人。

（四）保证方式

（1）保证类型的适用。

保证类型	一般保证	连带保证
含义	债务人不能履行债务时，由保证人承担保证责任的保证	债务人不履行债务时，由保证人对债务承担连带责任的保证
是否享有先诉抗辩权	享有	不享有

（2）保证类型的推定：当事人在保证合同中对保证方式没有约定或者约定不明确的，按照一般保证承担保证责任（2014年、2015年、2017年、2021年案例分析题）。

（3）先诉抗辩权。

①含义：主合同纠纷未经审判或仲裁，并就债务人财产依法强制执行用于清偿债务前，对债权人可拒绝承担保证责任（2021年案例分析题）；

②适用除外。

a.债务人下落不明，且无财产可供执行；

b.人民法院已经受理债务人破产案件；

c.债权人有证据证明债务人的财产不足以履行全部债务或者丧失履行债务能力；

d.保证人书面表示放弃先诉抗辩权。

（五）保证期间

（1）保证期间的确定。

情形	推定
约定的保证期间早于主债务履行期限或者与主债务履行期限同时届满	没有约定
约定保证人承担保证责任直至主债务本息还清时为止	约定不明
没有约定或者约定不明	主债务履行期限届满之日起6个月

（2）保证期间内主张权利的方式（保证期间内未主张则保证人不再承担保证责任）。

保证形式	主张方式
一般保证	对债务人提起诉讼或者申请仲裁
连带责任保证	在保证期间向保证人请求承担保证责任

（六）主合同变更与保证责任承担

变更方式	变更方式
未经保证人同意，变更主债内容	（1）减轻债务的，保证人仍对变更后的债务承担保证责任； （2）加重债务的，保证人对加重的部分不承担保证责任（2017年案例分析题）
未经保证人同意，变更主债期限	保证责任的期限不受影响
未通知保证人，转让主债债权	该转让对保证人不发生效力（保证人仍对原债权人承担保证责任）
未经保证人同意，转移主债债务	保证人对未经其同意转移的债务不再承担保证责任（2021年案例分析题）
第三人加入债务	保证人的保证责任不受影响

通关绿卡

命题角度1：保证合同的特点以及保证人资格。

此类知识点属于客观题高频考点，需要在理解的基础上加以记忆，其中：

（1）保证合同的无偿性、单务性是基于保证合同双方当事人是保证人与债权人，债权人不对保证人负担任何义务；

（2）在保证人资格当中，虽未明确企业法人的职能部门不得担任保证人，但职能部门本身不属于我国民事法律关系的主体，自然不得成为保证人。

命题角度2：没有约定保证形式下的保证形式推定。

根据我国《民法典》双方对保证形式没有约定的，推定保证形式为一般保证。这一点是《民法典》核心修改之处，大家务必要深刻记忆。在考试当中，本考点往往以主观题形式进行考查，在当事人未约定保证形式的情形下，债务人到期不履行债务，债权人要求保证人承担责任，保证人可以主张承担一般保证责任，可以主张先诉抗辩权，要求债权人先对债务人财产进行强制执行。

命题角度3：结合保证期间的判定和债权人相关的主张行为，判断债权人是否可以要求保证人承担保证责任。

（1）关于保证期间的推定，题目中不会明言"没有约定或约定不明"，而是会约定保证期间早于主债务履行期限或者与主债务履行期限同时届满，亦或约定承担保证责任至主债务本息还清时止，大家要能够判断，这两种情形下，同样推定保证期间为债务履行期满起6个月；

（2）债权人对一般保证人主张权利的方式是对债务人提起诉讼或仲裁；即使债权人在保证期间内日日要求保证人承担责任，但未对债务人有任何主张行为，保证期间一旦经过，其便不再能要求保证人承担保证责任。

NO.45 "一债数保"情形的处理

使用斯尔教育 APP
扫码观看本节好课

大【2分】

飞越必刷题：145、147

（一）人保 + 人保

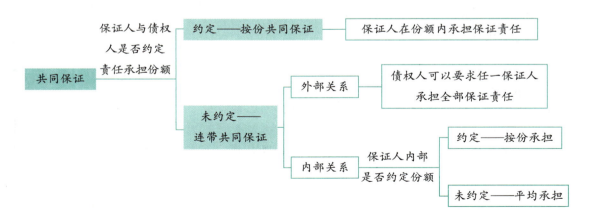

（二）人保＋物保

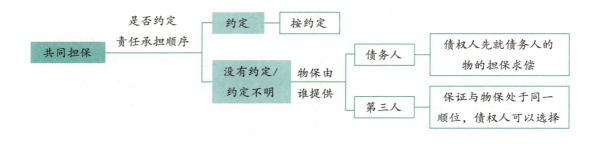

NO.46　定　金

【1分】

飞越必刷题：67、144

内容	解析
定金合同的性质	实践合同，故实际交付定金之日，定金合同才生效
定金的效力	定金一旦交付，定金所有权发生移转。（金钱是消耗物，以让与为目的金钱移转即转移所有权）
定金罚则	（1）给付定金一方不履行约定的债务的，无权要求返还定金； （2）收受定金的一方不履行约定的债务的，应当双倍返还定金（给付定金一方和收受定金一方不履行约定债务的赔偿损失金额均为1倍定金）
定金金额	当事人约定的定金数额不得超过主合同标的额的20%，如果超过20%，超过部分无效
定金的适用	同一合同中，当事人既约定违约金，又约定定金的，在一方违约时，当事人只能选择适用违约金条款或者定金条款，不能同时要求适用两个条款

通关绿卡

命题角度1：考查定金合同之特性。

　　定金合同是实践合同，所以即便合同双方已经签署了含定金条款的合同，应交付定金一方到期不交付定金，也无须承担违约责任，因为定金合同还未成立；另外，若始终未交付定金，发生主合同约定事由时，当事人也不得主张适用定金罚则。

命题角度2：考查定金数额不得超过主合同标的额20%的规定。

定金的金额存在法定上限，为主合同标的额的20%。若题目中，当事人实际交付定金的金额超出了上述上限：

（1）并不导致定金合同无效，仅超出部分无效；

（2）超出部分无效的含义是，仅20%以内部分发生定金效力，20%以外部分不适用定金罚则。举一例说明，若主合同标的额为1万元，A向B交付定金5 000元，则B发生违反合同约定事由时，A可以请求B双倍定金4 000元，以及多支付的款项3 000元，合计7 000元。

NO.47　合同的变更与转让

使用斯尔教育APP
扫码观看本节好课

六、背、新【2分】

飞越必刷题：66

（一）合同的变更

（1）双方当事人协商一致，可以变更；

（2）合同的变更，除当事人另有约定的以外，仅对变更后未履行的部分有效，对已履行的部分无溯及力。

（二）债权转让

（1）条件：无须债务人同意，但应当通知债务人。未经通知，该转让对债务人不发生效力（2016年、2021年案例分析题）。

（2）禁止债权转让的情形：

①根据债权性质不得转让；

②按照当事人约定不得转让；

③依照法律规定不得转让。

（三）债务承担

（1）条件：应当经债权人同意。债务人或者第三人可以催告债权人在合理期限内予以同意，债权人未作表示的，视为不同意。

（2）新债务人的权利和义务：

①债务人转移义务的，新债务人可以主张原债务人对债权人的抗辩。

②原债务人对债权人享有债权的，新债务人不得向债权人主张抵销。

违约责任与情势变更

大【2分】

飞越必刷题：64

（一）违约责任类型

承担方式		解析
继续履行		金钱之债一定可以要求继续履行
补救措施		主要适用于履行不符合约定的情形
损害赔偿	赔偿损失	损失赔偿额应当相当于因违约所造成的损失，包括合同履行后可以获得的利益（可期待利益损失）
	违约金	（1）约定的违约金低于造成的损失的，当事人可以请求人民法院以违约造成的损失确定违约金数额；约定的违约金过分高于造成的损失的，当事人可以请求人民法院或者仲裁机构以违约金超过造成的损失30%为标准适当减少（违约金金额应该在实际损失的100%至130%）；（2）当事人就迟延履行约定违约金的，违约方支付违约金后，还应当履行债务
	适用定金罚则	（1）定金与违约金不可同时并用（2017年、2020年案例分析题）；（2）定金与损失赔偿可以并处，但定金和损失赔偿的数额总和不应高于因违约造成的损失

（二）免责事由——不可抗力

（1）常见的不可抗力类型：

①自然灾害；

②政府行为；

③社会异常现象。

（2）主张不可抗力一方的义务：

①及时通知对方相关情况，以减轻可能给对方造成的损失；

②提供有关不可抗力的证明。

（三）情势变更

（1）适用情形：合同成立后，合同的基础条件发生了当事人在订立合同时无法预见的、不属于商业风险的重大变化（既可能是因不可抗力造成的，也可能是因其他不可归责于双方当事人的事由造成的），继续履行合同对于当事人一方明显不公平。

（2）当事人义务：重新协商。

（3）人民法院义务：应当将变更合同作为首先考虑的选项，只有在难以维持合同时才能解除合同。

命题角度：判断当事人是否可以单方解除合同，并能否要求对方承担违约责任。

违约责任与合同的解除几乎是每年主观题都会涉及到的考点，但是考查难度并不大。要求大家能够结合合同法定解除权行使的5个情形来判断当事人是否可以解除合同，另外根据合同违约形态来判断对方当事人是否构成违约，当事人能否可以主张违约责任。

NO.50 买卖合同

使用斯尔教育APP
扫码观看本节好课

六、背【2分】

飞越必刷题：107～108、144

（一）一物多卖情形下标的物所有权归属（2013年案例分析题）

（1）普通动产：拿（先行受领交付）——付（先行支付价款）——签（合同依法成立在先）；

（2）特殊动产：拿（先行受领交付）——登（先行办理所有权转移登记）——签（合同依法成立在先）。

（二）标的物毁损、灭失风险负担规则

情形	解析	毁损灭失风险转移的时点
一般规则	交付之前由出卖人承担，交付之后由买受人承担（无论动产还是不动产）（2017年案例分析题）	交付
买受人违约	买受人违约未接受交付或未按约定收取标的物，标的物毁损灭失的风险自违约时由买受人承担	买受人违约时
需要运输	交付承运人/第一承运人后标的物毁损灭失的风险由买受人承担（2020年案例分析题）	交付承运人时
路货买卖	出卖人出卖交由承运人运输的在途标的物，除当事人另有约定外，毁损、灭失的风险自合同成立时起由买受人承担	合同成立时
出卖人违约	因标的物不符合质量要求，致使不能实现合同目的的，买受人拒绝接受标的物或者解除合同的，标的物毁损、灭失的风险由出卖人承担	风险未转移，仍由出卖人承担

（三）检验期规定。

（1）当事人约定检验期限的，买受人应当在检验期限内将标的物的数量或质量不符合约定的情形通知出卖人。买受人怠于通知的，视为标的物的数量或者质量符合约定。

（2）当事人没有约定检验期限的，买受人应当在发现或者应当发现标的物的数量或者质量不符合约定的合理期限内通知出卖人。

（3）买受人在合理期间内未通知或者自标的物收到之日起2年内未通知出卖人的，视为标的物的数量或者质量符合约定（2015年、2017年案例分析题）。

（4）对标的物有质量保证期的，适用质量保证期，不适用该2年的规定（2020年案例分析题）。

（四）买卖合同的解除。

（1）涉及从物时：因主物解除及于从物，但从物解除不及于主物；

（2）涉及数物时：其中一物不符合约定的，买受人可以就该物解除合同，但该物与他物分离使标的物的价值显受损害的，买受人可以就数物解除合同（2020年案例分析题）；

（3）涉及分批交付时：其中一批不符合约定，满足特定条件时，买受人可以就该批标的物/该批及今后各批标的物/已交付和未交付的各批标的物解除合同。

（五）特种买卖合同

（1）分期付款买卖合同。

①认定：买受人将应付的总价款在一定期间内至少分3次向出卖人支付；

②解除：分期付款的买受人未支付到期价款的金额达到全部价款的1/5，经催告后在合理期限内仍未支付到期价款的，出卖人可以请求买受人一并支付到期与未到期的全部价款或者解除合同（2014年、2021年案例分析题）。

（2）试用买卖合同。

①试用买卖的买受人在试用期内可以购买标的物，也可以拒绝购买。但试用期限届满，对是否购买未作表示的，视为购买。

②试用买卖的当事人可以约定标的物的试用期限。对试用期限没有约定或者约定不明确，依照《民法典》的有关规定仍不能确定的，由出卖人确定。

（3）凭样品买卖合同：凭样品买卖的当事人应当封存样品，并可以对样品质量予以说明。出卖人交付的标的物应当与样品及其说明的质量相同。

（4）以招投标方式订立的买卖合同。

①招标公告在性质上属于要约邀请；

②投标为要约；

③定标为承诺。

（5）商品房买卖合同。

①商品房预售合同的效力：

a.出卖人未取得预售许可而与买受人订立预售合同的，合同无效，但是在起诉前取得预售许可的，合同有效；

b.未办理登记备案手续不影响合同生效。

②法定解除权：

a.因房屋主体结构质量不合格不能交付使用，或者房屋交付使用后，房屋主体结构质量经核验确属不合格的；

b.因房屋质量问题严重影响正常居住使用的；

c.出卖人迟延交付房屋或者买受人迟延支付购房款，经催告后在3个月的合理期限内仍未履行的；

d.约定或者法定的办理房屋所有权登记的期限届满后超过1年，因出卖人的原因导致买受人无法办理房屋所有权登记的。

（6）所有权保留的买卖合同。

①所有权保留买卖合同中出卖人享有取回权的情形。

a.未按照约定支付价款，经催告后在合理期限内仍未支付；

b.未按照约定完成特定条件；

c.将标的物出卖、出质或者作出其他不当处分。

②与所有权保留作用相近的规定——超级优先权：动产抵押担保的主债权是抵押物的价款，标的物交付后10日内办理抵押登记的，该抵押权优先于抵押物买受人的其他担保物权人受偿，但是留置权人除外。

NO.51 租赁合同

使用斯尔教育APP
扫码观看本节好课

大【2分】

飞越必刷题：109

（一）租赁期限

（1）不定期租赁。（双方当事人均可以随时解除合同，但出租人解除合同应当在合理期限之前通知承租人）

①租赁期限6个月以上的，合同应当采用书面形式；当事人未采用书面形式的（且无法确定租赁期限的）视为不定期租赁（2013年案例分析题）；

②当事人对租赁期限没有约定或者约定不明确，依照有关规定仍不能确定的，视为不定期租赁；

③租期届满，承租人继续使用租赁物，出租人没有提出异议的，原租赁合同继续有效，但租赁期限为不定期（2020年案例分析题）。

（2）租赁期限的上限：租赁期限不得超过20年，超过20年的，超过部分无效。

（二）租赁合同双方当事人的权利与义务。

权利与义务	解析
租赁物的使用	（1）承租人按照约定的方法或者租赁物的性质使用租赁物，致使租赁物受到损耗的，不承担损害赔偿责任； （2）承租人未按照约定的方法或者租赁物的性质使用租赁物，致使租赁物受到损失的，出租人可以解除合同并要求赔偿损失（2014年案例分析题）
租赁物维修	（1）出租人应当履行租赁物的维修义务，但当事人另有约定的除外（2016年、2020年案例分析题）； （2）出租人未履行维修义务的，承租人可以自行维修，维修费用由出租人负担。因维修租赁物影响承租人使用的，应当相应减少租金或者延长租期（2019年案例分析题）

续表

权利与义务	解析
租赁物改善	（1）承租人对租赁物进行改善或增设他物，需出租人同意； （2）承租人未经出租人同意，对租赁物进行改善或者增设他物的，出租人可以要求承租人恢复原状或者赔偿损失
转租	（1）承租人经出租人同意，可以将租赁物转租给第三人。承租人转租的，承租人与出租人之间的租赁合同继续有效，第三人对租赁物造成损失的，承租人应当赔偿损失（2014年、2016年案例分析题）。 （2）承租人未经出租人同意转租的，出租人可以解除合同（2020年案例分析题）
收益归属	在租赁期间因占有、使用租赁物获得的收益，归承租人所有，但当事人另有约定的除外
买卖不破租赁	租赁物在承租人按照租赁合同占有期限内租赁期限发生所有权变动的，不影响租赁合同的效力（2013年、2016年、2020年案例分析题）
租赁合同的解除	（1）出租人解除：承租人无正当理由未支付或者迟延支付租金的，出租人可以请求承租人在合理期限内支付。承租人逾期不支付的，出租人可以解除合同。 （2）承租人解除：租赁物危及承租人的安全或者健康的，即使承租人订立合同时明知该租赁物质量不合格，承租人仍然可以随时解除合同

（三）房屋租赁合同

（1）房屋租赁合同的无效与处理。

无效事由	瑕疵治愈事由
出租人就未取得建设工程规划许可证或者未按照建设工程规划许可证的规定建设的房屋，与承租人订立的租赁合同无效	在一审法庭辩论终结前取得建设工程规划许可证或者经主管部门批准建设的，人民法院应当认定有效
出租人就未经批准或者未按照批准内容建设的临时建筑，与承租人订立的租赁合同无效	在一审法庭辩论终结前经主管部门批准建设的，人民法院应当认定有效
租赁期限超过临时建筑的使用期限，超过部分无效	在一审法庭辩论终结前经主管部门批准延长使用期限的，人民法院应当认定延长使用期限内的租赁期限有效

（2）承租人的优先购买权。

①优先购买权的含义及适用范围：

a.含义：出租人出卖租赁房屋的，应当在出卖之前的合理期限内通知承租人，承租人享有以同等条件优先购买的权利；

b.适用范围：只有房屋租赁规定了优先购买权，其他标的物租赁并不适用优先购买权（2013年案例分析题）。

②优先购买权的效力：出租人未在合理期限内通知承租人或者有其他妨害承租人行使优先购买权情形的，承租人可以请求出租人承担赔偿责任。但是，出租人与第三人订立的房屋买卖合同的效力不受影响。

③优先购买权的限制。

具有下列情形之一的，承租人不得主张优先购买权：

类型	情况
"比你亲"	房屋共有人行使优先购买权的； 出租人将房屋出卖给近亲属（配偶、父母、子女、兄弟姐妹、祖父母、外祖父母、孙子女、外孙子女）的（2016年案例分析题）
"拖延症"	出租人履行通知义务后，承租人在15日内未明确表示购买的
"老实人"	第三人善意购买租赁房屋并已经办理登记手续的

（3）承租人优先续租权：租赁期限届满，房屋承租人享有以同等条件优先承租的权利。

 **NO.52**　**具有融资性质的合同**

使用斯尔教育APP
扫码观看本节好课

大、简【2分】

飞越必刷题：109

（一）借款合同

（1）借款合同的一般规定。

①借款合同的利息。

a.借款合同对支付利息没有约定的，视为没有利息。

b.借款合同对支付利息约定不明确，当事人不能达成补充协议的，自然人之间借款的，视为没有利息。

c.借款的利息不得预先在本金中扣除。预先扣除的，应当按照实际借款数额返还借款并计算利息（2021年案例分析题）。其他情况应按照当地或者当事人的交易方式、交易习惯、市场利率等因素确定利息。

d.借款人提前偿还借款的，除当事人另有约定外，应按照实际借款的期间计算利息。

②付息时间：有约定按约定，没有约定且依照有关规定不能确定的，借款期间不满1年的，应当在返还借款时一并支付；借款期间1年以上的，应当在每届满1年时支付，剩余期间不满1年的，应当在返还借款时一并支付。

③还本时间：对借款期限没有约定或者约定不明确，依照有关规定仍不能确定的：借款人可以随时返还，贷款人可以催告借款人在合理期限内返还。

（2）民间借贷合同的特殊规定。

①民间借贷合同原则上有效；

②利率确定：

a.借期内利率：出借人请求借款人按照合同约定利率支付利息的，人民法院应予支持，但是双方约定的利率超过合同成立时一年期贷款市场报价利率四倍的除外；

b.逾期利率：借贷双方对逾期利率有约定的，从其约定（逾期利率与违约金或其他费用也可以一并主张），但是以不超过合同成立时一年期贷款市场报价利率四倍为限。

③互联网借贷平台的法律责任：

a.借贷双方通过网络贷款平台形成借贷关系，网络贷款平台的提供者仅提供媒介服务，当事人请求其承担担保责任的，人民法院不予支持。

b.网络贷款平台的提供者通过网页、广告或者其他媒介明示或者有其他证据证明其为借贷提供担保，出借人请求网络贷款平台的提供者承担担保责任的，人民法院应予支持。

（二）融资租赁合同

（1）融资租赁合同具体规定。

理解的角度	具体规定
"买卖"角度	（1）承租人占有租赁物期间，租赁物毁损、灭失的风险由承租人承担； （2）出租人根据承租人对出卖人、租赁物的选择订立的买卖合同，未经承租人同意，出租人不得变更与承租人有关的合同内容
"租赁"角度	（1）租赁期间出租人对租赁物享有的所有权； （2）承租人占有租赁物期间，租赁物造成第三人的人身损害或者财产损失的，出租人不承担责任（2021年案例分析题）； （3）承租人履行占有租赁物期间的维修义务（2018年、2020年、2021年案例分析题）
"融资"角度	（1）合同对于欠付租金解除合同的情形没有明确约定，但承租人欠付租金达到两期以上，或者数额达到全部租金15%以上，经出租人催告后在合理期限内仍不支付的，出租人可以要求解除融资租赁合同； （2）租赁期满，对租赁物的归属没有约定或者约定不明确，依照有关规定仍不能确定的，租赁物的所有权归出租人（2014年案例分析题、2018年案例分析题、2020年案例分析题）； （3）当事人约定租赁期限届满，承租人仅需向出租人支付象征性价款（如1元钱）的，视为约定的租金义务履行完毕后租赁物的所有权归承租人

（2）租赁合同与融资租赁合同的对比。

维度	租赁合同	融资租赁合同
维修义务	出租人	承租人
租赁期间所有权归属	出租人	
租赁物毁损灭失	承租人可以要求减少租金或不付租金；因租赁物部分或者全部毁损、灭失，致使不能实现合同目的的，承租人可以解除合同	承租人承担，出租人要求承租人继续支付租金的，人民法院应予支持

建设工程合同

六、背、新【2分】

（一）建设工程合同的内容与性质

（1）"阴阳合同"：采用招投标方式订立合同的，当事人就同一建设工程另行订立的建设工程施工合同与经过备案的中标合同实质性内容不一致的，应当以备案的中标合同作为结算工程价款的根据。

（2）建设工程合同性质上属于承揽合同，监理合同性质上属于委托合同。

（二）建设工程合同无效

（1）无效情形。

①承包人未取得建筑施工企业资质或者超越资质等级的；

②没有资质的实际施工人借用有资质的建筑施工企业名义的；

③建设工程必须进行招标而未招标或者中标无效的。

（2）补正情形。

承包人超越资质等级许可的业务范围签订建设工程施工合同，在建设工程竣工前取得相应资质等级，不按照无效合同处理（2018年案例分析题）。

（3）合同无效时的价款支付规则。

（三）建设工程合同的"总包""分包""转包"

（1）原则上，发包人可以与总承包人订立建设工程合同，也可以分别与勘察人、设计人、施工人订立勘察、设计、施工承包合同；

（2）总承包人或者勘察、设计、施工承包人经发包人同意，可以将自己承包的部分工作交由第三人完成，第三人就其完成的工作成果与总承包人或者勘察、设计、施工承包人向发包人承担连带责任；

（3）承包人不得将其承包的全部建设工程转包给第三人或者将其承包的全部建设工程支解以后以分包的名义分别转包给第三人；

（4）对具有劳务作业法定资质的承包人与总承包人、分包人签订的劳务分包合同，不得以转包建设工程违反法律规定为由确认其无效。

（四）建设工程竣工

（1）竣工日期。

情形	竣工日期
建设工程经竣工验收合格	竣工验收合格之日
承包人已经提交竣工验收报告，发包人拖延验收	承包人提交验收报告之日
建设工程未经竣工验收，发包人擅自使用	转移占有建设工程之日

（2）竣工效力。

①竣工验收合格方可交付；

②建设工程未经竣工验收，发包人擅自使用后，不得以使用部分质量不符合约定为由主张权利，但是承包人应当在建设工程的合理使用寿命内对地基基础工程和主体结构质量承担民事责任（2021年案例分析题）。

（五）建设工程付款

情形	付款日期
建设工程已实际交付	交付之日
建设工程没有交付	提交竣工结算文件之日
建设工程未交付，工程价款也未结算的	当事人起诉之日

（六）建设工程优先受偿权（2018年、2021年案例分析题）

（1）发包人逾期不支付工程款，经承包人催告后仍不支付的，承包人可以将该工程折价、拍卖。建设工程的价款就所得价款优先受偿，建筑工程承包人的上述优先受偿权优于抵押权和其他债权。

（2）建设工程承包人行使优先权的期限为18个月，自发包人应当给付建设工程价款之日起计算。

（3）消费者交付购买商品房的全部或者大部分款项后，承包人就该商品房享有的工程价款优先受偿权不得对抗买受人。

NO.54   *赠与合同*

使用斯尔教育APP
扫码观看本节好课

大、背、新【2分】

飞越必刷题：69、145

（一）赠与合同概述

维度	解析
赠与合同	①单务合同；②无偿合同；③诺成合同；④赠与行为是双方民事法律行为；⑤赠与的意思表示是有相对人的意思表示
赠与附义务	赠与可以附义务，赠与附义务的，受赠人应当按照约定履行义务
赠与财产有瑕疵	①赠与的财产有瑕疵的，赠与人不承担责任。 ②赠与人故意不告知瑕疵或者保证无瑕疵，造成受赠人损失的，应当承担损害赔偿责任

（二）赠与人的撤销权

撤销权类型		行使条件		行使时限
任意撤销		以下赠与合同不适用任意撤销（如果赠与人不交付赠与的财产，受赠人可以要求交付）：①依法不得撤销的具有救灾、扶贫、助残等公益、道德义务性质的赠与合同；②经过公证的赠与合同		赠与财产的权利转移之前（通常是交付之前）
法定撤销	赠与人的法定撤销权（2014年案例分析题）	无论交付前后、无论是否具有公益性质或是否经过公证，均可以撤销	①严重侵害赠与人或者赠与人近亲属的合法权益；②对赠与人有扶养义务而不履行；③不履行赠与合同约定的义务	自知道或者应当知道撤销事由之日起1年内行使
	赠与人的继承人、法定代理人的法定撤销权		因受赠人的违法行为致使赠与人死亡或者丧失民事行为能力	自知道或者应当知道撤销事由之日起6个月内行使

其他合同

使用斯尔教育APP
扫码观看本节好课

大、背、新【2分】

飞越必刷题：144

（一）承揽合同

承揽合同定作人的随时解除权：
（1）定作人在承揽人完成工作前可以随时解除承揽合同；
（2）定作人因此造成承揽人损失的，应当赔偿损失。

（二）委托合同

（1）转委托：经委托人同意，受托人可以转委托。
（2）委托合同的费用与报酬：委托人应当预付处理委托事务的费用，受托人完成委托事务的，委托人应向其支付报酬。
（3）责任承担：
①有偿的委托合同，因受托人的过错给委托人造成损失的，委托人可以请求赔偿损失；
②无偿的委托合同，因受托人的故意或者重大过失给委托人造成损失的，委托人可以请求赔偿损失；
③两个以上的受托人共同处理委托事务的，对委托人承担连带责任。

（三）运输合同

（1）运输合同特点：一般为格式合同，运输合同的订立具有强制性，以保障旅客、托运人的利益和社会秩序。

（2）客运合同：

①旅客应当持有效客票乘运。旅客不交付票款的，承运人可以拒绝运输。

②旅客可以自行决定解除合同，旅客因自己的原因不能按照客票记载的时间乘坐的，应当在约定的时间内办理退票或者变更手续。逾期办理的，承运人可以不退票款，并不再承担运输义务。

（3）货运合同：

①货物运输到达后，承运人知道收货人的，应当及时通知收货人，收货人应当及时提货。收货人逾期提货的，应当向承运人支付保管费等费用。

②承运人对运输过程中货物的毁损、灭失承担损害赔偿责任，但承运人证明货物的毁损、灭失是因不可抗力、货物本身的自然性质或者合理损耗以及托运人、收货人的过错造成的，不承担损害赔偿责任。

（四）行纪合同

（1）行纪行为中的定价：

①行纪人在行纪中低于委托人指定的价格卖出或者高于委托人指定的价格买入的，应当经委托人同意；

②行纪人高于委托人指定的价格卖出或者低于委托人指定的价格买入的，可以按照约定增加报酬；

③委托人对价格有特别指示的，行纪人不得违背该指示卖出或者买入。

（2）行纪人的介入权：

行纪人卖出或者买入具有市场定价的商品，除委托人有相反意思表示的以外，行纪人自己可以作为买受人或出卖人（向委托人买入，或出卖给委托人）。行纪人要行使介入权，必须要注意以下几点：

①委托人委托的商品具有市场定价；

②委托人没有相反的意思表示；

③在可以行使介入权的情形，行纪人仍然可以要求委托人支付报酬。

（五）技术合同

（1）技术合同类型：技术开发合同、技术转让合同、技术许可合同、技术咨询合同、技术服务合同。

（2）技术职务成果。

①职务技术成果的使用权、转让权属于法人或者非法人组织的，法人或者非法人组织可以就该项职务技术成果订立技术合同。法人或者非法人组织订立技术合同转让职务技术成果时，职务技术成果的完成人享有以同等条件优先受让的权利；

②非职务技术成果的使用权、转让权属于完成技术成果的个人，完成技术成果的个人可以就该项非职务技术成果订立技术合同。

第二模块　极致性价比

好运藏在努力里。

　　本模块包括破产法律制度、票据法律制度、合伙企业法律制度的相关考点，在考试中合计占分30分左右，其中破产与票据法律制度主要在主观题当中进行考查，合伙企业法律制度主要在客观题当中进行考查。本模块涉及到的三个章节具有一个共同的特点，通常情况下考查难度适中甚至偏低，但是占分较高，属于非常典型的"极致性价比"章节，所以我们把这三章安排在大家冲刺阶段的中段来学习，帮助大家高效抢分。

破产申请与受理

使用斯尔教育APP
扫码观看本节好课

大、背【2分】

飞越必刷题：140、141、143

（一）破产原因

（1）破产原因一般规则。

①债务人：不能清偿到期债务+资产不足以清偿全部债务。

②债权人：不能清偿到期债务+明显缺乏清偿能力。

（2）破产原因的认定。

情形	认定
不能清偿到期债务	同时存在： ①债权债务关系依法成立； ②债务履行期限届满； ③债务人未完全清偿债务
资产不足以清偿全部债务	债务人的资产负债表，或者审计报告、资产评估报告等显示其全部资产不足以偿付全部负债的，人民法院应当认定债务人资产不足以清偿全部债务，但有相反证据足以证明债务人资产能够偿付全部负债的除外
明显缺乏清偿能力	债务人账面资产虽大于负债，但存在下列情形之一的，人民法院应当认定其明显缺乏清偿能力： ①因资金严重不足或者财产不能变现等原因，无法清偿债务；（2013年、2014年、2018年、2019年案例分析题）

情形	认定
明显缺乏清偿能力	②法定代表人下落不明且无其他人员负责管理财产，无法清偿债务；（2012年案例分析题） ③经人民法院强制执行，无法清偿债务（只要债务人的任何一个债权人经人民法院强制执行未能得到清偿，其每一个债权人均有权提出破产申请，并不要求申请人自己已经采取了强制执行措施）；（2015年、2019年案例分析题） ④长期亏损且经营扭亏困难，失去持续经营能力
存在其他连带责任人	对债务人丧失清偿能力、发生破产原因的认定，不以其他对其债务有清偿义务者（如连带责任人、担保人）也丧失清偿能力、不能代为清偿为条件

（二）破产申请的提出

（1）破产、重整、和解的程序的申请人。

申请人	债权人	债务人
破产	√	√
重整	√	√
和解	×	√

（2）提出破产申请的当事人。

提出主体	解析
担保债权人	无论担保物价款是否足以清偿所担保的债权，担保债权人均享有破产申请权
税务机关和社保机构	享有对债务人的破产清算申请权，但不宜享有重整申请权
职工	职工提出破产申请应经职工代表大会或者全体职工会议多数决议通过（职工不得自行提出破产申请）

（三）破产案件管辖

破产案件的地域管辖由债务人住所地人民法院管辖。

（四）债务人异议

异议情形	解决方案
对是否存在破产事由的异议	债务人以其具有清偿能力或资产超过负债为由提出抗辩异议，但又不能立即清偿债务或与债权人达成和解的，其异议不能成立（2017年、2020年案例分析题）

续表

异议情形	解决方案
对债权具体数额存在异议	如果存在双方无争议的部分债权数额，且债务人对该数额已经丧失清偿能力，则此项异议同样不能阻止法院受理破产申请，虽然对双方有争议的那部分债权的确认仍需通过诉讼解决
以申请人未预先交纳诉讼费用为由对破产申请提出异议的	相关当事人以申请人未预先交纳诉讼费用为由，对破产申请提出异议的，人民法院不予支持（2019年案例分析题）。破产案件的诉讼费用，应依法从债务人财产中拨付

（五）破产申请受理后的相关程序

（1）债务人提交材料：受理破产申请后，人民法院应当责令债务人依法提交其财产状况说明、债务清册、债权清册、财务会计报告等有关材料。

①债务人拒不提交的，人民法院可以对债务人的直接责任人员采取罚款等强制措施；（2016年案例分析题）

②债务人不能提交或者拒不提交有关材料的，不影响人民法院对破产申请的受理和审理。

（2）受理破产申请后可以驳回申请的情况——未发生破产原因。

人民法院受理破产申请后至破产宣告前，经审查发现案件受理时债务人未发生破产原因的，可以裁定驳回申请。

（3）受理破产申请后不得裁定驳回的情况——破产原因消失。

由于债务人财产的市场价值发生变化导致其在案件受理后资产超过负债、乃至破产原因消失的，不影响破产案件的受理与继续审理（2018年案例分析题）。债务人如不愿意进行破产清算，可以通过申请和解、重整等方式清偿债务、结束破产程序。

（六）破产申请受理的效力

事项	效力
个别清偿	（1）人民法院受理破产申请后的个别清偿无效； （2）债务人以自己的财产向债权人提供物权担保的，其在担保物市场价值内向债权人所作的债务清偿，不受上述规定限制（2014年、2017年、2020年案例分析题）
次债务人清偿债务或交付财产	人民法院受理破产申请后，债务人的债务人或者财产持有人应当向管理人清偿债务或者交付财产： （1）违反法律规定未向管理人而是向债务人清偿，使债权人受到损失的，不免除其清偿债务或者交付财产的义务（清偿无效，还了白还）；（2017年案例分析题） （2）如果债务人的债务人或者财产持有人虽向债务人清偿债务或者交付财产，但债务人将接收到的清偿款项或者财产全部上交管理人，债权人并未受到损失，则不必再承担民事责任（清偿有效）

续表

事项	效力
管理人继续履行合同选择权	管理人对破产申请受理前成立而债务人和对方当事人均未履行完毕的合同有权决定解除或者继续履行，并通知对方当事人： （1）管理人解除合同：管理人自破产申请受理之日起2个月内未通知对方当事人或收到对方当事人催告之日起30日内未答复的，视为解除合同； （2）管理人继续履行合同：对方当事人有权要求管理人提供担保，但管理人不提供担保的，视为解除合同
财产保全与执行程序	人民法院受理破产申请后，有关债务人财产的保全措施应当解除，执行程序应当中止（2017年案例分析题）
民事诉讼或仲裁	（1）人民法院受理破产申请后，已经开始而尚未终结的有关债务人的民事诉讼或者仲裁应当中止； （2）在管理人接管债务人财产、掌握诉讼情况后能够继续进行时，该诉讼或者仲裁继续进行
特殊诉讼	（1）特殊诉讼的类型： ①主张次债务人代替债务人直接向其偿还债务的； ②主张债务人的出资人、发起人和负有监督股东履行出资义务的董事、高级管理人员，或者协助抽逃出资的其他股东、董事、高级管理人员、实际控制人等直接向其承担出资不实或者抽逃出资责任的； ③以债务人的股东与债务人法人人格严重混同为由，主张债务人的股东直接向其偿还债务人对其所负债务的。 （2）相关诉讼的处理： ①破产申请受理前债权人提出上述诉讼，破产申请受理时案件尚未审结：人民法院应当中止审理。 ②破产申请受理后债权人提出上述诉讼：人民法院不予受理。 （区别于民事诉讼或仲裁，特殊诉讼管理人接管债务人财产后也不应继续进行）

通关绿卡

命题角度1：判断债务人提出各类异议是否成立，人民法院是否应当受理破产申请。

（1）债务人基于破产原因提出异议，如债务人以资产超过负债提出异议（异议不成立），以存在连带责任人提出异议（异议不成立）；认为虽经其他债权人强制执行未能全额清偿，但相关申请人自己未采取强制执行措施，以此为理由提出异议（异议不成立）；

（2）债务人对破产申请主体提出异议，如主张担保债权人无权提出破产申请（异议不成立），税务机关和社保机关无权提出破产申请（异议不成立），职工无权提出破产申请等（职工不得自行提出破产申请，但经职工会议多数决议通过后，可以提出破产申请）；

（3）债务人由于财产的市场价值发生变化导致破产原因消失，应驳回破产申请（异议不成立）。

通关绿卡

命题角度2：要求根据破产申请受理后的效力相关规则判断相关事项的处理办法。

如个别清偿无效的认定（担保物市价范围内的清偿除外）、次债务人财产的交付是否发生效力的判断、继续履行合同选择权的行使、保全措施的解除、执行程序的中止，以及一般民事诉讼中止，在管理人接管后继续进行，特殊类型诉讼中止，管理人接管后也不继续进行。

NO.57 执行案件移送破产审查

使用斯尔教育APP
扫码观看本节好课

大、背【2分】

飞越必刷题：141

（一）执行案件移送破产审查的管辖

（1）管辖地：由被执行人住所地人民法院管辖；

（2）管辖级别：以中级人民法院管辖为原则、基层人民法院管辖为例外。

（二）移送程序

（1）合议庭评议；（2）上级法院审核；（3）通知及异议；（4）通知其他所有已知执行法院；（5）移送材料；（6）受移送法院材料接收及立案；（7）作出是否受理的裁定。

（三）财产保全措施

（1）执行法院决定移送后、受移送法院裁定受理破产案件之前：对被执行人的查封、扣押、冻结措施不解除；

（2）受移送法院受理破产案件后：应当解除对债务人财产的查封、扣押、冻结措施。

NO.58 管理人制度

使用斯尔教育APP
扫码观看本节好课

大、背【2分】

飞越必刷题：75、141、143

（一）管理人的资格

管理人可以由机构和个人担任。有下列情形之一的，不得担任管理人：

（1）因故意犯罪受过刑事处罚；

（2）曾被吊销相关专业执业证书；

（3）与本案有利害关系。

主体类型	机构、机构派出人员和个人
利害关系通用要求	（1）与债务人、债权人有未了结的债权债务关系； （2）在人民法院受理破产申请前3年内，曾为债务人提供相对固定的中介服务，如债务人的审计师； （3）现在是或者在人民法院受理破产申请前3年内曾经是债务人、债权人的控股股东或者实际控制人； （4）现在担任或者在人民法院受理破产申请前3年内曾经担任债务人、债权人的财务顾问、法律顾问（2018年案例分析题）
利害关系特殊要求	（1）现在担任或者在人民法院受理破产申请前3年内曾经担任债务人、债权人的董事、监事、高级管理人员； （2）与债权人或者债务人的控股股东、董事、监事、高级管理人员存在夫妻、直系血亲、三代以内旁系血亲或者近姻亲关系

（二）管理人的指定

（1）管理人名册制度：人民法院根据本地破产案件发生数量从报名者中择优确定编入管理人名册的人数，并从编入管理人名册的中介机构及其取得执业资格的成员中实际指定管理人。

（2）指定管理人的机制：随机、竞争、接受推荐三种。

（3）不得拒绝指定：管理人无正当理由，不得拒绝人民法院的指定。否则，人民法院可以决定停止其担任管理人1年至3年，或将其从管理人名册中除名。

（三）管理人的报酬

（1）报酬的决定：管理人的报酬由人民法院确定；

（2）报酬的上限：财产价值总额×管理人报酬比例；

（3）财产总额的范围=债务人财产市价−担保权人优先受偿的担保物价值；

（4）清算组中有关政府部门派出的工作人员参与工作的，不收取报酬。

NO.59　债务人财产

使用斯尔教育APP
扫码观看本节好课

> 六、背【2分】

飞越必刷题：140

（一）债务人财产的范围

（1）下列财产不应认定为债务人财产：

①债务人基于仓储、保管、承揽、代销、借用、寄存、租赁等合同或者其他法律关系占有、使用的他人财产；（2014年、2015年、2016年案例分析题）

②债务人在所有权保留买卖中尚未取得所有权的财产；

③所有权专属于国家且不得转让的财产。

（2）债务人已依法设定担保物权的特定财产，属于债务人财产。

（二）债务人财产的收回

收回财产	详解
出资的收回	债务人的出资人尚未完全履行出资义务的，管理人应当要求该出资人缴纳所认缴的出资，而不受出资期限的限制（2020年案例分析题）
债务人董、监、高非正常收入和侵占企业财产的收回	董监高非正常收入和侵占企业财产的收回：非正常收入——侵占企业财产；绩效奖金、其他非正常收入——作为普通债权清偿；普遍拖欠职工工资情况下获取的工资性收入——企业职工平均工资部分——作为拖欠职工工资清偿；高出平均工资部分——作为普通债权清偿
向次债务人、债务人的出资人追收债务人财产	管理人负有依法向次债务人、债务人的出资人等追收债务人财产的责任
质物、留置物的收回	人民法院受理破产申请后，管理人可以通过清偿债务或者提供为债权人接受的担保，取回质物、留置物。但以该质物或者留置物当时的市场价值为限

（三）破产撤销权

	情形	解析
无偿减少债务人财产（可撤销期间：受理前1年）	无偿转让财产	既包括实物财产也包括财产性权利
	以明显不合理的价格进行交易	买卖双方应当依法返还从对方获取的财产或者价款。因撤销该交易，债务人所产生的应返还受让人已支付价款的债务，作为共益债务清偿
	对没有财产担保的债务提供财产担保（2018年案例分析题）	在可撤销期间内设定债务的同时为债务提供的财产担保不包括在内，因其是有对价的行为
	对未到期的债务提前清偿的	（1）破产申请受理前1年内债务人提前清偿的未到期债务，在破产申请受理前已经到期，管理人请求撤销该清偿行为的，人民法院不予支持；（2015年、2020年案例分析题）（2）但是，该清偿行为发生在破产申请受理前6个月内且债务人具有破产原因的除外
	放弃债权的	指以明示或默示的方式放弃对他人的债权，包括放弃债权等权利、不为诉讼时效的中断、撤回诉讼、对诉讼标的之舍弃等

情形	解析
个别清偿 （可撤销期间：受理前6个月）	（1）对个别债权人进行清偿，是指对无物权担保债权人的个别清偿，对有物权担保债权人在担保物的市价范围内所做的清偿不受限制。 （2）不可撤销的清偿： ①债务人为维系基本生产需要而支付水费、电费等的；（2013年案例分析题） ②债务人支付劳动报酬、人身损害赔偿金的；（2015年案例分析题） ③使债务人财产受益的其他个别清偿； ④债务人经诉讼、仲裁、执行程序对债权人进行的个别清偿

（四）取回权

（1）一般取回权。

①取回权的主要表现：（2014年案例分析题）

a.加工承揽人破产时，定作人取回定作物；

b.承运人破产时，托运人取回托运货物；

c.承租人破产时，出租人收回出租物；

d.保管人破产时，寄存人或存货人取回寄存物或仓储物；

e.受托人破产时，信托人取回信托财产；

②支付相关费用：权利人行使取回权时未依法向管理人支付相关的加工费、保管费、托运费、委托费、代销费等费用，管理人拒绝其取回相关财产的，人民法院应予支持。

（2）特殊情形下的取回。

①代位物的取回：

a.对债务人占有的权属不清的鲜活易腐等不易保管的财产或者不及时变现价值将严重贬损的财产，管理人应当及时变价并提存变价款，有关权利人可以就该变价款行使取回权。（2020年案例分析题）

b.债务人占有的他人财产毁损、灭失，因此获得的保险金、赔偿金、代偿物尚未交付给债务人，或者代偿物虽已交付给债务人但能与债务人财产相区分的，权利人有权主张取回就此获得的保险金、赔偿金、代偿物。

②债务人占有的他人财产被违法转让给第三人：

③债务人占有的他人财产毁损、灭失：

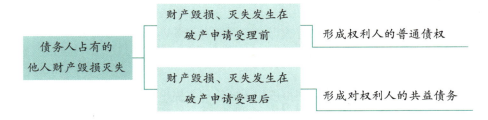

（3）出卖人取回权。

①出卖人的权利：人民法院受理破产申请时，出卖人已将买卖标的物向作为买受人的债务人发运，债务人尚未收到且未付清全部价款的，出卖人可以取回在运途中的标的物。（2019年案例分析题）

a.可以取回的情形：出卖人通过通知承运人或者实际占有人中止运输、返还货物、变更到达地，或者将货物交给其他收货人等方式，对在运途中标的物主张了取回权但未能实现，或者在货物未达管理人前已向管理人主张取回在运途中标的物，在买卖标的物到达管理人后，出卖人向管理人主张取回的，管理人应予准许。

b.不得取回的情形：出卖人对在运途中标的物未及时行使取回权，在买卖标的物到达管理人后向管理人行使在运途中标的物取回权的，管理人不应准许。（2019年、2020年案例分析题）

②买受人（管理人）的权利：管理人可以支付全部价款，请求出卖人交付标的物。

（4）所有权保留买卖合同中的取回权。

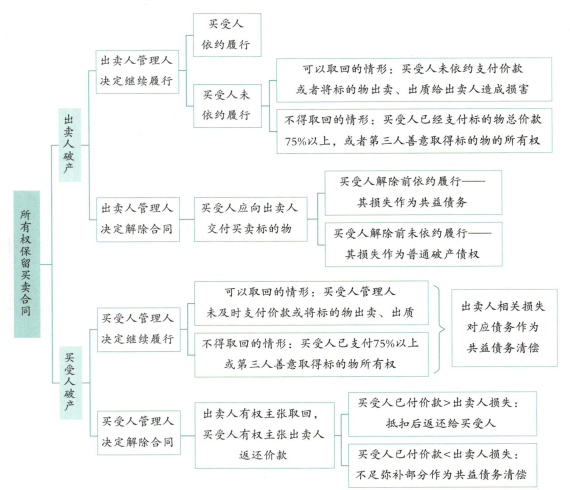

（五）抵销权

（1）对债权债务的规定：

①债权人在破产申请受理前对债务人即破产人负有债务；

②无论双方债务是否已到清偿期限、标的是否相同。

（2）行使主体：

①原则上，破产法上的抵销权只能由债权人向管理人提出行使；

②管理人不得主动抵销债务人与债权人的互负债务，但抵销使债务人财产受益的除外。

（3）禁止抵销的情形：

①债务人的债务人在破产申请受理后取得他人对债务人的债权的，禁止抵销。（2015年案例分析题）

②债权人已知债务人有不能清偿到期债务或者破产申请的事实，对债务人负担债务的，禁止抵销；但是，债权人因为法律规定或者有破产申请一年前所发生的原因而负担债务的除外。

③债务人的债务人已知债务人有不能清偿到期债务或者破产申请的事实，对债务人取得债权的，禁止抵销；但是，债务人的债务人因为法律规定或者有破产申请一年前所发生的原因而取得债权的除外。

④股东之破产债权，不得与其欠缴债务人的出资或者抽逃出资对债务人所负的债务相抵销。（2020年案例分析题）

> **通关绿卡**
>
> **命题角度**：要求根据债务人财产的收回、破产撤销权、取回权、抵销权等规定，确认归属于债务人财产的范围。
>
> 本考点涉及的内容属于主观题必考内容，在绝大多数年份中，本考点在考试当中都能占到4~8分的分值，属于重中之重。其中，常见的易错点如下：
>
> （1）未达缴纳期限的出资可以收回；
>
> （2）董监高非正常收入可以收回；
>
> （3）在可撤销期间内设定债务的同时为债务提供担保的行为，不能予以撤销；
>
> （4）破产申请受理前1年内债务人提前清偿的未到期债务，在破产申请受理前已经到期的，不能予以撤销；
>
> （5）破产申请受理前6个月内，对有物权担保的债权人在担保物市价范围内所作的清偿，不能予以撤销；
>
> （6）破产申请受理前6个月内发生的支付维系基本生活必须的费用，支付劳动报酬、人身损害赔偿金等清偿行为，不能予以撤销；
>
> （7）债权人可以收回定作物、保管物、托运物、代销物，但应支付相关费用；
>
> （8）出卖人对在运途中标的物未及时行使取回权，在买卖标的物到达管理人后才主张取回的，管理人不应准许；
>
> （9）破产抵销权原则上应由债权人主张，管理人不主动主张；
>
> （10）基于破产申请受理前1年内原因，取得对债务人的债权，或者对债务人负担债务的，禁止行使抵销权。

NO.60 破产费用与共益债务

【1分】

飞越必刷题：140

（一）破产费用

（1）破产案件的诉讼费用；

（2）管理、变价和分配债务人财产的费用；

（3）管理人执行职务的费用、报酬和聘用工作人员的费用。

（二）共益债务

（1）因管理人或者债务人请求对方当事人履行双方均未履行完毕的合同所产生的债务；

（2）债务人财产受无因管理所产生的债务；

（3）因债务人不当得利所产生的债务；

（4）为债务人继续营业而应支付的劳动报酬和社会保险费用以及由此产生的其他债务；

（5）管理人或者相关人员执行职务致人损害所产生的债务；

（6）债务人财产致人损害所产生的债务。

（三）破产费用与共益债务的清偿

（1）一般规则：

①优先于其他债权的受偿权；

②它们优先受偿的范围原则上仅限于债务人的无担保财产，对债务人的特定财产享有担保权的权利人，仍对该特定财产享有优先于破产费用与共益债务受偿的权利。

（2）清偿时间：由债务人财产随时清偿。

（3）清偿顺位：

①债务人财产不足以清偿所有破产费用和共益债务的，先行清偿破产费用；

②债务人财产不足以清偿所有破产费用或者共益债务的，按照比例清偿；

③债务人财产不足以清偿破产费用的，管理人应当提请人民法院终结破产程序。

通关绿卡

命题角度：破产费用与共益债务的辨析。

　　破产费用和共益债务是破产法中客观题重要考点，需要能够区分二者的范畴并记忆清偿的顺序；此外，这一知识点也有可能结合破产取回权中的一般取回权（债务人占有的他人财产被转让给第三人的情形、债务人占有的他人财产毁损灭失的情形）和所有权保留买卖合同中的取回权进行考查。

破产债权申报

使用斯尔教育APP
扫码观看本节好课

六、背【2分】

飞越必刷题：76

（一）破产债权申报规则

债权类型	申报规则
职工劳动债权（债务人所欠职工的工资和医疗、伤残补助、抚恤费用，所欠的应当划入职工个人账户的基本养老保险、基本医疗保险费用，以及法律、行政法规规定应当支付给职工的补偿金）	不必申报，由管理人调查后列出清单并予以公示
税收、社保债权	需依法申报
对债务人特定财产享有担保权的债权	需依法申报
未到期的债权	在破产申请受理时视为到期
附利息的债权	自破产申请受理时起停止计息
无利息的债权	无论是否到期均以本金申报债权
附条件、附期限的债权和诉讼、仲裁未决的债权	可以申报
管理人或者债务人依照破产法规定解除双方均未履行完毕的合同产生的损害赔偿责任当中的违约金	不得申报
破产申请受理后，债务人欠缴款项产生的滞纳金，包括债务人未履行生效法律文书应当加倍支付的迟延利息和劳动保险金的滞纳金	债权人作为破产债权申报的，人民法院不予确认

（二）涉及保证的破产债权

（1）单一债务人破产。

①债权人未全额申报的情形：

a.债务人的保证人或者其他连带债务人已经代替债务人清偿债务的，以其对债务人的求偿权申报债权；

b.尚未代替债务人清偿债务的，以其对债务人的将来求偿权预先申报债权。

②债权人全额申报的情形：

a.保证人或连带债务人不能再申报债权；（2016年、2017年案例分析题）

b.债权人在破产程序中申报债权后又向人民法院提起诉讼，请求担保人承担担保责任的，人民法院依法予以支持；

c.担保人清偿债权人的全部债权后，可以代替债权人在破产程序中受偿。

（2）负有连带义务的债务人全体或数人破产：债权人可以将债权总额作为破产债权，同时或先后分别向每个破产人要求清偿，但其获得清偿的总数不得超过债权总额。

（3）保证人破产：债权人向破产的保证人进行债权申报，即便保证债务尚未到期的，也将其未到期的保证责任视为已到期，此外一般保证人的先诉抗辩权也予以取消。

（三）破产债权确认

（1）管理人收到债权申报材料后，应当登记造册，对申报的债权进行审查，并编制债权登记表；

（2）管理人必须将申报的债权全部登记在债权登记表上，不允许以其认为债权超过诉讼时效或不能成立等为由拒绝编入债权登记表；（2016年、2017年案例分析题）

（3）管理人依法编制的债权登记表，应当提交第一次债权人会议核查。

债权人会议

使用斯尔教育 APP
扫码观看本节好课

大【2分】

飞越必刷题：142

（一）债权人会议的组成

（1）第一次债权人会议：

①凡是申报债权者，均有权参加第一次债权人会议；（2016年案例分析题）

②对债务人的特定财产享有担保权的债权人也属于债权人会议成员，且享有法定的表决权。

（2）之后的债权人会议：

①只有债权得到确认者才有权行使表决权。

②债权尚未确定的债权人，除人民法院能够为其行使表决权而临时确定债权额者外，不得行使表决权。

（3）债务人的职工和工会的代表在债权人会议上没有表决权。但是，如果发生影响其清偿的情况，职工债权人应享有表决权。

（二）债权人会议主席

由人民法院在有表决权的债权人中指定。

（三）债权人会议的表决

债权人会议的决议，由出席会议的有表决权的债权人过半数通过，并且其所代表的债权额占无财产担保债权总额的1/2以上。（2016年案例分析题）

（四）债权人委员会

（1）债委会是选设机构、监督机构；

（2）债权人委员会中的债权人代表由债权人会议选任、罢免，人数最多不超过9人，应当有1名职工代表或工会代表；

（3）债权人委员会的主要职权：

①监督债务人财产的管理和处分；

②监督破产财产分配；

③提议召开债权人会议。

使用斯尔教育APP
扫码观看本节好课

NO.63 破产清算程序、关联企业合并破产

大【2分】

飞越必刷题：143

（一）别除权

情形	效力
主债务人破产	（1）对该特定财产享有优先受偿的权利； （2）未能完全受偿的债权作为普通债权
担保人破产	（1）对该特定财产享有优先受偿的权利； （2）在担保物价款不足以清偿担保债权时，余债不得作为破产债权向破产人要求清偿，只能向原主债务人求偿； （3）别除权人如放弃优先受偿权利，其债权也不能转为对破产人的破产债权（2013年、2015年案例分析题）

（二）破产财产分配

（1）清偿有财产担保的债权；

（2）清偿破产费用；

（3）清偿共益债务；

（4）工资薪金：破产人所欠职工的工资和医疗、伤残补助、抚恤费用，所欠的应当划入职工个人账户的基本养老保险、基本医疗保险费用，以及法律、行政法规规定应当支付给职工的补偿金；

（5）破产人欠缴的除前项规定以外的社会保险费用和破产人所欠税款；

（6）普通破产债权。

（三）税收滞纳金

（1）案件受理前产生的滞纳金：普通破产债权；

（2）案件受理后产生的滞纳金：不属于破产债权，在破产程序中不予清偿。

（四）关联企业合并破产

（1）实质合并破产：

①条件：法人人格高度混同、区分各关联企业财产的成本过高、严重损害债权人公平清偿利益；

②程序：

a.及时通知利害关系人并组织听证；

b.人民法院收到申请之日起30日内作出是否实质合并审理的裁定；

c.相关利害关系人对裁定不服，可以自裁定书送达之日起15日内向受理法院的上一级人民法院申请复议。

③人民法院管辖权：核心控制企业住所地→主要财产所在地。

④效力：各关联企业成员之间的债权债务归于消灭，各成员财产作为合并后统一的破产财产，由各成员的债权人在同一程序中按照法定顺序公平受偿。

（2）程序合并破产：也称协调审理。

NO.64　　　　　　重整程序

使用斯尔教育APP
扫码观看本节好课 ▶

大、背【2分】

飞越必刷题：142

（一）申请重整的主体（2020年案例分析题）

程序	申请主体
直接进重整	债务人或者债权人可以依法直接向人民法院申请对债务人进行重整
清算转重整	债权人申请对债务人进行破产清算的，在人民法院受理破产申请后、宣告债务人破产前，以下主体可以申请对债务人重整： （1）债务人； （2）出资额占债务人注册资本1/10以上的出资人； （3）其他债权人

（二）重整期间

（1）重整期间债务人的财产管理和营业事务执行：可以由债务人或管理人负责（债务人自行管理，仍要有管理人，管理人应当对债务人的自行管理行为进行监督）。（2020年案例分析题）

（2）管理人发现债务人存在严重损害债权人利益的行为或者有其他不适宜自行管理情形的，可以申请人民法院作出终止债务人自行管理的决定。人民法院决定终止的，应当通知管理人接管债务人财产和营业事务。债务人有上述行为而管理人未申请人民法院作出终止决定的，债权人等利害关系人可以向人民法院提出申请。（2020年案例分析题）

（3）重整期间，对债务人的特定财产享有的担保权暂停行使。（2020年案例分析题）

（4）在重整期间，债务人或者管理人为继续营业而借款的，可以参照共益债务优先受偿，还可以以债务人财产为该借款设定担保。

（5）在重整期间，债务人的出资人不得请求投资收益分配；债务人的董事、监事、高级管理人员不得向第三人转让其持有的债务人的股权，但经人民法院同意的除外。

（三）重整计划

（1）重整计划的制订：债务人自行管理财产和营业事务的，由债务人制作重整计划草案。管理人负责管理财产和营业事务的，由管理人制作重整计划草案。

（2）重整计划的提交时限：人民法院裁定债务人重整之日起6个月内。

（3）重整计划草案表决机制。

①重整计划表决分组：

组别	详情	表决
优先债权组	对债务人的特定财产享有担保权的债权	出席会议的同一表决组的债权人过半数同意重整计划草案，并且其所代表的债权额占该组债权总额的2/3以上的，即为该组通过重整计划草案（人数过半+债权额2/3以上）
职工债权组	债务人所欠职工的工资和医疗、伤残补助、抚恤费用，所欠的应当划入职工个人账户的基本养老保险、基本医疗保险费用，以及法律、行政法规规定应当支付给职工的补偿金	
税款债权组	债务人所欠税款	
普通债权组	普通债权	
小额债权组	人民法院在必要时可以决定在普通债权组中设小额债权组（非必设）。在司法实践中，更为常见的做法是设定统一的数额标准，对每个普通债权该数额以下的部分均给予较高比例的清偿	
出资人组	a.重整计划草案涉及出资人权益调整事项的，应当设出资人组，对该事项进行表决；（非必设） b.出资人组的表决，按照公司法规定的股东（大）会的表决方式进行，即按照出资比例行使表决权	对重整计划草案中涉及出资人权益调整事项的表决，经参与表决的出资人所持表决权2/3以上通过的，即为该组通过重整计划草案（表决权2/3以上）（2020年案例分析题）

②重整计划的通过：各表决组均通过重整计划草案时，重整计划即为通过。

③重整计划的批准：自重整计划通过之日起10日内，债务人或者管理人应当向人民法院提出批准重整计划的申请。重整计划中关于企业重新获得盈利能力的经营方案具有可行性、表决程序合法、内容不损害各表决组中反对者的清偿利益的，人民法院应当自收到申请之日起30日内裁定批准重整计划，终止重整程序，并予以公告。

④重整计划的执行：由债务人负责执行。

⑤重整计划的监督：由管理人负责监督。

⑥重整计划的效力：经人民法院裁定批准的重整计划，对债务人和全体债权人均有约束力，包括对债务人的特定财产享有担保权的债权人。按照重整计划减免的债务，自重整计划执行完毕时起，债务人不再承担清偿责任。

⑦重整计划的变更：

a.因出现国家政策调整、法律修改变化等特殊情况，导致原重整计划无法执行的，债务人或管理人可以申请变更重整计划1次。

b.债权人会议决议同意变更重整计划的，应自决议通过之日起10日内提请人民法院批准。

c.人民法院裁定同意变更重整计划的，债务人或者管理人应当在6个月内提出新的重整计划。变更后的重整计划应提交给因重整计划变更而遭受不利影响的债权人组和出资人组进行表决。表决、申请人民法院批准以及人民法院裁定是否批准的程序与原重整计划的相同。

汇 票

使用斯尔教育APP
扫码观看本节好课

大、背【2分】

飞越必刷题：77、86

（一）汇票的分类

（1）银行汇票：银行作为出票人的汇票。银行签发银行汇票时，基于所收妥的金额填写"出票金额"；银行汇票申请人在取得汇票后，由其自己或者取得汇票的相对人根据实际应支付的款项，另行填写"实际结算金额"，其数额不得超过出票金额。

（2）商业汇票：由银行以外的企业作为出票人。根据付款人不同可分为银行承兑汇票和商业承兑汇票。

（二）汇票的出票

事项类型	解析
绝对必要记载事项	（1）表明"汇票"的字样； （2）无条件支付的委托（如附条件，如"收货后付款"，应视为欠缺该事项，导致汇票无效）； （3）确定的金额（中文大写和数码必须一致且不得更改，否则汇票无效）； （4）付款人名称； （5）收款人名称； （6）出票日期； （7）出票人签章
相对必要记载事项	出票人可以记载付款日期、付款地、出票地。如果未记载，出票行为仍然有效： （1）未记载付款日期的，为见票即付； （2）未记载付款地的，付款人的营业场所、住所或者经常居住地为付款地； （3）未记载出票地的，出票人的营业场所、住所或者经常居住地为出票地

续表

事项类型	解析
可以记载事项	出票人可以记载"不得转让"字样。如果未做该种记载，则汇票可以转让。如果记载了该事项，汇票不得转让
记载无效事项	出票人不得在票据上表明不承担保证该汇票承兑或者付款的责任；如有此类记载，出票行为仍然有效，但是该记载无效。即，出票人在持票人不能获得承兑或者付款时，仍应承担票据责任

（三）汇票的承兑

内容	解析
范围	远期汇票（定日付款汇票、出票后定期付款汇票、见票后定期付款汇票）的持票人均应当提示承兑，未按期提示承兑，丧失对出票人以外其他前手的追索权；即期汇票（见票即付的汇票）无须承兑
款式	（1）绝对必要记载事项：承兑行为的绝对必要记载事项包括承兑文句（"承兑"字样）以及签章； （2）记载使承兑无效事项：承兑附有条件的，视为拒绝承兑。也就是说，承兑行为因此而无效
效力	（1）承兑人是汇票上的主债务人，承担最终的追索责任；持票人即使未按期提示付款或者依法取证，也不丧失对承兑人的追索权。 （2）经承兑，持票人即取得对承兑人的付款请求权

（四）汇票的背书

（1）转让背书。

情形	解析
绝对必要记载事项	①被背书人、背书人的签章； ②背书人未记载被背书人名称即将票据交付他人的，持票人在票据被背书人栏内记载自己的名称（即"补记"）与背书人记载具有同等法律效力，并不导致背书无效
背书人在汇票上记载"不得转让"字样	其后手再背书转让的，原背书人对后手的被背书人不承担保证责任（2020年案例分析题）
出票人在汇票上记载"不得转让"字样	汇票不得转让，如果收款人将此种汇票背书转让（包括贴现）给他人，背书行为无效，取得票据的人并不能因此而取得票据权利
记载不发生效力的事项	背书人如果作出免除担保承兑、担保付款责任的记载，该记载无效，但是不影响背书行为本身的效力。（背书行为仍有效）
记载使背书无效事项	将汇票金额的一部分转让的背书或者将汇票金额分别转让给二人以上的背书无效。（背书行为无效，票据权利仍由原权利人享有）

续表

情形	解析
记载不发生票据法上效力的事项	背书不得附有条件。背书时附有条件的，所附条件不具有汇票上的效力。背书所附条件可能具有民法上的效力（2015年、2019年案例分析题）
回头背书	①持票人为出票人的，对其前手无追索权； ②持票人为背书人的，对其后手无追索权
背书连续	①以背书转让的汇票，背书应当连续。持票人以背书的连续，证明其汇票权利。 ②若背书不连续，相关权利人以其他合法方式取得汇票的，需依法举证，证明其汇票权利（如公司合并、分立等等）。 ③若以背书方式取得票据但背书不连续，且不存在其他证据，则无法取得票据权利
票据贴现	①在我国，只有经批准的金融机构才有资格从事票据贴现； ②其他组织与个人进行票据贴现的，可能要承担行政法律责任甚至刑事责任

（2）委托收款背书。

内容	解析
款式	必须加上"委托收款"（或者"托收""代理"）字样作为绝对必要记载事项。假如没有记载该事项，则其形式上体现为转让背书
效力	①被背书人取得代理权，具备行使付款请求权、追索权以及收取款项的代理权。被背书人的权限不包括处分票据权利的代理权（转让背书和质押背书）； ②委托收款人的权限，还包括再对他人进行委托收款背书

（3）质押背书。

内容	解析
款式	①必须记载"质押"（或者"设质""担保"）字样，作为绝对必要记载事项。假如未做该记载，则形式上构成转让背书； ②以汇票设定质押时，出质人在汇票上只记载了"质押"字样未在票据上签章的，或者出质人未在汇票、粘单上记载"质押"字样而另行签订质押合同、质押条款的，不构成票据质押（持票人不取得票据质权）
效力	①票据质权人有权以相当于票据权利人的地位行使票据权利，包括行使付款请求权、追索权； ②票据质权人进行转让背书或质押背书无效，但可以进行委托收款背书

（五）汇票的保证

（1）汇票保证的构成要件。

内容	解析
票据保证行为的认定	保证人未在票据上记载"保证"字样而另行签订保证合同或者保证条款的，不属于票据保证。可以发生民法上的保证效力，但不发生票据保证效力（2016年、2018年案例分析题）
实质要件（保证人资格）	国家机关（但经国务院批准为使用外国政府或者国际经济组织贷款进行转贷，国家机关提供票据保证的除外）、以公益为目的的事业单位、社会团体、企业法人的分支机构（企业法人的分支机构在法人书面授权范围内提供票据保证的除外）和职能部门作为票据保证人的，票据保证无效
形式要件（款式）	①绝对必要记载事项：保证文句（表明"保证"的字样）、保证人的名称和住所、保证人签章。 ②保证人未记载被保证人的： a.已承兑的汇票，承兑人为被保证人； b.未承兑的汇票，出票人为被保证人。 ③保证不得附条件，所附条件不发生票据法上的效力

（2）汇票保证的效力。

效力	解析
对保证人的效力	①保证人与被保证人负同一责任，责任一致、顺序一致。 ②承兑人为被保证人：持票人可以向承兑人行使付款请求权，也可以向保证人行使付款请求权。 ③背书人为被保证人：持票人不得对保证人主张付款请求权，只能对其行使追索权。 ④票据保证人不享有先诉抗辩权
被保证人债务无效的情形	①被保证人的债务因为形式要件的欠缺而无效，保证人不承担票据责任。（形式要件欠缺——无效） ②被保证人的债务因为实质要件的欠缺而无效，不影响票据保证行为的效力，保证人仍需承担保证责任。（实质要件欠缺——有效）
对被保证人前手及后手的效力	①承兑人是被保证人：保证人向持票人履行票据债务后，票据关系全部消灭。 ②出票人、背书人是被保证人：持票人有权对其行使追索权

（六）汇票的付款

（1）提示付款期间。

票据类型	期间起算	提示对象	期间长度
见票即付的汇票	出票日起	付款人	1个月内
定日付款、出票后定期付款或者见票后定期付款的汇票	到期日起	承兑人	10日内
本票	出票日起	出票人	2个月内
支票	出票日起	付款人	10日内

未在该期限内提示付款的，持票人丧失部分前手的追索权，但是对承兑人、出票人的票据权利仍然存在。

（2）付款的效力。

情形	规定
付款审查	付款人原则上仅有形式审查（是否记载了相关事项、背书是否连续）的义务，没有实质审查的义务
善意且无重大过失的错误付款	付款人的付款行为与一般的付款具有相同的效力，也就是说，全部票据关系均消灭
恶意或者重大过失付款	此时的付款并不发生通常情形下付款的效力，票据关系并不因此而消灭
期前付款	假如发生了错误付款，那么即使付款人善意且无过失，仍然要"自行承担所产生的责任"

（七）追索权

（1）相关当事人：

①追索权人：持票人、背书人、保证人、出票人；

②被追索人：背书人、出票人、保证人、承兑人。

（2）追索权的行使：汇票的出票人、背书人、承兑人和保证人对持票人承担连带责任（2011年案例分析题）。持票人可以不按照汇票债务人的先后顺序，对其中任何一人、数人或者全体行使追索权。

通关绿卡

命题角度1：汇票出票的各类记载事项及效力。

此知识点主要出现在客观题当中，需要大家能够准确记忆汇票各类记载事项，以及汇票的各类记载事项与支票、本票的异同。

命题角度2：汇票的背书、保证、承兑、付款、追索。

历年考题中的票据法案例分析题，基本都是以汇票为主体内容进行考查（个别年份考查支票，但支票的大量规定均参照汇票）。所以汇票的背书、保证、承兑、付款、追索属于几乎每年必考的内容，而且会在主观题当中占到5分左右，提示大家结合上文中的总结，以及附录中的票据法主观题解题技巧，对本记内容进行重点复习。

使用斯尔教育APP
扫码观看本节好课

本票与支票

背【2分】

飞越必刷题：87～88

（一）本票

（1）出票人：银行。（我国现行法律规定的本票仅为银行本票，且均为见票即付）

（2）绝对必要记载事项：表明"本票"的字样；无条件支付的承诺；确定的金额；收款人名称；出票日期；出票人签章。未记载上述任一事项均导致出票无效。

（3）相对必要记载事项：付款地和出票地是相对必要记载事项。本票上未记载付款地的，出票人的营业场所为付款地。本票上未记载出票地的，出票人的营业场所为出票地。

（二）支票

（1）支票的出票。

事项类型	解析
绝对必要 记载事项	①表明"支票"的字样； ②无条件支付的委托（若出票人记载了付款人支付票据金额的条件，即应认为欠缺该绝对必要记载事项，支票无效）； ③确定的金额（支票上的金额可以由出票人授权补记，未补记前不得使用）； ④付款人名称； ⑤出票日期； ⑥出票人签章
任意记载事项	①收款人名称：支票上未记载收款人名称的，经出票人授权，可以补记。出票人既可以授权收取支票的相对人补记，也可以由相对人再授权他人补记。 ②出票人可以记载"不得转让"字样。如有该记载，则支票不得转让
记载不生票据法 上效力的事项	出票人免除其担保付款责任的记载不发生票据法上的效力

（2）支票付款人的责任：支票的付款人并未在票据上签章，因此，付款人并非票据债务人。如果持票人提示付款时，出票人的存款金额不足以支付支票金额（此时称为"空头支票"），付款人不予付款。

通关绿卡

命题角度1：辨析支票付款人与汇票承兑人的责任区别。

支票付款人并非票据债务人，而汇票承兑人是汇票上的主债务人。所以，若支票持票人提示付款时，出票人的存款金额不足以支付支票金额（此时称为"空头支票"），付款人不予付款；而无论汇票出票人在承兑银行存款与否，持票人均可以对承兑行行使付款请求权，承兑行应予以兑付。

命题角度2：汇票、本票及支票绝对必要记载事项。

记载事项类型	内容	汇票	本票	支票
绝对必要记载事项	表明"×票"的字样	√	√	√
	无条件支付的委托/承诺	√	√	√
	确定的金额	√	√	√（注2）
	付款人名称	√	×（注1）	√
	收款人名称	√	√	×（注2）
	出票日期	√	√	√
	出票人签章	√	√	√
相对必要记载事项	付款日期	√	×（注3）	×（注3）
	付款地	√	√	√
	出票地	√	√	√

注1：银行本票的付款人即出票人，因此无须记载。

注2：支票的金额可以授权补记，但属于绝对应记载事项；收款人可以授权补记，但不属于绝对记载事项。

注3：银行本票、支票均为见票即付。支票不得另行记载付款日期；另行记载付款日期的，该记载无效，但并不导致该支票无效。

票据行为无因性及其例外

使用斯尔教育APP
扫码观看本节好课

大【2分】

飞越必刷题：138

情况	举例	效力
产生原因关系的法律行为未成立、无效或被撤销	A与B约定，A将一支手枪卖给B，B以一张汇票支付，并将该汇票背书给A。此时，A与B之间就枪支形成的买卖合同关系因违反法律的强制性规定而无效，则该票据背书行为效力如何	即使作为基础关系的原因关系未成立、无效或者被撤销，已经作出的票据行为的效力并不受该等情况的影响
产生资金关系的法律行为未成立、无效或被撤销	C公司申请D银行为其签发的汇票进行承兑，为此双方签订了承兑协议。基于该协议，D银行对C开具的汇票承兑并加以签章。之后，上述承兑协议被撤销，则D银行已经实施的承兑行为效力如何	即使作为基础关系的资金关系未成立、无效或者被撤销，已经作出的票据行为的效力并不受该等情况的影响
票据授受的原因是票据权利买卖（2015年案例分析题）	E公司急需资金，于是与F公司约定，E公司将自己持有的一张5个月后到期、金额为100万元的汇票转让给F公司，F公司马上给E公司80万元现金。之后，E公司将该汇票背书给F公司，F公司相应支付现金。这种纯粹"花钱买票"的关系并不是《票据法》要求的"真实的交易关系"，则前述背书行为效力如何	该情况属于非经批准的其他组织从事票据贴现业务，可能要承担行政法律责任甚至刑事责任，且转让背书无效。这种情形下，票据行为无因性理论不适用（若F公司背书转让给G公司，G公司满足善意取得的条件，可以善意取得票据权利）
票据行为的内容与基础关系不一致（2015年、2020年案例分析题）	G公司与H公司进行货物贸易，约定G公司开具一张金额为100万元的汇票作为支付方式。然而，G公司因工作人员操作失误，实际开具了一张金额为1 000万元的汇票给H公司，此时该出票行为的效力如何	虽然票据记载的内容与原因关系的内容并不一致，但票据责任人的票据责任还是以票据记载的内容为准

票据的丧失及补救、票据权利的消灭时效

使用斯尔教育APP
扫码观看本节好课 ▶▶

【2分】

（一）挂失止付

（1）挂失止付是一种临时性的措施；

（2）申请挂失止付的当事人，必须在申请之前已经向法院申请公示催告或者起诉，或者应当在通知挂失止付后的3日内向法院申请公示催告或者起诉；否则，挂失止付失去效力。

（二）公示催告

（1）性质：非讼程序；

（2）效力：如果没有人在指定期限内申报权利，则可以推定申请人的主张成立，在其申请法院作出除权判决时，法院应作出该判决，确认申请人为票据权利人；

（3）挂失止付并非公示催告的前置程序。失票人可以不申请挂失止付，而直接向法院申请公示催告。

（三）票据权利的消灭时效

票据类型	付款请求权		追索权	
	对汇票承兑人或本票出票人	对承兑人、出票人的追索权	对其他前手的追索权	被追索人对前手的再追索权
汇票	2年	2年	6个月	3个月
本票	2年	2年	6个月	3个月
支票	—	6个月	6个月	3个月

票据抗辩

使用斯尔教育APP
扫码观看本节好课 ▶▶

六、背【2分】

飞越必刷题：139

（一）票据抗辩中的"物的抗辩"

情形	举例
票据所记载的全部票据权利均不存在	（1）出票行为欠缺绝对必要记载事项； （2）出票行为记载了可导致出票行为无效的事项（如出票行为附有条件）； （3）出票行为若干事项的记载方式不符合法律规定（如票据金额的中文大写和数码不一致；对票据金额、日期、收款人名称进行了更改）； （4）票据权利已经消灭（如因付款而消灭）

续表

情形	举例
票据上记载的特定债务人的债务不存在	（1）签章人是无民事行为能力或者限制民事行为能力人的，票据行为无效，不承担票据责任； （2）狭义无权代理情形下，本人不承担票据责任，或者仅对不超越代理权限的部分承担票据责任； （3）票据伪造的被伪造人，不承担票据责任； （4）票据被变造时，变造前在票据上签章的债务人，可以拒绝依照变造后的记载事项承担票据责任； （5）对特定债务人的票据时效期间经过，其票据债务消灭； （6）对特定票据债务人的追索权，因为持票人未进行票据权利的保全而丧失
票据权利的行使不符合债的内容	（1）票据权利人行使其权利的时间、地点、方式不符合票据记载或者法律规定； （2）法院经公示催告作出除权判决后，票据权利人持票据（而非除权判决）主张权利的

（二）票据抗辩中的"人的抗辩"

（1）基于持票人方面的原因。

①持票人不享有票据权利，如：以欺诈、偷盗或者胁迫等手段取得票据的，或者明知有前述情形，出于恶意取得票据的，不享有票据权利；

②持票人不能够证明其权利。最主要的情形是，背书不连续，持票人又不能证明背书中断之处乃是由于其他合法原因（如税收、继承、赠与、法人的分立或合并）而发生票据权利的转移。

（2）票据抗辩切断的例外情况。

①票据抗辩切断制度：票据债务人原则上不得以自己与出票人或者与持票人的前手之间的抗辩事由，对抗持票人；

②票据抗辩切断制度的第一类例外——持票人恶意：如果持票人明知票据债务人与出票人或者与持票人的前手之间存在抗辩事由，而仍然受让票据权利的，票据债务人可以该事由对抗持票人；（2016年案例分析题）

③票据抗辩切断制度的第二类例外——"冤家路窄"：票据债务人可以对不履行约定义务的与自己有直接债权债务关系的持票人，进行抗辩。

（3）由持票人无偿取得票据衍生。

①因税收、继承、赠与可以依法无偿取得票据的，不受给付对价的限制。但是，所享有的票据权利不得优于其前手的权利。（2014年案例分析题）

②在持票人无偿取得票据的情况下，如果其前手的权利已经获得了抗辩切断的保护，那么持票人的权利也受到抗辩切断的保护。

通关绿卡

命题角度：要求基于票据抗辩制度判断当事人是否应承担票据责任。

（1）票据抗辩制度实质是票据法的一个"大总结"，甚至可以说是"主观题答题资料库"。本考点将全章节各类票据义务人可以不承担票据责任的抗辩理由进行了汇总，大家需要多读几遍，这些表述很可能在主观题的答题中用得到。另外大家可能已经感觉到，票据法章节中，同一类情形可能会在多处谈及，同一问题可能有多个解释作答的思路。这一感觉是正确的，票据法确实具有前后贯通，多处说理论证同一问题的情况，在考场上大家选择自己最有把握的一种方式进行作答即可。

（2）票据抗辩的切断及票据抗辩切断制度的例外，也是主观题的高频考点。所谓票据抗辩的切断，翻译过来就是"不能抗辩的情形"，在主观题当中，这一法条经常作为论证相关票据债务人不得拒绝付款请求的原因。所谓票据抗辩切断的例外，翻译过来就是"不再切断了，可以抗辩"的情形，在主观题当中，经常作为票据债务人可以拒绝付款的正当理由。

票据行为

使用斯尔教育 APP
扫码观看本节好课

大【2分】

飞越必刷题：78、138～139

（一）票据行为的特征

（1）要式法律行为。

（2）票据行为的解释以文义解释为主。

（3）票据行为具有独立性。一个票据行为如果形式上合法但因为欠缺其他要件而无效，原则上不影响其他票据行为的效力：

①无民事行为能力人或者限制民事行为能力人在票据上签章的，其签章无效，但是不影响其他签章的效力；

②票据上有伪造、变造的签章的，不影响票据上其他真实签章的效力。

（二）票据行为的要件

（1）形式要件：

要件	解析
票据凭证	票据当事人应当使用中国人民银行规定的统一格式的票据，未使用按中国人民银行统一规定印制的票据，票据无效
特定事项	①票据金额以中文大写和数码同时记载，二者必须一致，二者不一致的，票据无效； ②票据金额、日期、收款人名称不得更改，更改的票据无效

要件	解析
签章	①自然人的签章，为签名、盖章或者签名加盖章； ②法人和其他单位的签章，为该法人或者该单位的盖章，加其法定代表人或者其授权的代理人的签章； ③银行作为出票人、承兑人，应当盖该银行的汇票/本票专用章，加盖银行公章的也有效；商业汇票、支票的出票人，应当盖该单位的财务专用章或公章； ④出票人在票据上的签章不符合规定的，票据无效； ⑤背书人、承兑人、保证人在票据上的签章不符合规定的，其签章无效，但是不影响票据上其他签章的效力
交付	行为人的记载行为并非立即导致票据行为成立。票据行为人还必须将进行了这种记载的票据交付给相对人，票据行为才成立

（2）实质要件：

①行为能力：无民事行为能力人或者限制民事行为能力人在票据上签章的，其签章无效，但是不影响其他签章的效力。

②意思表示真实：以欺诈、胁迫手段取得票据的（或者明知有前列情形出于恶意取得票据的），不能取得票据权利。

（三）票据行为的代理

（1）不符合表见代理的情形（相对人明知代理人没有代理权，或者因过失而不知）。

①该代理行为应当不发生效力。相对人不能取得票据权利，本人（被代理人）和无权代理人，均不承担票据责任。

②无权代理后相对人又对他人进行票据行为的情形，假设该人因满足善意取得的要件而取得票据权利：

a.本人仍然不承担票据责任，因为本人并未在票据上签章；

b.无权代理人须对票据权利人承担票据责任，因为其在票据上进行了签章。

（2）构成表见代理的情形：相对人取得票据权利。此时，本人应承担票据责任，无权代理人不承担票据责任。

（四）票据行为的代行

（1）如果代行人获得了本人的授权，则应类推适用有权代理的规定，本人承担票据行为的法律效果。

（2）如果代行人未获得本人的授权，其行为构成票据签章的伪造，本人和代行人均不承担票据责任。

（3）如果相对人有理由相信代行人获得了本人的授权，则类推适用表见代理的规定，由本人承担票据责任。

（五）票据权利的善意取得

（1）转让人是形式上的票据权利人。

（2）转让人没有处分权：

①转让人从其前手取得票据权利时，其前手没有完全民事行为能力；

②转让人从其前手取得票据权利时，其前手的意思表示不真实；

③转让人从其前手取得票据权利时，其前手的代理人是无权代理，且不符合表见代理的要件；

④转让人并非票据所记载的权利人，但是冒充权利人并伪造其签章而转让票据权利；

⑤转让人从其前手取得票据权利时，其前手的签章乃是被伪造的，且转让人并未善意取得票据权利；

（3）受让人基于背书方式取得票据。

（4）受让人善意且无过失（受让人并无义务审查转让人与其前手之间的法律关系，更没有义务审查更早的法律关系）。

（5）受让人付出对价。

命题角度： 依据票据行为的代行规则判断相关当事人是否承担票据责任。

（1）首先大家需要明确票据代理与票据代行的区别：票据代理人要在票据上进行签章（以代理人身份），而票据代行人在票据上记载他人之名，自始至终没有自己进行签章。

（2）在票据代行行为中，由于代行人自始至终未进行签章，所以不可能承担票据责任。若未取得本人授权，且不构成类推适用表见代理的情形，构成票据伪造，本人也不承担票据责任；若构成类推适用表见代理的情形，需要由本人承担票据责任。

NO.71 票据行为的伪造和变造

使用斯尔教育 APP
扫码观看本节好课

大、背【2分】

飞越必刷题：89

（一）票据伪造

（1）票据伪造的法律后果：

①如果属于假冒他人名义，其法律效果应类似于无权代理。如果属于狭义无权代理的，则票据行为不发生效力。

②如果其情形可以类推适用表见代理，则票据行为有效。

（2）对于被伪造人：（2014年、2017年、2020年案例分析题）

①虚构他人名义的情形下，并不存在一个"被伪造人"，因此不存在相应的法律后果问题；

②在假冒他人名义的情形下，假如属于上文所分析的票据行为无效的情形，被伪造人不承担因为该票据行为所产生的票据责任。

（3）对于伪造人：伪造人并未以自己名义在票据上签章，不承担票据责任（2014年、

2017年案例分析题）。但是可能要承担刑事责任、行政法律责任或者民法上的赔偿责任。

（4）真正签章人：票据上有伪造签章的，不影响票据上其他真实签章的效力。在票据上真正签章的当事人仍应对被伪造的票据的权利人承担票据责任。（2017年、2020年案例分析题）

（二）票据变造

（1）变造前在票据上签章的票据行为人，依照原记载事项负责。不能辨别是在票据被变造之前或者之后签章的，视同在变造之前签章。

（2）变造后在票据上签章的票据行为人，依照变造后的记载事项负责。如果变造人也是票据上的签章人，变造人应解释为在变造后的票据行为人。

NO.72 其他票据及支付结算法律制度知识

新【1分】

（一）票据法理论知识

（1）票据的分类。

①债权证券；②金钱证券；③设权证券；④文义证券。

（2）票据在经济上的职能。

①支付职能；②汇兑职能；③结算职能；④信用职能；⑤融资职能。

（二）电子汇票相关规定

（1）中国人民银行近年来大力推行电子商业汇票业务（包括电子商业承兑汇票和电子银行承兑汇票）。要求自2018年1月1日起，单张出票金额在100万元以上的商业汇票原则上全部通过电子商业汇票办理。

（2）对于电子商业汇票来说，由于不存在纸质载体，票据行为采取的是数据电文方式，即，票据行为人在电子商业汇票系统中，对于出票、转让等事项进行记载；以电子签名的方式进行"签章"；票据行为人拟交付票据时，在系统内将电子商业汇票发送给相对方，相对方若同意接受则签章并发送电子指令予以确认，交付完成。

（3）对于电子商业汇票来说，"背书"指的是在电子商业汇票系统中的相应行为，不存在物理意义上的"背面"或者"粘单"。

（4）电子商业汇票的出票人记载"不得转让"事项的，汇票无法进行背书转让。

（5）电子商业汇票的背书人记载"不得转让"事项的，汇票无法继续进行背书转让。

（三）银行结算账户

（1）银行结算账户的类型：

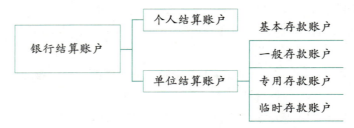

（2）银行结算账户的许可：境内依法设立的企业法人、非法人企业、个体工商户（以下统称企业）在银行办理基本存款账户、临时存款账户业务（此前专用存款账户、一般存款账户已经适用备案制），由核准制改为备案制，人民银行不再核发开户许可证。

（四）国内信用证

（1）我国的信用证是以人民币计价，不可撤销的跟单信用证。

（2）信用证的开立和转让，应当具有真实的贸易背景。但是，在信用证业务中，银行处理的只是单据，而不是单据所涉及的货物或服务。银行只对单据进行表面审核。

（3）银行对信用证作出的付款、确认到期付款、议付或履行信用证项下其他义务的承诺，不受申请人与开证行、申请人与受益人之间关系而产生的任何请求或抗辩的制约。

（4）转让是指由转让行应第一受益人的要求，将可转让信用证的部分或者全部转为可由第二受益人兑用。（信用证可以部分转让，但票据不得部分背书）

（五）信用卡持卡人透支消费

（1）对信用卡透支利率实行上限和下限管理，透支利率上限为日利率万分之五，透支利率下限为日利率万分之五的0.7倍。

（2）信用卡透支的计结息方式，以及对信用卡溢缴款是否计付利息及其利率标准，由发卡机构自主确定。

（3）取消信用卡滞纳金，对持卡人违约逾期未还款的行为，发卡机构应与持卡人通过协议约定是否收取违约金，以及相关收取方式和标准。

（4）发卡机构对向持卡人收取的违约金和年费、取现手续费、货币兑换费等服务费用不得计收利息。

 **NO.73　普通合伙企业与有限合伙企业**

使用斯尔教育APP
扫码观看本节好课

背【1分】

飞越必刷题：70～73、79～80、82～83

（一）合伙企业的特征

（1）合伙企业是合伙人共同出资、共同经营、共享收益、共担风险的自愿联合。合伙一般体现为一种单纯的合同关系，共担风险是合伙关系不同于其他合同关系的最关键之处。

（2）无法人资格。

（3）合伙企业的生产经营所得和其他所得，由合伙人分别缴纳所得税，合伙企业不缴纳企业所得税。

（4）外国企业或个人在境内设立合伙企业，可以将以下货币用于出资：

①可自由兑换的外币；

②依法获得的人民币。

（二）合伙企业的设立登记

事项	规定
登记事项	（1）名称； （2）合伙类型； （3）经营范围； （4）主要经营场所； （5）合伙人的出资额； （6）执行事务合伙人； （7）合伙人名称或者姓名、住所、承担责任方式
备案事项	（1）合伙协议； （2）合伙期限； （3）合伙人认缴或者实际缴付的出资数额、缴付期限和出资方式； （4）合伙企业登记联络员； （5）合伙企业受益所有人（即最终控制或享有企业收益的人）相关信息
营业执照签发	（1）营业执照签发日期为合伙企业的成立日期； （2）营业执照遗失或者毁坏的，公司应当通过国家企业信用信息公示系统声明作废，申请补领
变更登记	合伙企业变更登记事项，应当自作出变更决议、决定或者法定变更事项发生之日起30日内向登记机关申请变更登记
歇业	合伙企业歇业的期限最长不得超过3年

（三）普通合伙企业与有限合伙企业的对比

维度	普通合伙企业	有限合伙企业
纳税	合伙企业不缴纳企业所得税，由合伙人分别缴纳所得税	
组成	普通合伙人组成	有限合伙人和普通合伙人共同组成
合伙人人数	2人以上	2人以上50人以下 （至少有1个普通合伙人）
企业名称	标明"普通合伙"字样（特殊普通合伙企业应标明"特殊普通合伙"字样）	标明"有限合伙"字样
合伙企业财产范围	（1）合伙人的出资（认缴）； （2）以合伙企业名义取得的收益； （3）依法取得的其他财产，如接受捐赠取得财产	
合伙企业财产处置	（1）合伙人在合伙企业清算前，不得请求分割合伙企业的财产，但是，法律另有规定的除外； （2）合伙人在合伙企业清算前私自转移或者处分合伙企业财产的，合伙企业不得以此对抗善意第三人	

续表

维度		普通合伙企业	有限合伙企业
利润分配	规则	约定→协商→出资比例（实缴）→平分	
	限制	合伙协议不得约定将全部利润分配给部分合伙人或者由部分合伙人承担全部亏损	有限合伙企业不得将全部利润分配给部分合伙人，但是合伙协议另有约定的除外（有限合伙企业合伙协议可以约定将全部利润分配给部分合伙人，但不允许约定部分合伙人承担全部亏损，或部分合伙人完全不承担亏损）

（四）合伙企业事务执行

（1）普通合伙企业事务执行。

①全体合伙人可以共同执行合伙事务，也可以按照合伙协议约定或经全体合伙人决定，委托一个或数个合伙人执行合伙事务。

②除合伙协议另有约定外，合伙企业的下列事项应当经全体合伙人一致同意：

a.改变合伙企业的名称；

b.改变合伙企业的经营范围、主要经营场所的地点；

c.处分合伙企业的不动产；

d.转让或者处分合伙企业的知识产权和其他财产权利；

e.以合伙企业名义为他人提供担保；

f.聘任合伙人以外的人担任合伙企业的经营管理人员。

③表决机制：对各合伙人，无论出资多少和以何物出资，表决权数应以合伙人的人数为准，即每一个合伙人对合伙企业有关事项均有同等的表决权。

④合伙人在执行合伙事务中的权利：

主体	权利	解释
全体合伙人	查阅权	查阅合伙企业会计账簿等财务资料的权利
	撤销委托权	受委托执行合伙事务的合伙人不按照合伙协议或者全体合伙人的决定执行事务的，其他合伙人可以决定撤销该委托
执行事务合伙人	代表权	对外代表合伙企业
	异议权	对其他执行事务合伙人执行的事务提出异议
非执行事务合伙人	监督权	监督执行事务合伙人执行合伙事务

（2）有限合伙企业事务执行。

①禁止有限合伙人执行合伙事务：有限合伙人不得对外代表有限合伙企业，但第三人有理由相信有限合伙人为普通合伙人并与其交易的，合伙人虽无处分权但也不得以此对抗善意第三人。

②有限合伙人下列行为，不视为执行合伙事务：（有限合伙人可以参与的行为）

a.参与决定普通合伙人入伙、退伙；

b.对企业的经营管理提出建议；

c.参与选择承办有限合伙企业审计业务的会计师事务所；

d.获取经审计的有限合伙企业财务会计报告；

e.对涉及自身利益的情况，查阅有限合伙企业财务会计账簿等财务资料；

f.在有限合伙企业中的利益受到侵害时，向有责任的合伙人主张权利或者提起诉讼；

g.执行事务合伙人怠于行使权利时，督促其行使权利或者为了本企业的利益以自己的名义提起诉讼；

h.依法为本企业提供担保（有限合伙人不得参与决策合伙企业对外提供担保）。

（五）合伙企业的解散清算

（1）合伙企业解散的情形。

①合伙期限届满，合伙人决定不再经营；

②合伙协议约定的解散事由出现；

③全体合伙人决定解散；

④合伙人已不具备法定人数满30天；

⑤合伙协议约定的合伙目的已经实现或者无法实现；

⑥依法被吊销营业执照、责令关闭或者被撤销；

⑦法律、行政法规规定的其他原因。

（2）合伙企业清算中的清偿顺序。

①清算费用；

②合伙企业职工工资、社会保险费用和法定补偿金；

③缴纳所欠税款；

④清偿债务。

（3）合伙企业清算后合伙人的责任。

①合伙企业不能清偿到期债务的，债权人可以依法向人民法院提出破产清算申请，也可以要求普通合伙人清偿。合伙企业依法被宣告破产的，普通合伙人对合伙企业债务仍应承担无限连带责任。

②合伙企业注销后，原普通合伙人对合伙企业存续期间的债务仍应承担无限连带责任。

NO.74 普通合伙人与有限合伙人

使用斯尔教育APP
扫码观看本节好课

背【1分】

飞越必刷题：73、80～81、83

维度	普通合伙人	有限合伙人
责任	无限连带责任： （1）无限：先企业再个人； （2）连带：对外连带对内按份	以其认缴的出资额为限对合伙企业债务承担责任

维度		普通合伙人	有限合伙人
资格	自然人	应当具有完全民事行为能力	—
	法人	国有独资公司、国有企业、上市公司以及公益性的事业单位、社会团体不得成为普通合伙人。（"限无国独企，上市公事团"）	—
出资		可以以劳务出资，劳务出资的评估办法由全体合伙人协商确定	有限合伙人不得以劳务出资
财产份额转让	对外转让	合伙协议有约定按约定，没有约定须其他合伙人一致同意。在同等条件下，其他合伙人有优先购买权	（1）有限合伙人对外转让其在有限合伙企业中的财产份额应当按照合伙协议的约定进行； （2）应当提前30日通知其他合伙人； （3）其他合伙人有优先购买权
	对内转让	应当通知其他合伙人	
财产份额出质		必须经其他合伙人一致同意，未经其他合伙人一致同意，其行为无效	有限合伙人可以将其在有限合伙企业中的财产份额出质，但是合伙协议另有约定的除外
竞业禁止		普通合伙人不得自营或者同他人合作经营与本合伙企业相竞争的业务	有限合伙人可以经营与本企业相竞争的业务，合伙协议另有约定的除外
关联交易		普通合伙人除合伙协议另有约定或者经全体合伙人一致同意外，不得同本合伙企业进行交易	有限合伙人可以同本有限合伙企业进行交易，但是合伙协议另有约定的除外
合伙人的债权人		（1）合伙人债权人的权利：合伙人的自有财产不足清偿其与合伙企业无关的债务，该合伙人可以以其从合伙企业中分取的收益用于清偿。债权人也可以依法请求人民法院强制执行该合伙人在合伙企业中的财产份额用于清偿。 （2）权利限制：合伙人发生与合伙企业无关的债务，相关债权人不得以其债权抵销其对合伙企业的债务，不得代位行使该合伙人在合伙企业中的权利，如参与管理权、事务执行权等	（1）有限合伙人清偿其债务时，首先应当以自有财产进行清偿，只有自有财产不足清偿时，有限合伙人才可以使用其在有限合伙企业中分取的收益进行清偿。 （2）只有在有限合伙人的自有财产不足清偿其与合伙企业无关的债务时，人民法院才可以应债权人请求强制执行该合伙人在有限合伙企业中的财产份额用于清偿。 （3）人民法院强制执行有限合伙人的财产份额时，应当通知全体合伙人，且在同等条件下，其他合伙人有优先购买权

NO.75　　　　　　　　　　**合伙人的入伙和退伙**

背【1分】

飞越必刷题：74、84～85

（一）入伙

类型	具体要求
普通合伙人	（1）新合伙人入伙，除合伙协议另有约定外，应当经全体合伙人一致同意，并依法订立书面入伙协议。 （2）新合伙人对入伙前合伙企业的债务承担无限连带责任
有限合伙人	在有限合伙企业中，新入伙的有限合伙人对入伙前有限合伙企业的债务，以其认缴的出资额为限承担责任

（二）普通合伙人的退伙

（1）自愿退伙。

①协议退伙事由（适用于约定合伙期限的情形）。

a.合伙协议约定的退伙事由出现；

b.经全体合伙人一致同意；

c.发生合伙人难以继续参加合伙的事由；

d.其他合伙人严重违反合伙协议约定的义务。

②通知退伙事由（同时满足以下三个条件）。

a.必须是合伙协议未约定合伙企业的经营期限；

b.必须是合伙人的退伙不给合伙企业事务执行造成不利影响；

c.必须提前30日通知其他合伙人。

（2）强制退伙。

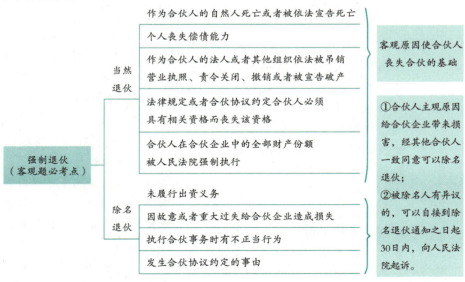

①合伙人被依法认定为无民事行为能力人或者限制民事行为能力人，并非当然退伙的法定事由，可以经其他合伙人一致同意转为有限合伙人。

②退伙人对基于其退伙前的原因发生的合伙企业债务承担无限连带责任。

（3）财产继承。

①继承条件：合法继承权、合伙协议约定或全体合伙人一致同意及继承人愿意。

②有下列情形之一的，合伙企业应当向合伙人的继承人退还被继承合伙人的财产份额：

a.继承人不愿意成为合伙人；

b.法律规定或者合伙协议约定合伙人必须具有相关资格，而该继承人未取得该资格；

c.合伙人的继承人为无民事行为能力人或者限制民事行为能力人的，全体合伙人未能一致同意的，合伙企业应当将被继承合伙人的财产份额退还该继承人；

d.合伙协议约定不能成为合伙人的其他情形。

③合伙人的继承人为无民事行为能力人或者限制民事行为能力人的，经全体合伙人一致同意，可以依法成为有限合伙人，普通合伙企业依法转为有限合伙企业。

（三）有限合伙人的退伙

（1）当然退伙情形。（与普通合伙企业退伙情形基本相同，只少一条"丧失偿债能力"）

①作为合伙人的自然人死亡或者被依法宣告死亡；

②作为合伙人的法人依法被吊销营业执照、责令关闭、撤销，或者被宣告破产；

③法律规定或者合伙协议约定合伙人必须具有相关资格而丧失该资格；

④合伙人在合伙企业中的全部财产份额被人民法院强制执行。

（2）有限合伙人丧失民事行为能力，其他合伙人不得要求因此退伙。

（3）继承规定：作为有限合伙人的自然人死亡、被依法宣告死亡或者作为有限合伙人的法人及其他组织终止时，其继承人或者权利承受人可以依法取得该有限合伙人在有限合伙企业中的资格。

（4）有限合伙人退伙后的责任承担：有限合伙人退伙后，对基于其退伙前的原因发生的有限合伙企业债务，以其退伙时从有限合伙企业中取回的财产承担责任。

NO.76　合伙人责任

使用斯尔教育APP
扫码观看本节好课

背【1分】

飞越必刷题：81

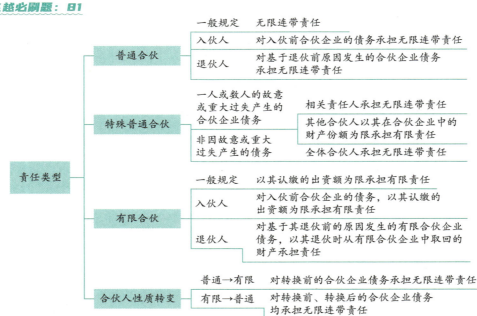

合伙企业中的法定事项

背【1分】

飞越必刷题：71、72、82

合伙企业内部事务管理主要由合伙协议规范，法律上强制性规范很少，所以，《合伙企业法》当中的法定事项，强行性规范便作为特例，成为了我们考试的重点：

（1）不同合伙人对外债务的形式（有限、无限）不得自由约定。

（2）合伙人的资格限制不得自由约定：

①普通合伙人：

自然人——无民事行为能力人和限制民事行为能力人不得成为普通合伙人；法人——国有独资公司、国有企业、上市公司以及公益性事业单位、社会团体不得成为普通合伙人；

②有限合伙人：无限制。

（3）普通合伙人以财产份额出质，必须经其他合伙人一致同意。

（4）全体合伙人的查阅权、撤销委托权；执行事务合伙人的代表权、异议权，非执行事务合伙人的监督权。

（5）普通合伙人不得从事合伙企业的竞争业务。

（6）普通合伙企业中合伙协议不得约定将全部利润分配给部分合伙人或者由部分合伙人承担全部亏损。

（7）禁止有限合伙人执行合伙事务。

（8）有限合伙企业中，不允许合伙协议约定由部分合伙人承担全部亏损。

（9）合伙企业的名称中必须有"合伙"二字。

第三模块　考前背多分

路虽远，行则将至；事虽难，做则必成。

　　本模块包括法律基础知识、基本民事法律制度、企业国有资产法律制度、反垄断法律制度、涉外经济法律制度五个章节的内容，在考试中合计占分20分左右，以客观题的考查为主。本模块具有非常明显的特点，便是重点不突出，考题随机性强，考查深度不深。面对这类内容，我们需要做的是在临近考试阶段，抱着"赚一分是一分"的心态，反复浏览，时常温故。

 习近平法治思想引领全面依法治国基本方略

使用斯尔教育 APP
扫码观看本节好课

背【1分】

飞越必刷题：119

（一）习近平法治思想的重要意义

（1）顺应实现中华民族伟大复兴时代要求应运而生的重大理论创新成果；

（2）马克思主义法治理论中国化的最新成果；

（3）习近平新时代中国特色社会主义思想的重要组成部分；

（4）全面依法治国的根本遵循和行动指南。

（二）习近平法治思想的核心要义

（1）坚持党对全面依法治国的领导，党的领导是推进全面依法治国的根本保证。

（2）坚持以人民为中心，推进全面依法治国的根本目的是依法保障人民权益。

（3）坚持中国特色社会主义法治道路。

（4）坚持依宪治国、依宪执政。党领导人民制定宪法法律，领导人民实施宪法法律，领导健全保证宪法全面实施的体制机制，确立宪法宣誓制度。党自身要在宪法法律范围内活动。

（5）坚持在法治轨道上推进国家治理体系和治理能力现代化。

（6）坚持建设中国特色社会主义法治体系。中国特色社会主义法治体系是推进全面依法治国的总抓手。

（7）坚持依法治国、依法执政、依法行政共同推进，法治国家、法治政府、法治社会一体建设。

（8）坚持全面推进科学立法、严格执法、公正司法、全民守法。

（9）坚持统筹推进国内法治和涉外法治。

（10）坚持建设德才兼备的高素质法治工作队伍。

（11）坚持抓住领导干部这个"关键少数"。

（三）全面推进依法治国

（1）2018年3月，中共中央组建中央全面依法治国委员会，负责全面依法治国的顶层设计、总体布局、统筹协调、整体推进、督促落实，作为党中央决策议事协调机构。中央全面依法治国委员会办公室设在司法部。

（2）2020年11月召开的中央全面依法治国工作会议，首次明确习近平法治思想为全面依法治国的指导思想。

（3）2021年11月，党的十九届六中全会通过《中共中央关于党的百年奋斗重大成就和历史经验的决议》。在中国共产党成立百年之际总结党的百年奋斗重大成就和历史经验，《决议》指出："党中央强调，法治兴则国家兴，法治衰则国家乱；全面依法治国是中国特色社会主义的本质要求和重要保障，是国家治理的一场深刻革命；坚持依法治国首先要坚持依宪治国，坚持依法执政首先要坚持依宪执政。必须坚持中国特色社会主义法治道路，贯彻中国特色社会主义法治理论，坚持依法治国、依法执政、依法行政共同推进，坚持法治国家、法治政府、法治社会一体建设，全面增强全社会尊法学法守法用法意识和能力。"

（4）全面推进依法治国的总目标是建设中国特色社会主义法治体系、建设社会主义法治国家。

（5）全面推进依法治国的基本原则：

①坚持中国共产党的领导。党的领导是中国特色社会主义最本质的特征，是社会主义法治最根本的保障。

②坚持人民主体地位。必须坚持法治建设以保障人民根本权益为出发点和落脚点。

③坚持法律面前人人平等。平等是社会主义法律的基本属性。

④坚持依法治国和以德治国相结合。

⑤坚持从中国实际出发。

NO.79 法律规范、法律渊源、法律体系

使用斯尔教育 APP
扫码观看本节好课

背【1分】

飞越必刷题：90～93

（一）法律规范

（1）法律规范与相近概念的区分：

①规范性法律文件是法律规范的载体；

②法律条文是法律规范的文字表述形式，是规范性法律文件的基本构成要素；

③法律规范是法律条文的内容，法律条文是法律规范的表现形式；

④法律条文的内容除了法律规范还可能包含其他法律要素，如法律原则等；

⑤法律规范与法律条文不是一一对应的。

（2）法律规范的类型：

分类标准	类型	举例
行为模式	授权性规范	"可以……""有权……""享有……权利"
	义务性规范	"应（当）……""（必）须……""有……义务""不得……""禁止……"

续表

分类标准	类型	举例
自主性	强行性规范	《中华人民共和国合同法》第五十二条规定："违反法律、行政法规的强制性规定的合同无效。"
	任意性规范	"法律另有规定或者当事人另有约定的除外"
确定性	确定性规范	确定性规范是指内容已经完备明确，无须再援引或参照其他规范来确定其内容的法律规范
	非确定性规范	《外商投资法》第三十一条：外商投资企业的组织形式、组织机构，适用《公司法》《合伙企业法》

（3）法律规范与行为规范的关系：

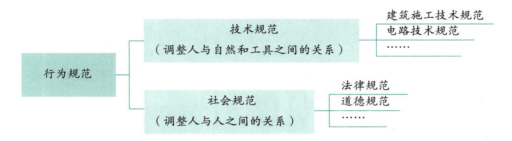

（二）法律渊源

法律渊源		制定机构	典例	关键词	提示
宪法		全国人民代表大会	《中华人民共和国宪法》	—	宪法相关法包括《中华人民共和国选举法》《香港特别行政区基本法》
法律	基本法律	全国人民代表大会	《中华人民共和国民法典》	法	（1）全国人大常委会负责解释法律，其作出的法律解释与法律具有同等效力；（2）全国人大常委会有权依法补充和修改由全国人大制定的基本法律，但不得同该法律的基本原则相抵触
	一般法律	全国人民代表大会常委会	《中华人民共和国证券法》		
法规	行政法规	国务院	《中华人民共和国市场主体登记管理条例》	条例	—
	地方性法规	有地方立法权的地方人民代表大会及其常委会	《北京市城乡规划条例》		地方性法规只在本辖区内适用

法律渊源		制定机构	典例	关键词	提示
规章	部门规章	国务院各部、委员会、中国人民银行、审计署和具有行政管理职能的直属机构	《企业会计准则——基本准则》	办法	没有法律或者国务院的行政法规、决定、命令的依据，部门规章不得设定减损公民、法人和其他组织权利或者增加其义务的规范，不得增加本部门的权力或者减少本部门的法定职责
	地方政府规章	有权制定规章的地方人民政府	《北京市社会救助实施办法》		没有法律、行政法规、地方性法规的依据，地方政府规章不得设定减损公民、法人和其他组织权利或者增加其义务的规范
司法解释	最高人民法院司法解释	最高人民法院	最高法关于适用《中华人民共和国公司法》若干问题的规定（五）	—	适用于法院审判工作中具体应用法律、法令的问题
	最高人民检察院司法解释	最高人民检察院	最高检关于适用《中华人民共和国行政诉讼法》若干问题的解释		适用于检察院检察工作中具体应用法律、法令的问题
国际条约和协定		—	《联合国宪章》	—	—

（三）法律体系

（1）宪法及宪法相关法；

（2）刑法；

（3）行政法；

（4）民商法：民法、商法、知识产权法；

（5）经济法：包括税收、宏观调控和经济管理、维护市场秩序、行业管理和产业促进、农业、自然资源、能源、产品质量、企业国有资产、金融监管、对外贸易和经济合作等方面的法律制度；

（6）社会法：调整劳动关系、社会保障关系、社会福利和特殊群体权益保障方面关系的法律规范；

（7）程序法。

法律关系

背【1分】

飞越必刷题：94～96、120

（一）法律关系的主体

类型	解析		
自然人	既包括本国公民，也包括居住在一国境内或在境内活动的外国公民和无国籍人		
法人和非法人组织	法人	营利法人：如公司	
		非营利法人：如大学、公立医院、中国注册会计师协会、中国扶贫基金会	
		特别法人：如最高人民法院、最高人民检察院、村委会、居委会	
	非法人组织	如个人独资企业、合伙企业等	
国家	在特定情况下，国家可以作为一个整体成为法律关系的主体		

（二）权利能力与行为能力

（1）关系：

①权利能力是指权利主体享有权利和承担义务的能力，它反映了权利主体取得权利和承担义务的资格；

②行为能力指权利主体能够通过自己的行为取得权利和承担义务的能力；

③行为能力必须以权利能力为前提，无权利能力就谈不上行为能力。

（2）自然人的权利能力和行为能力：

①权利能力：自然人从出生时起到死亡时止，具有民事权利能力。自然人的民事权利能力一律平等；

②行为能力：

行为能力	类型
完全民事行为能力人	a.18周岁以上的自然人； b.16周岁以上以自己的劳动收入为主要生活来源的未成年人
限制民事行为能力人	8周岁以上的未成年人和不能完全辨认自己行为的成年人
无民事行为能力人	a.不满8周岁的未成年人； b.不能辨认自己行为的成年人； c.8周岁以上的不能辨认自己行为的未成年人

（3）法人的权利能力和行为能力：法人成立时，法人即具有权利能力和行为能力；法人终止时，其权利能力和行为能力一并终止。

（三）法律关系客体

类型	举例
物	自然物，如森林、土地；人类劳动创造物，如建筑、机器；财产，如货币及各类有价证券
行为	作为行为，如运输旅客；不作为行为，如竞业禁止（竞业禁止合同的客体是不从事相同或相似的经营或执业活动）
人格利益	公民或组织的姓名或者名称，公民的肖像、名誉、尊严，公民的人身、人格和身份等
智力成果	科学著作、文学艺术作品、专利、商标等

（四）法律关系变动的原因——法律事实

法律事实	类型	举例
行为：以权利主体的意志为转移	法律行为：以行为人的意思表示为要素的行为	订立合同
	事实行为：不作出意思表示即可发生法律效果的行为	创作、侵权、建造
事件：与权利主体的意志无关	人的出生与死亡	—
	自然灾害与意外事件	地震、泥石流
	时间的经过	诉讼时效的经过

NO.81　　　民事法律行为

使用斯尔教育 APP
扫码观看本节好课 ▶

背【1分】

飞越必刷题：95、97、121~124

（一）民事法律行为的分类

分类标准	类型	典例
意思表示一致的当事人数量	单方民事法律行为	委托代理的撤销、债务的免除、无权代理的追认、遗嘱行为、抛弃动产、代理权的授予（客观题必考）
	双方民事法律行为	合同（包括赠与行为）、结婚、收养
	多方民事法律行为	决议如股东大会决议、董事会决议

续表

分类标准	类型	典例
是否互为给付对价	有偿民事法律行为	买卖合同
	无偿民事法律行为	赠与行为、无偿委托、保证
法律行为效果	负担行为——使一方相对于他方承担一定的给付义务的法律行为	买卖合同（作为方式），保密协议（不作为方式）
	处分行为——直接导致权利发生变动的法律行为	物权变动行为，如所有权转让

（二）意思表示

（1）意思表示的类型及生效：

意思表示类型			生效时间
无相对人的意思表示（如：抛弃动产的意思表示、遗嘱人的意思表示）			意思表示完成时生效
有相对人的意思表示	对话方式作出的意思表示		相对人知道其内容时生效
	非对话方式作出的意思表示	一般规定	到达相对人时生效
		采用数据电文形式的意思表示	相对人指定特定系统接收数据电文的，该数据电文进入该特定系统时生效；未指定特定系统的，相对人知道或者应当知道该数据电文进入其系统时生效；另有约定的，从其约定
		公告方式作出的意思表示	公告发布时生效

（2）沉默作为表示的条件：

沉默若满足以下三个条件之一，可以视为意思表示（默示）：

①有法律规定；

②当事人约定；

③符合当事人之间的交易习惯。

（三）民事法律行为的效力类型

效力	条件或情形	提示
生效	行为人具有相应的民事行为能力	民事法律行为生效的形式包括口头形式、书面形式、推定形式和沉默形式
	行为人的意思表示真实	
	不违背法律、行政法规的强制性规定，不违背公序良俗	民事法律行为生效的形式包括口头形式、书面形式、推定形式和沉默形式

续表

效力	条件或情形	提示
无效	无民事行为能力人独立实施 虚假意思表示实施 违反法律强制性规定或公序良俗 恶意串通损害他人合法权益	（1）无效的民事法律行为自始无效、当然无效、绝对无效； （2）行为人如果以虚假的意思表示隐藏另一个民事法律行为，被隐藏的民事法律行为的效力并不当然无效
可撤销	重大误解：行为人对行为的性质，对方当事人，标的物品种、质量、规格和数量等存在错误认识，使行为的后果与自己的意思相悖，造成较大损失 显示公平：一方利用一方处于危困状态或缺乏判断能力等情形 欺诈：当事人一方故意编造虚假情况或者隐瞒真实情况，使对方陷入错误而为违背自己真实意思表示的行为 胁迫：迫使作出违背真实意愿的意思表示	（1）可撤销的民事法律行为在撤销前已经生效； （2）若撤销权人未在规定的期限内行使撤销权，可撤销民事法律行为将终局有效； （3）可撤销的民事法律行为一经撤销，其效力溯及至行为开始，即自行为开始时无效，与无效的民事法律行为效力相同
效力待定	限制民事行为能力人依法不能独立实施的民事法律行为 狭义的无权代理行为 滥用代理权的行为（自己代理和双方代理）	（1）效力待定的民事法律行为被追认前尚未生效； （2）相对人可以催告法定代理人/无权代理中的被代理人在30日内予以追认。未作表示的，视为拒绝追认； （3）合同被追认之前，善意相对人有撤销的权利； （4）一旦追认，则民事法律行为自成立时起生效；如果权利人拒绝追认，则民事法律行为自成立时起无效

（四）民事行为能力与民事法律行为效力之间的关系

主体类型	行为人	行为类型	效力
自然人	完全民事行为能力人	独立实施	有效
	限制民事行为能力人	法定代理人代理实施	有效
		独立实施纯获利益的民事法律行为，或与其年龄、智力、精神健康状况相适应的民事法律行为	有效
		独立实施其他行为	效力待定
	无民事行为能力人	法定代理人代理实施	有效
		独立实施	无效

主体类型	行为人	行为类型	效力
法人	超越经营范围从事民事法律行为的法人	通常情况	不因此认定合同无效
		违反国家限制经营、特许经营以及法律、行政法规禁止经营规定的	无效

（五）可撤销民事法律行为中的撤销权

（1）行使期限。

①普通期限：

事由	期限起点	期限长度
重大误解	知道或者应当知道撤销事由	90日
欺诈		1年
显失公平		
胁迫	胁迫行为终止	

②最长期限：民事法律行为发生之日起5年。

（2）行使方式和权利性质：撤销权的性质是形成权，适用除斥期间，撤销权的行使是单方法律行为（与效力待定民事法律行为中的追认权一致）；撤销权应依诉行使。

（六）民事法律行为的附条件和附期限

（1）附条件的民事法律行为是以未来不确定的事实作为民事法律行为效力产生或消灭的依据；

（2）附期限的民事法律行为是以一定期限的到来作为民事法律行为效力产生或消灭的依据。

通关绿卡

命题角度1：要求判断单方民事法律行为。

常见的单方民事法律行为包括：委托代理的撤销、债务的免除、无权代理的追认、遗嘱行为、抛弃动产、代理权的授予（客观题必考点）。

常见的双方民事法律行为包括：合同（捐赠、赠与行为是合同行为，属于双方民事法律行为）、结婚、收养等。

命题角度2：辨析单方民事法律行为和无相对人的意思表示。

单方民事法律行为和无相对人的意思表示并不是等同的概念：

（1）单方民事法律行为当中的意思表示有可能有相对人，如撤销权的行使、解除权的行使、法定代理人的追认等单方民事法律行为都有意思表示的相对人；

（2）单方民事法律行为当中的意思表示也可能没有相对人，如抛弃动产、遗嘱行为。

通关绿卡

命题角度3：可撤销民事法律行为中的撤销权。

撤销权的行使是近年来本知识点内的热门考点，包括撤销权的性质、行使的期间、行使的方式、行使的效力等内容，要求大家能够掌握。

　　　　　　　　　　代　理　

使用斯尔教育APP
扫码观看本节好课

大、背【2分】

飞越必刷题：98～99

（一）代理关系

（1）代理关系的构成：

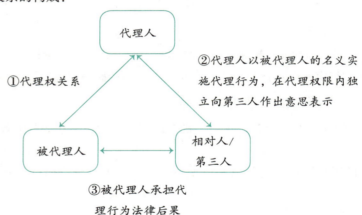

②代理人以被代理人的名义实施代理行为，在代理权限内独立向第三人作出意思表示

①代理权关系

③被代理人承担代理行为法律后果

（2）代理与相关概念的区别：

①代理与委托：

a.行使权利的名义不同。代理是代理人在代理权限内以被代理人名义进行民事活动，其法律效果直接对被代理人发生效力。在委托中，受托人既可以以委托人名义活动，也可以以自己的名义活动。

b.从事的事务不同。代理涉及的行为以意思表示为要素，故代理的一定是民事法律行为；委托不要求以意思表示为要素，因此委托从事的行为可以是纯粹的事务性行为，如整理资料、打扫卫生等。

c.代理涉及三方当事人，即被代理人、代理人、第三人；委托则属于双方当事人之间的关系，即委托人和受托人。

②代理与行纪：

a.行纪是以行纪人自己的名义实施民事法律行为，代理是以被代理人的名义实施民事法律行为。

b.行纪的法律效果先由行纪人承受，然后通过其他法律关系（如委托合同）转给委托人；代理的法律效果直接归属被代理人享有。

c.行纪必为有偿民事法律行为；代理既可为有偿，亦可为无偿。

③代理与传达：

a.传达的任务是忠实传递委托人的意思表示，传达人自己不进行意思表示。代理关系中代理人是独立向第三人进行意思表示，以代理人自己的意志决定意思表示的内容。

b.代理人要向第三人作出意思表示，故要求代理人具有相应的民事行为能力；传达人是忠实传递委托人的意思表示，不以具有民事行为能力为条件。

c.身份行为必须由本人亲自实施，不可以代理；身份行为可以借助传达人传递意思表示。

（3）代理权的滥用：

行为	描述	效力	追认人
自己代理	以被代理人的名义与自己实施民事法律行为	效力待定	被代理人
双方代理	以被代理人的名义与自己同时代理的其他人实施民事法律行为		
代理人与相对人恶意串通	代理人与相对人（第三人）恶意串通，损害被代理人的合法权益	无效，代理人与相对人应当承担连带责任	—

（二）狭义的无权代理

类型	举例
无代理权的代理行为	甲未经乙的委托就替乙采购白糖
超越代理权的代理行为	甲委托乙替自己买白糖，但乙以甲的名义买了味精
代理权终止后的代理行为	甲委托乙为自己采购原材料，为期三个月；三个月后，乙仍旧以甲的名义与他人订立原材料采购合同

（三）表见代理

（1）表见代理的构成要件（2015年主观题）：

①代理人无代理权；

②相对人主观上善意无过失，且不知道行为人是无权代理人；

③客观上有使相对人相信无权代理人有代理权的情形；

④相对人基于前述情形与无权代理人成立民事法律行为。

（2）表见代理的法律效果：

产生与有权代理一样的效果，应受无权代理人与相对人实施的民事法律行为的拘束。被代理人不得以无权代理作为抗辩事由，主张代理行为无效。

通关绿卡

命题角度：表见代理规则的应用。

表见代理规则的应用是实务工作当中争议较大的难点，但是在考试中，为了避免争议，往往题目中的情形会非常典型，会有非常明显的标志和提示，如：持有被代理人介绍信、印有印章的空白合同、持有被代理人公章、留有被代理人工作服、收据，等等。如若大家在题目中发现此类"剧情"，务必联想到表见代理相关规定。

诉讼时效制度

背【1分】

飞越必刷题：125~127

（一）诉讼时效基本理论

（1）诉讼时效的作用机制：诉讼程序中，如果债务人主张诉讼时效的抗辩，法院在确认诉讼时效届满的情况下，应驳回债权人的诉讼请求。

①"债权人还能告"：诉讼时效经过，债权人不丧失起诉权。

②"法院假装不知道"：诉讼时效抗辩应由当事人自行提出，人民法院不应对诉讼时效问题进行释明及主动适用诉讼时效的规定进行裁判。

③"债务人还了不能要"：诉讼时效期间届满，当事人一方向对方当事人作出同意履行义务的意思表示或者自愿履行义务后，又以诉讼时效期间届满为由进行抗辩，人民法院不予支持。

（2）诉讼时效与除斥期间：

区别	诉讼时效	除斥期间
适用对象不同	债权请求权	形成权（追认权、解除权、撤销权）以及法律明确规定的部分请求权（如受遗赠权）
可以援用的主体不同	当事人（法院不得主动援用）	法院可以主动援用（无论当事人主张与否）
法律效力不同	届满后，债务人可以提出诉讼时效抗辩，债权人实体权利不消灭	届满后，实体权利消灭
期间性质不同	可变期间（可以被中止、中断、延长）	不变期间（不可被中止、中断、延长）

（3）诉讼时效期间长度和起算规则：

种类	起算时点	期间长度
普通诉讼时效	权利人知道或者应当知道权利受到损害以及义务人之日	3年
最长诉讼时效	权利被侵害	20年

（4）诉讼时效的起算：

①附条件的或附期限的债的请求权，从条件成就或期限届满之日起算；

②定有履行期限的债的请求权，从清偿期届满之日起算。当事人约定同一债务分期履行的，诉讼时效期间自最后一期履行期限届满之日起计算；

③无民事行为能力人或者限制民事行为能力人对其法定代理人的请求权的诉讼时效期间，自该法定代理终止之日起计算；

④未成年人遭受性侵害的损害赔偿请求权的诉讼时效期间，自受害人年满18周岁之日起计算；

⑤请求他人不作为的债权请求权，应当自权利人知道义务人违反不作为义务时起算；

⑥国家赔偿的诉讼时效的起算，自赔偿请求人知道或者应当知道国家机关及其工作人员行使职权时的行为侵犯其人身权、财产权之日起计算，但被羁押等限制人身自由期间不计算在内。

（二）诉讼时效的中止

在诉讼时效期间的最后6个月内，权利人发生下列事由，诉讼时效中止，中止后，诉讼时效暂停计算，中止事由消失后，继续计算6个月：

（1）不可抗力，例如陷于地震灾区，通信中断；

（2）无民事行为能力人或者限制民事行为能力人没有法定代理人，或者法定代理人死亡、丧失民事行为能力、丧失代理权；

（3）继承开始后未确定继承人或者遗产管理人；

（4）权利人被义务人或者其他人控制；

（5）其他导致权利人不能行使请求权的障碍。

（三）诉讼时效的中断

情形	解析
权利人向义务人提出履行请求	（1）当事人一方直接向对方当事人送交主张权利文书，对方当事人在文书上签字、盖章或者虽未签字、盖章但能够以其他方式证明该文书到达对方当事人的； （2）当事人一方以发送信件或者数据电文方式主张权利，信件或者数据电文到达或者应当到达对方当事人的； （3）当事人一方为金融机构，依照法律规定或者当事人约定从对方当事人账户中扣收欠款本息的； （4）当事人一方下落不明，对方当事人在国家级或者下落不明的当事人一方住所地的省级有影响力的媒体上刊登具有主张权利内容的公告的； （5）权利人对同一债权中的部分债权主张权利，诉讼时效中断的效力及于剩余债权，但权利人明确表示放弃剩余债权的情形除外
义务人同意履行义务	（1）分期履行； （2）部分履行； （3）提供担保； （4）请求延期履行； （5）制定清偿债务计划
提起诉讼、申请仲裁或有同等效力的情形	（1）提起诉讼或申请仲裁； （2）申请支付令； （3）申请破产、申报破产债权； （4）为主张权利而申请宣告义务人失踪或死亡； （5）申请诉前财产保全、诉前临时禁令等诉前措施； （6）申请强制执行； （7）申请追加当事人或者被通知参加诉讼； （8）在诉讼中主张抵销

（四）诉讼时效的适用范围

原则上，诉讼时效适用于请求权，但下列请求权不适用诉讼时效的规定：

（1）请求停止侵害、排除妨碍、消除危险；

（2）不动产物权和登记的动产物权的权利人请求返还财产；

（3）请求支付抚养费、赡养费或者扶养费；

（4）支付存款本金及利息请求权；

（5）兑付国债、金融债券以及向不特定对象发行的企业债券本息请求权；

（6）基于投资关系产生的缴付出资请求权。

国有资产监督管理法律基础知识

使用斯尔教育 APP
扫码观看本节好课

背【1分】

飞越必刷题：110、128、130

（一）企业国有资产

（1）企业国有资产是一种出资人权利：

①若国有企业为公司制，则国有资产体现为公司的股权（可以参照公司法中股东的权利与义务进行理解）；

②国有企业的厂房、机器设备等财产，并不属于"企业国有资产"，其所有权属于国有企业。

（2）企业国有资产的监督管理：

权限	主体	权限
所有权	国家/全民	企业国有资产属于国家所有，即全民所有
	国务院	国务院代表国家行使企业国有资产所有权
履行出资人职责、享有出资人权益	国务院	国务院确定的关系国民经济命脉和国家安全的大型国家出资企业、重要基础设施和重要自然资源等领域的国家出资企业，由国务院代表国家履行出资人职责
	地方人民政府	其他国家出资企业，由地方人民政府代表国家履行出资人职责
履行出资人职责机构	国务院国有资产监督管理机构	根据国务院的授权，代表国务院对国家出资企业履行出资人职责
	地方人民政府国有资产监督管理机构	根据地方人民政府的授权，代表地方人民政府对国家出资企业履行出资人职责
	财政部	（1）国务院授权财政部对金融行业的国有资产进行监管；（2）国务院授权财政部对中央文化企业、中国铁路、中国烟草及中国邮政集团等公司履行出资人职责

（3）履行出资人职责机构的履职要求及原则：

①防止企业国有资产损失；

②除履行出资人职责外，不得干预企业经营活动；

③对企业国有资产的保值增值负责。

（二）国家出资企业

（1）分类：

类型	举例
国有独资企业	依照《全民所有制工业企业法》设立，如中国烟草总公司
国有独资公司	目前中国国家铁路集团有限公司属于国有独资公司
国有资本控股公司	国有资本具有控股股东地位的公司。目前中国石油化工股份有限公司、中国石油天然气股份有限公司属于国有资本控股公司
国有资本参股公司	公司资本包含部分国有资本，但国有资本没有控股地位的股份公司

（2）国家出资企业的治理：

治理机关	股东（大）会	董事会	监事会
国有独资企业	×	×	√ 监事由政府派出
国有独资公司	× 由国有资产监督管理机构行使股东会职权	√ 董事会成员中应当有职工代表，由公司职工代表大会选举产生	√ 监事成员不得少于5人
国有资本控股公司	√	√	√
国有资本参股公司	√	√	√

（3）国家出资企业管理者的任免：

企业类型	国资委参与方式	被选任人员		
		"董"	"监"	"高"
国有独资企业	任免	—	—	经理、副经理、财务负责人和其他高管
国有独资公司		董事长/副董事长/董事	监事会主席/监事	—
国有资本控股公司/国有资本参股公司	提名	董事	监事	

（4）国家出资企业管理者的兼职：

事项	规则
机构外兼职	①未经履行出资人职责的机构同意，国有独资企业、国有独资公司的董事、高级管理人员不得在其他企业兼职； ②未经股东会、股东大会同意，国有资本控股公司、国有资本参股公司的董事、高级管理人员不得在经营同类业务的其他企业兼职
董事长兼任经理	①未经履行出资人职责的机构同意，国有独资公司的董事长不得兼任经理； ②未经股东会、股东大会同意，国有资本控股公司的董事长不得兼任经理

（三）企业改制

（1）企业改制的方向：

①国有独资企业→国有独资公司。

②国有独资企业/公司→国有资本控股公司/非国有资本控股公司（国资参股或无国资）。

③国有资本控股公司→非国有资本控股公司。

（2）企业改制的程序：

①由履行出资人职责的机构决定或由股东（大）会决定；

②重要的国家出资企业的改制应将改制方案报请本级人民政府批准；

③企业改制涉及重新安置企业职工的，还应当制定职工安置方案，并经职工代表大会或者职工大会审议通过。

 **NO.85** 企业国有资产产权登记制度与资产评估制度

使用斯尔教育 APP
扫码观看本节好课

背【1分】

飞越必刷题：129

（一）产权登记

（1）登记类型。

登记类型	主要适用情形
占有产权登记	①因投资、分立、合并而新设企业的； ②因收购、投资入股而首次取得企业股权的
变动产权登记	①企业名称改变的； ②企业组织形式、级次发生变动的； ③企业国有资本额发生增减变动的； ④企业国有资本出资人发生变动的
注销产权登记	①企业解散、被依法撤销或被依法宣告破产； ②企业转让全部国有资产产权或改制后不再设置国有股权的

（2）登记管理机关：

①（非金融）企业国有资产产权登记机关是各级履行出资人职责的机构；

②金融类企业国有资产产权登记和管理机关为同级财政部门。

（3）不进行登记的情形：

①为了赚取差价从二级市场购入的上市公司股权；

②为了近期内（一年以内）出售而持有的其他股权。

（二）企业国有资产评估

类型	事项
应当评估	（1）整体或者部分改建为有限责任公司或者股份有限公司； （2）以非货币资产对外投资； （3）合并、分立、破产、解散； （4）非上市公司的国有股东股权比例变动； （5）产权转让； （6）资产转让、置换； （7）整体资产或者部分资产租赁给非国有单位； （8）以非货币资产偿还债务； （9）资产涉讼； （10）收购非国有单位的资产； （11）接受非国有单位以非货币资产出资； （12）接受非国有单位以非货币资产抵债； （13）金融企业部分行为
可以不进行评估	（1）经各级人民政府或者其履行出资人职责的机构批准，对企业整体或者部分资产实施无偿划转； （2）国有独资企业与其下属独资企业（父子）之间或者其下属的独资企业（兄弟）之间的合并、资产（产权）置换和无偿划转； （3）金融企业在发生多次同类型的经济行为时，同一资产在评估报告使用有效期内，并且资产、市场状况未发生重大变化的； （4）上市公司流通股转让

企业国有资产交易管理制度

使用斯尔教育APP
扫码观看本节好课 ▶

背【1分】

飞越必刷题：129

（一）企业产权转让

（1）交易价款的结算：交易价款原则上应当自合同生效之日起5个工作日内一次付清。金额较大、一次付清确有困难的，可以采取分期付款方式。采用分期付款方式的：

①首期付款不得低于总价款的30％，并在合同生效之日起5个工作日内支付；

②其余款项应当提供转让方认可的合法有效担保，并按同期银行贷款利率支付延期付款期间的利息，付款期限不得超过1年。

（2）审批：不转让控制权，国资委批，转让控制权，本级政府批；一般子企业，集团自己定，重要子企业，报国资委批。

（二）企业增资的审批

不转让控制权，国资委批，转让控制权，本级政府批；一般子企业，集团自己定，重要子企业，报国资委批。（与产权转让基本一致）。

（三）企业资产转让

（1）信息公告期：

转让方应当根据转让标的情况合理确定转让底价和转让信息公告期：

①转让底价高于100万元、低于1 000万元的资产转让项目，信息公告期应不少于10个工作日；

②转让底价高于1 000万元的资产转让项目，信息公告期应不少于20个工作日。

（2）付款：资产转让价款原则上一次性付清。

（四）无偿划转

（1）不得实施无偿划转的情形：

①被划转企业主业不符合划入方主业及发展规划的；

②中介机构对被划转企业划转基准日的财务报告出具否定意见、无法表示意见或保留意见的审计报告的；

③无偿划转涉及的职工分流安置事项未经被划转企业的职工代表大会审议通过的；

④被划转企业或有负债未有妥善解决方案的；

⑤划出方债务未有妥善处置方案的。

（2）审批机构：同一上级一起批，不同上级分头批，重大变化重新批。

NO.87 上市公司国有股权变动管理

背【1分】

（一）上市公司国有股权变动的类型

（1）国有股东所持上市公司股份通过证券交易系统转让、公开征集转让、非公开协议转让、无偿划转、间接转让、国有股东发行可交换公司债券；

（2）国有股东通过证券交易系统增持、协议受让、间接受让、要约收购上市公司股份和认购上市公司发行股票；

（3）国有股东所控股上市公司吸收合并、发行证券；国有股东与上市公司进行资产重组等行为。

（二）通过证券交易系统转让

国有股东通过证券交易系统转让上市公司股份，按照国家出资企业内部决策程序决定，有以下情形之一的，应报履行出资人职责的机构审核批准：

（1）国有控股股东转让上市公司股份可能导致持股比例低于合理持股比例的；

（2）总股本不超过10亿股的上市公司，国有控股股东拟于一个会计年度内累计净转让（累计转让股份扣除累计增持股份后的余额）达到总股本5%及以上的；

（3）总股本超过10亿股的上市公司，国有控股股东拟于一个会计年度内累计净转让数量达到5 000万股及以上的；

（4）国有参股股东拟于一个会计年度内累计净转让达到上市公司总股本5%及以上的。

（三）公开征集转让

（1）信息披露：国有股东拟公开征集转让上市公司股份的，在履行内部决策程序后，应书面告知上市公司，由上市公司依法披露，进行提示性公告。国有控股股东公开征集转让上市公司股份可能导致上市公司控股权转移的，应当一并通知上市公司申请停牌。

（2）公开征集期限：不得少于10个交易日。

（3）公开征集转让价格不得低于下列两者之中的较高者：①提示性公告日前30个交易日的每日加权平均价格的算术平均值；②最近一个会计年度上市公司经审计的每股净资产值。

（4）转让款支付：以现金支付股份转让价款的，国有股东应在股份转让协议签订后的5个工作日内收取不低于价款30%的保证金，其余价款应在股份过户前全部结清。

（四）非公开协议转让

（1）情形：

①上市公司连续2年亏损并存在退市风险或严重财务危机，受让方提出重大资产重组计划及具体时间表的；

②企业主业处于关系国家安全、国民经济命脉的重要行业和关键领域，主要承担重大专项任务，对受让方有特殊要求的；

③为实施国有资源整合或资产重组，在国有股东、潜在国有股东（经本次国有资源整合或资产重组后成为上市公司国有股东的）之间转让的；

④上市公司回购股份涉及国有股东所持股份的；

⑤国有股东因接受要约收购方式转让其所持上市公司股份的；

⑥国有股东因解散、破产、减资、被依法责令关闭等原因转让其所持上市公司股份的；

⑦国有股东以所持上市公司股份出资的。

（2）审批：由国家出资企业审核批准或由履行出资人职责的机构审核批准。

股份转让价格不得低于下列两者中的较高者：

①提示性公告日前30个交易日的每日加权平均价格的算术平均值；

②最近一个会计年度上市公司经审计的每股净资产值。

（五）无偿划转

（1）适用范围：政府部门、机构、事业单位、国有独资或全资企业之间可以依法无偿划转所持上市公司股份；

（2）国有股东所持上市公司股份无偿划转，按照审批权限由国家出资企业审核批准或由履行出资人职责的机构审核批准。

（六）国有股东发行可交换公司债券

国有股东发行的可交换公司债券交换为上市公司每股股份的价格，应不低于债券募集说明书公告日前1个交易日、前20个交易日、前30个交易日该上市公司股票均价中的最高者。

《反垄断法》的适用和实施

背【1分】

飞越必刷题：111、131

（一）适用原则

（1）属地原则：我国境内经济活动中的垄断行为，适用我国反垄断法；

（2）效果原则：我国境外的垄断行为，对境内市场竞争产生排除、限制影响的，适用我国反垄断法。

（二）适用除外

情形	解析	例外
知识产权的正当行使	经营者依照有关知识产权的法律、行政法规规定行使知识产权的行为，不适用反垄断法	经营者滥用知识产权，排除、限制竞争的行为，不可排除反垄断法的适用
农业生产中的联合或者协同行为	反垄断法对农业生产者及农村经济组织在农产品生产、加工、销售、运输、储存等经营活动中实施的联合或者协同行为排除适用	——
国有企业垄断性经营权	对于铁路、石油、电信、电网、烟草等重点行业，国家通过立法赋予国有企业以垄断性经营权	如果这些国有垄断企业从事垄断协议，有滥用市场支配地位的行为，或者从事可能排除、限制竞争的经营者集中行为，同样应受《反垄断法》的规制

（三）界定相关市场

（1）界定相关市场考虑的因素：

①相关时间市场；②相关商品市场；③相关地域市场。

（2）界定相关市场的基本标准：判断商品之间是否具有竞争关系、是否在同一相关市场的基本标准，是商品间的"较为紧密的相互替代性"。

（3）适用。

①在垄断协议、滥用市场支配地位的禁止，以及经营者集中的反垄断审查案件中，均可能涉及相关市场的界定问题。

②并非任何市场界定都涉及全部三个维度，大部分反垄断分析中，相关市场只需从商品和地域两个维度进行界定。

（4）分析视角：需求替代是界定相关市场的主要分析视角。

违反《反垄断法》的法律责任

使用斯尔教育 APP
扫码观看本节好课 ▶

背、新【1分】

飞越必刷题：112～113、115

（一）法律责任形式

责任类型	解析
行政责任	主要针对垄断行为，主要包括责令停止违法行为、没收违法所得、罚款、限期恢复原状等形式
民事责任	主要针对垄断行为，主要包括停止侵害、赔偿损失等
刑事责任	（1）我国《反垄断法》未对垄断行为规定刑事责任，但对阻碍、拒绝反垄断执法机构审查、调查行为以及反垄断执法机构工作人员滥用职权、玩忽职守、徇私舞弊或者泄露执法过程中知悉的商业秘密两种情形，规定了刑事责任； （2）我国《政府采购法》《招标投标法》《刑法》均对情节严重的串通招投标行为规定了刑事责任

（二）反垄断相关机构

机构	职能
反垄断委员会	负责组织、协调、指导反垄断工作
国家市场监督管理总局	反垄断行政执法机构

（三）反垄断调查措施

（1）进入被调查的经营者的营业场所或者其他有关场所进行检查；

（2）询问被调查的经营者、利害关系人或者其他有关单位或者个人，要求其说明有关情况；

（3）查阅、复制被调查的经营者、利害关系人或者其他有关单位或者个人的有关单证、协议、会计账簿、业务函电、电子数据等文件、资料；

（4）查封、扣押相关证据；

（5）查询经营者的银行账户。（不包括冻结银行账户）。

（四）反垄断调查的立案

反垄断执法机构可依举报人举报对涉嫌垄断行为立案调查，也可依职权主动立案。

（五）经营者承诺

（1）性质：经营者承诺是反垄断行政执法中的一种和解制度。

（2）作用：对反垄断执法机构调查的涉嫌垄断行为，被调查的经营者承诺在反垄断执法机构认可的期限内采取具体措施消除该行为后果的，反垄断执法机构可以决定中止调查和终止调查。

（3）适用范围：

①主要适用于垄断协议和滥用市场支配地位案件；

②适用排除：

a.反垄断执法机构对涉嫌垄断行为调查核实后，认为构成违法垄断行为的，应当依法作出处理决定，不再接受经营者提出承诺；

b.涉嫌固定或者变更商品价格、限制商品的生产数量或者销售数量、分割销售市场或者原材料采购市场等三类严重限制竞争的横向垄断协议的，反垄断执法机构不得接受经营者提出承诺。

（4）中止调查及终止调查决定的法律后果：

①执法机构的中止调查及终止调查决定，不是对经营者的行为是否构成垄断行为作出认定；

②执法机构仍然可以依法对其他类似行为实施调查并作出行政处罚；

③中止调查及终止调查决定也不应作为认定该行为是否构成垄断行为的相关证据。

（5）经营者的承诺措施：

①对承诺措施的整体要求：明确、可行、可以自主实施。

②措施类型：

a.行为性措施：包括调整定价策略、取消或者更改各类交易限制措施、开放网络或者平台等基础设施，许可专利、技术秘密或者其他知识产权等；

b.结构性措施：包括剥离有形资产、知识产权等无形资产或者相关权益等；

c.综合性措施。

（6）经营者承诺的审查。

执法机构在对经营者的承诺进行审查时，可以综合考虑以下因素：

①经营者实施涉嫌垄断行为的主观态度；

②经营者实施涉嫌垄断行为的性质、持续时间、后果及社会影响；

③经营者承诺的措施及其预期效果。

（7）调查的终止：反垄断执法机构确定经营者已经履行承诺的，可以决定终止调查。

（8）恢复调查的情形。

①经营者未履行或者未完全履行承诺的；

②作出中止调查决定所依据的事实发生重大变化的；

③中止调查的决定是基于经营者提供的不完整或者不真实的信息作出的。

（六）反垄断民事诉讼

（1）原告资格：作为间接购买人的消费者，只要因垄断行为受损，也可以作为垄断民事案件的原告。

（2）民事诉讼与行政执法的关系：我国人民法院受理垄断民事纠纷案件，不以执法机构已对相关垄断行为进行了查处为前提条件。

（3）专家在诉讼中的作用：

①专家出庭就专门问题进行说明：专家（"专家证人"）在法庭上提供的意见并不属于证据，而是作为法官判案的参考依据。

②专家出具市场调查或者经济分析报告：应当视为鉴定意见，属于证据。

（4）持续性垄断行为的诉讼时效抗辩：原告知道或者应当知道权益受到损害以及义务人之日起超过3年，如果起诉时被诉垄断行为仍然持续，被告提出诉讼时效抗辩的，损害赔偿应当自原告向人民法院起诉之日起向前推算3年计算。

 **No.90**

垄断协议规制制度

背、新【1分】

飞越必刷题：114

（一）横向垄断协议

对竞争危害程度很大，多适用本身违法原则，横向垄断协议的排除、限制竞争效果的举证责任倒置，由被告对该协议不具有排除、限制竞争效果承担举证责任。

（二）纵向垄断协议

（1）性质：对竞争危害程度较小，并不一定被《反垄断法》禁止，"谁主张，谁举证"。

（2）反垄断法禁止的纵向垄断协议：

①固定向第三人转售商品的价格；

②限定向第三人转售商品的"最低"价格。

（三）其他协同行为认定的考虑因素

（1）经营者的市场行为是否具有一致性；

（2）经营者之间是否进行过意思联络或者信息交流；

（3）经营者能否对行为的一致性作出合理解释；

（4）相关市场的结构情况、竞争状况、市场变化等情况。

（四）垄断协议的豁免

情形	详解	举证
提高技术	为改进技术，研究开发新产品的	要求经营者提供证明：协议不会严重限制相关市场的竞争并且能够使消费者分享由此产生的利益。反垄断执法机构认定消费者能否分享协议产生的利益，应当考虑消费者是否因协议的达成、实施在商品价格、质量、种类等方面获得利益
提高质量效率	为提高产品质量、降低成本、增进效率，统一产品规格、标准或者实行专业化分工的	
提高中小企业竞争力	提高中小经营者经营效率，增强中小经营者竞争力的	
公共利益	为实现节约能源、保护环境、救灾救助等社会公共利益的	
缓解不景气	因经济不景气，为缓解销售量严重下降或生产明显过剩的	
保障外贸	为保障对外贸易和对外经济合作中的正当利益的	无须证明

（五）对行业协会组织达成和实施垄断协议的规制

法律禁止的行业协会组织本行业经营者从事垄断协议的行为具体包括：

（1）制定、发布含有排除、限制竞争内容的行业协会章程、规则、决定、通知、标准等；

（2）召集、组织或者推动本行业的经营者达成含有排除、限制竞争内容的协议、决议、纪要、备忘录等。

（六）宽大制度

（1）含义：指参与垄断协议的经营者主动向反垄断执法机构报告达成垄断协议的有关情况并提供重要证据的，反垄断执法机构可以对其宽大处理，酌情减轻或者免除其处罚；

（2）"重要证据"的范围：

①指能够对反垄断执法机构启动调查或者对认定垄断协议起到关键性作用的证据，包括参与垄断协议的经营者、涉及的产品范围、达成协议的内容和方式、协议的具体实施等情况。

②执法机构尚未掌握的，并对最终认定垄断协议行为具有显著证明效力的证据，包括：

a.在垄断协议的达成方式和实施行为方面具有更大证明力或者补充证明价值的证据；

b.在垄断协议的内容、达成和实施的时间、涉及的产品或者服务范畴、参与成员等方面具有补充证明价值的证据。

（3）参与垄断协议的经营者主动报告达成垄断协议有关情况并提供重要证据的，可以申请依法减轻或者免除处罚（只有第一个申请者可以免除处罚），其中：

申请者	减免幅度
第一个申请者	可以免除处罚或者按照不低于80%的幅度减轻罚款
第二个申请者	可以按照30%～50%的幅度减轻罚款
第三个申请者	可以按照20%～30%的幅度减轻罚款

滥用市场支配地位

使用斯尔教育APP
扫码观看本节好课 ▶

背、新【1分】

飞越必刷题：132

（一）认定经营者具有市场支配地位时应当依据的主要因素

（1）该经营者在相关市场的市场份额，以及相关市场的竞争状况；

（2）该经营者控制销售市场或者原材料采购市场的能力；

（3）该经营者的财力和技术条件；

（4）其他经营者对该经营者在交易上的依赖程度；

（5）其他经营者进入相关市场的难易程度。

（二）经营者市场支配地位的推定标准

（1）一个经营者在相关市场的市场份额达到1/2；

（2）两个经营者在相关市场的市场份额合计达到2/3；

（3）三个经营者在相关市场的市场份额合计达到3/4；

（4）多个经营者共同占有市场支配地位时，其中有的经营者市场份额不足1/10的，不应当推定该经营者具有市场支配地位。

（三）认定互联网等新经济业态经营者具有市场支配地位考虑的特殊因素

（1）在认定互联网等新经济业态经营者具有市场支配地位时，可以考虑相关行业竞争特点、经营模式、用户数量、网络效应、锁定效应、技术特性、市场创新、掌握和处理相关数据的能力及经营者在关联市场的市场力量等因素。

（2）认定以互联网企业为代表的平台经营者是否具有市场支配地位时，可以考虑的具体因素包括：

①经营者的市场份额以及相关市场竞争状况。

②经营者控制市场的能力。

③经营者的财力和技术条件。

④其他经营者对该经营者在交易上的依赖程度。

⑤其他经营者进入相关市场的难易程度。

（四）反垄断法禁止的滥用市场支配地位行为

情形	正当理由
以不公平的高价销售商品或者以不公平的低价购买商品	无
没有正当理由，以低于成本的价格销售商品	（1）降价处理鲜活商品、季节性商品、有效期限即将到期的商品和积压商品的； （2）因清偿债务、转产、歇业降价销售商品的； （3）在合理期限内为推广新产品进行促销的
没有正当理由，拒绝与交易相对人进行交易	（1）因不可抗力等客观原因无法进行交易； （2）交易相对人有不良信用记录或者出现经营状况恶化等情况，影响交易安全； （3）与交易相对人进行交易将使经营者利益发生不当减损； （4）能够证明行为具有正当性的其他理由
没有正当理由，限定交易相对人只能与其进行交易、或者只能与其指定的经营者进行交易	（1）为满足产品安全要求所必须； （2）为保护知识产权所必须； （3）为保护针对交易进行的特定投资所必须； （4）能够证明行为具有正当性的其他理由
没有正当理由搭售商品，或者在交易时附加其他不合理的交易条件	（1）符合正当的行业惯例和交易习惯； （2）为满足产品安全要求所必须； （3）为实现特定技术所必须； （4）能够证明行为具有正当性的其他理由
没有正当理由，对条件相同的交易相对人在交易价格等交易条件上实行差别待遇	（1）根据交易相对人实际需求且符合正当的交易习惯和行业惯例，实行不同交易条件； （2）针对新用户的首次交易在合理期限内开展的优惠活动； （3）能够证明行为具有正当性的其他理由

（五）滥用市场支配地位的行政责任

（1）经营者违反《反垄断法》规定，滥用市场支配地位的，由反垄断执法机构责令停止违法行为，没收违法所得，并处上一年度销售额1%以上10%以下的罚款；

（2）经营者因行政机关和法律、法规授权的具有管理公共事务职能的组织滥用行政权力而滥用市场支配地位的，不影响其依法承担行政责任；

（3）经营者能够证明其从事的滥用市场支配地位行为是被动遵守行政命令所导致的，可以依法从轻或者减轻处罚。

NO.92 经营者集中

使用斯尔教育 APP
扫码观看本节好课

背、新【1分】

飞越必刷题：111

（一）《反垄断法》对经营者集中的规制模式

"强制的事前申报模式"。

（二）经营者集中申报标准

（1）参与集中的所有经营者上一会计年度在全球范围内的营业额合计超过100亿元人民币，并且其中至少2个经营者上一会计年度在中国境内的营业额均超过4亿元人民币；

（2）参与集中的所有经营者上一会计年度在中国境内的营业额合计超过20亿元人民币，并且其中至少2个经营者上一会计年度在中国境内的营业额均超过4亿元人民币。

（三）经营者集中的申报豁免

（1）参与集中的1个经营者拥有其他每个经营者50％以上有表决权的股份或者资产的；

（2）参与集中的每个经营者50％以上有表决权的股份或者资产被同一个未参与集中的经营者拥有的。

（四）经营者集中两阶段审查

（1）第一阶段：

①效力：书面通知经营者反垄断执法机构作出决定前，经营者不得实施集中。

②结果：

a.反垄断执法机构作出不实施进一步审查的决定或者逾期未作出决定的，经营者可以实施集中；

b.如果反垄断执法机构决定实施进一步审查的，则进入第二阶段审查。

③期限：自收到经营者提交的符合规定的文件、资料之日起30日内作出决定。

（2）第二阶段：

①效力：审查期间，经营者不得实施集中。国务院反垄断执法机构逾期未作出决定的，经营者可以实施集中。

②期限：第二阶段审查应当自执法机构作出实施进一步审查决定之日起90日内完毕；出现法定情形，国务院反垄断执法机构经书面通知经营者，可以延长前款规定的审查期限，但最长不得超过60日。

（五）经营者集中附加限制性条件批准制度

（1）结构性条件：剥离有形资产、知识产权等无形资产或相关权益；

（2）行为性条件：开放网络或平台等基础设施、许可关键技术（包括专利、专有技术或其他知识产权）、终止排他性协议等；

（3）结构性条件和行为性条件相结合的综合性条件。

（六）经营者集中的行政责任

（1）经营者违反本法规定实施集中的，由国务院反垄断执法机构责令停止实施集中、限期处分股份或者资产、限期转让营业以及采取其他必要措施恢复到集中前的状态，可以处五十万元以下的罚款。

（2）反垄断执法机构要对被调查的违法集中交易是否具有或者可能具有排除、限制竞争效果进行评估，并据此决定是否给予"恢复到集中前的状态"的处罚。

滥用行政权力排除、限制竞争

使用斯尔教育APP
扫码观看本节好课

【1分】

（一）《反垄断法》禁止的滥用行政权力排除、限制竞争行为

（1）行政强制交易；

（2）地区封锁；

（3）排斥或限制外地经营者参加本地招标投标；

（4）强制经营者从事垄断行为；

（5）抽象行政性垄断行为；（比具体行政性垄断行为的危害更大）

（6）排斥或者限制外地经营者在本地投资或者设立分支机构或者妨碍外地经营者在本地的正常经营活动。

（二）公平竞争审查制度

（1）审查对象：抽象行政行为。

（2）适用范围和方式：

①行政机关以及法律、法规授权的具有管理公共事务职能的组织制定的涉及市场主体经济活动的政策措施，未经公平竞争审查的，不得出台。

②涉及市场主体经济活动的行政法规、国务院制定的政策措施，以及政府部门负责起草的地方性法规、自治条例和单行条例，未经公平竞争审查的，不得提交审议。

（3）公平竞争审查的联席会议制度：

①全国公平竞争审查联席会议制度。

市场监管总局、发展改革委、财政部、商务部会同有关部门，建立健全公平竞争审查工作部际联席会议制度，统筹协调和监督指导全国公平竞争审查工作。

②地区公平竞争审查联席会议制度。

a.县级以上地方各级人民政府负责建立健全本地区公平竞争审查工作联席会议制度；

b.地方各级联席会议应当每年向本级人民政府和上一级联席会议报告本地区公平竞争审查制度实施情况，接受其指导和监督。

c.联席会议办公室设在市场监管部门，承担联席会议日常工作。

（4）公平竞争审查标准：

①市场准入和退出标准。②商品和要素自由流动标准。③影响生产经营成本标准。④影响生产经营行为标准。

（5）适用除外：

政策制定机关对政策措施进行公平竞争审查时，认为虽然在一定程度上具有限制竞争的效果，但在符合规定的情况下可以出台实施：

①维护国家经济安全、文化安全、科技安全或者涉及国防建设的；

②为实现扶贫开发、救灾救助等社会保障目的；

③为实现节约能源资源、保护生态环境、维护公共卫生健康安全等社会公共利益的。

 **外商投资法律制度**

使用斯尔教育 APP
扫码观看本节好课

背【1分】

飞越必刷题：133

（一）外商投资的界定

（1）外国投资者单独或者与其他投资者（包括中国的自然人在内）共同在中国境内设立外商投资企业。

（2）外国投资者取得中国境内企业的股份、股权、财产份额或者其他类似权益；

（3）外国投资者单独或者与其他投资者（包括中国的自然人在内）共同在中国境内投资新建项目。

（4）香港特别行政区、澳门特别行政区投资者在内地投资，参照《外商投资法》和《实施条例》执行。

（5）台湾地区投资者在大陆投资，适用《中华人民共和国台湾同胞投资保护法》及其实施细则的规定；台湾同胞投资保护法及其实施细则未规定的事项，参照《外商投资法》和《实施条例》执行。

（6）定居在国外的中国公民在中国境内投资，参照《外商投资法》和《实施条例》执行。

（二）《外商投资法》的特色与创新

（1）从企业组织法转型为投资行为法。（《外商投资法》明确允许的外商投资企业组织形式包括公司和合伙企业）

（2）强调对外商投资的促进与保护。

（3）全面落实国民待遇原则。

①准入前国民待遇：在投资准入阶段给予外国投资者及其投资不低于本国投资者及其投资的待遇；

②负面清单：国家对负面清单之外的外商投资，给予国民待遇，负面清单由国家发改委和商务部联合制定。

（4）5年过渡期后，自2025年1月1日起，对未依法调整组织形式、组织机构等并办理变更登记的现有外商投资企业，市场监督管理部门不予办理其申请的其他登记事项，并将相关情形予以公示。

（三）外商投资企业产权保护

事项	要点
财产征收	（1）国家对于外国投资者的投资原则上不实行征收。 （2）在特殊情况下、为了公共利益的需要，可以依照法律规定对外国投资者的投资实行征收或者征用，但应当依照法定程序、以非歧视性的方式进行，并按照被征收投资的市场价值及时给予补偿
资金汇出	（1）外国投资者在中国境内的出资、利润、资本收益、资产处置所得、取得的知识产权许可使用费、依法获得的补偿或者赔偿、清算所得等，可以依法以人民币或者外汇自由汇入、汇出，任何单位和个人不得违法对币种、数额以及汇入、汇出的频次等进行限制。 （2）外商投资企业的外籍职工和香港、澳门、台湾职工的工资收入和其他合法收入，可以依法自由汇出
知识产权	（1）行政机关（包括法律、法规授权的具有管理公共事务职能的组织）及其工作人员不得利用实施行政许可、行政检查、行政处罚、行政强制以及其他行政手段，强制或者变相强制外国投资者、外商投资企业转让技术。 （2）行政机关依法履行职责，确需外国投资者、外商投资企业提供涉及商业秘密的材料、信息的，应当限定在履行职责所必需的范围内，并严格控制知悉范围，与履行职责无关的人员不得接触有关材料、信息。 （3）行政机关应当建立健全内部管理制度，采取有效措施保护履行职责过程中知悉的外国投资者、外商投资企业的商业秘密；依法需要与其他行政机关共享信息的，应当对信息中含有的商业秘密进行保密处理，防止泄露

（四）外商投资安全审查制度

（1）外资安审工作的承担：外商投资安全审查工作机制办公室设在国家发展改革委，由国家发展改革委、商务部牵头，承担外资安审日常工作。

（2）下列范围内的外商投资，外国投资者或者境内相关当事人（以下统称"当事人"）应当在实施投资前主动向工作机制办公室申报：

①投资军工、军工配套等关系国防安全的领域，以及在军事设施和军工设施周边地域投资；

②投资关系国家安全的重要农产品、重要能源和资源、重大装备制造、重要基础设施、重要运输服务、重要文化产品与服务、重要信息技术和互联网产品与服务、重要金融服务、关键技术以及其他重要领域，并取得所投资企业的实际控制权。

③"实际控制权"包括：

a.外国投资者持有所投资企业50%以上股权；

b.外国投资者持有所投资企业股权不足50%，但所享有的表决权能够对董事会、股东会或者股东大会的决议产生重大影响；

c.其他导致外国投资者能够对所投资企业的经营决策、人事、财务、技术等产生重大影响的情形。

（3）审查程序：

①一般审查。

a.期限：应当自决定之日起30个工作日内完成一般审查。审查期间，当事人不得实施投资。

b.结果：认为申报的外商投资不影响国家安全的，应当作出通过安全审查的决定；认为影响或者可能影响国家安全的，应当作出启动特别审查的决定。

②特别审查。

a.期限：应当自启动之日起60个工作日内完成；特殊情况下可以延长审查期限，但应书面通知当事人。审查期间，当事人不得实施投资。

b.结果：认为不影响国家安全的，作出通过安全审查的决定；认为影响国家安全的，作出禁止投资的决定；通过附加条件能够消除对国家安全的影响，且当事人书面承诺接受附加条件的，可以作出附条件通过安全审查的决定，并在决定中列明附加条件。

（五）外商投资合同效力的认定

合同类型	效力
负面清单之外领域的投资合同	当事人以合同未经有关行政主管部门批准、登记为由主张合同无效或者未生效的，人民法院不予支持
负面清单规定禁止投资的领域	当事人主张投资合同无效的，人民法院应予支持
负面清单规定限制投资的领域	（1）当事人以违反限制性准入特别管理措施为由，主张投资合同无效的，人民法院应予支持； （2）在人民法院作出生效裁判前，当事人采取必要措施满足准入特别管理措施的要求，并据此主张所涉投资合同有效的，人民法院应予支持； （3）在生效裁判作出前，因外商投资准入负面清单调整，外国投资者投资不再属于禁止或者限制投资的领域，当事人主张投资合同有效的，人民法院应予支持

NO.95　　对外投资法律制度

使用斯尔教育APP
扫码观看本节好课

背【1分】

飞越必刷题：134

（一）中国境内投资者对外直接投资需要遵守的法律和政策

（1）投资所在国即东道国的法律和政策；

（2）中国与东道国签订的双边投资保护协定和双方共同缔结或参加的多边条约中的相关规定；

（3）中国国内法中的相关规定。

（二）对外直接投资核准备案制度

备案部门		核准管理	备案管理
商务部的核准和备案		企业境外投资涉及敏感国家和地区、敏感行业	企业其他情形的境外投资
发展改革部门的核准和备案	国家	实行核准管理的范围是投资主体直接或通过其控制的境外企业开展的敏感类项目，核准机关是国家发展改革委	由国家发改委负责备案的情形： （1）投资主体是中央管理企业（含中央管理金融企业、国务院或国务院所属机构直接管理的企业）的； （2）投资主体是地方企业且中方投资额3亿美元及以上的
	省级	—	由投资主体注册地的省级政府发展改革部门负责备案的情形： 投资主体是地方企业且中方投资额3亿美元以下的

对外贸易法律制度基础知识

使用斯尔教育APP
扫码观看本节好课 ▶

背【1分】

飞越必刷题：116～118

（一）对外贸易法的适用范围和原则

（1）适用情形：

①货物进出口；②技术进出口；③国际服务贸易；④与此相关的知识产权保护。

（2）适用地域：仅适用于中国内地，不适用于香港特别行政区、澳门特别行政区和台湾地区。

（3）单独关税区：

①中国香港；②中国澳门；③台湾、澎湖、金门、马祖单独关税区（中国台北）。

（4）非歧视原则：

①最惠国待遇：指一国（给惠国）给予另一国（受惠国）的个人、企业、商品等的待遇不低于给惠国给予任何第三国（最惠国）的相应待遇；

②国民待遇：指一国给予他国国民（包括个人和企业）与本国国民相同的待遇。

（二）对外贸易经营者

内容	解析
主体	对外贸易经营者既可以是法人、也可以是非法人组织如合伙，还可以是自然人
许可	对外贸易经营无须专门许可
备案登记	从事货物进出口或者技术进出口的对外贸易经营者，应当向商务部或者其委托的机构办理备案登记

（三）国营贸易

（1）国营贸易的含义：

①国家只对部分而非全部货物实行国营贸易管理，此类货物应当明确公开；

②国营贸易一般由经授权的企业经营；

③国家可以根据情况允许部分数量的国营贸易管理货物的进出口业务由非授权企业经营。

（2）国营贸易是世贸组织明文允许的贸易制度。

（3）判断一个企业是不是国营贸易企业，关键是看该企业是否在国际贸易中享有专营权或特许权，与该企业的所有制形式并无必然联系。国营贸易与国营企业是完全不同的概念。

（四）货物进出口与技术进出口的管理制度

类别	情形	制度
货物	部分自由进出口货物	进出口自动许可制度
	限制进出口货物	配额（数量限制）和许可证制度（其他）
技术	自由进出口技术	进出口备案登记制度（向商务部和各地商务管理部门备案）
	限制进出口技术	许可证制度

（五）国际服务贸易

（1）国家基于下列原因，可以限制或者禁止有关的国际服务贸易：

①为维护国家安全、社会公共利益或者公共道德，需要限制或者禁止的；

②为保护人的健康或者安全，保护动物、植物的生命或者健康，保护环境，需要限制或者禁止的；

③为建立或者加快建立国内特定服务产业，需要限制的；

④为保障国家外汇收支平衡，需要限制的。

（2）主管机关：

①商务部会同国务院其他有关部门，依法规定，制定、调整并公布国际服务贸易市场准入目录；

②我国对于国际服务贸易不实行统一的备案登记制，而是由相关行业主管部门分别予以管理。

NO.97 对外贸易救济

背【1分】

使用斯尔教育 APP
扫码观看本节好课

飞越必刷题：135

（一）反倾销——针对不公平贸易行为

（1）反倾销调查：

①主体：国内产业或者代表国内产业的自然人、法人或者有关组织可以提出反倾销调查书面申请；特殊情况下商务部可以自行决定立案调查；

②期间：反倾销调查应当自立案调查决定公告之日起12个月内结束，特殊情况下可以延长，但延长期不得超过6个月。

（2）反倾销措施：

类型	解析
临时反倾销措施	①类型： a.临时反倾销税——商务部建议，国务院关税税则委员会决定，海关执行； b.要求提供担保——商务部决定，海关执行。 ②期限：自实施之日起不超过4个月，特殊情形下，可以延长至9个月
价格承诺	商务部可以向出口经营者提出价格承诺的建议，但不得强迫出口经营者作出价格承诺
反倾销税	①反倾销税由国务院关税税则委员会作出决定； ②反倾销税税额不得超过终裁决定的倾销幅度； ③反倾销税的征收期限一般不得超过5年，特殊情况下可以适当延长

（二）反补贴——针对不公平贸易行为

（1）采取反补贴措施的补贴必须具有专向性；

（2）反补贴措施包括临时反补贴措施、取消或限制补贴或者其他有关措施的承诺以及反补贴税；

（3）临时反补贴措施实施的期限，自临时反补贴措施决定公告规定实施之日起不超过4个月，不得延长。

（三）保障措施——针对公平贸易条件下的特殊情形

（1）商务部根据调查结果，可以作出初裁决定，也可以直接作出终裁决定，并予以公告；

（2）临时保障措施采取关税形式（国务院关税税则委员会决定），期限不超过200天；

（3）保障措施的实施期限不超过4年，可以适当延长，但实施期限及延长期限不得超过10年。

（四）反倾销措施、反补贴措施以及保障措施的审批机关

措施种类			审批机关
反倾销措施	临时反倾销措施	要求提供保证金、保函或其他形式担保	由商务部作出决定并予以公告
		征收临时反倾销税	由商务部提出建议，国务院关税税则委员会根据商务部的建议作出决定，由商务部公告；海关自公告规定实施之日起执行
	反倾销税		
保障措施	临时措施		
	保障措施	提高关税形式	
		数量限制形式	由商务部作出决定并予以公告
反补贴措施			教材未详述

使用斯尔教育APP
扫码观看本节好课 ▶

NO.98 外汇管理基础知识

背【1分】

飞越必刷题：136～137

（一）外汇范围

外汇包括外币现钞、外币支付凭证或者支付工具、外币有价证券、特别提款权及其他外汇资产。

（二）特别提款权

（1）本身不是货币，但可用于成员国与基金组织之间的官方结算，并可基于基金组织指定机制或者成员国之间的协议，用于换取（"提取"）等量的可自由使用货币；

（2）特别提款权本身有价值，其"币值"由货币篮组成货币的币值按各自权重计算并加总而成。货币篮组成货币的权重由基金组织执行董事会每5年审议一次；

（3）特别提款权货币篮组成货币为人民币以及美元、欧元、日元、英镑。

（三）可自由使用货币

（1）可自由使用货币的判定涉及相关货币在国际上的实际使用和交易，与货币是否自由兑换、汇率是否自由浮动是不同的概念。

（2）5种可自由使用货币：人民币、美元、欧元、日元、英镑。

（四）外汇管理条例的适用范围

主体类型	解析	适用
境内机构	中华人民共和国境内的国家机关、企业、事业单位、社会团队、部队等（外国驻华外交领事机构和国际组织驻华代表机构除外）	境内外的外汇收支和外汇经营活动，均适用该条例（属人原则）
境内个人	中国公民和在中华人民共和国境内连续居住满一年的外国人（外国驻华外交人员和国际组织驻华代表除外）	
境外机构	—	仅对其发生在中国境内的外汇收支和外汇经营活动适用该条例（属地原则）
境外个人	—	

（五）人民币汇率制度

我国实行以市场供求为基础，参考"一篮子"货币进行调节、有管理的浮动汇率制度。

（六）外汇市场

（1）分类：

①外汇零售市场是指银行与企业、银行与个人之间进行柜台式外汇买卖所形成的市场；

②外汇批发市场则是指以银行业金融机构为主、以非银行金融机构和非金融企业为辅的机构间外汇买卖市场。

（2）外汇市场交易形式：集中竞价、双边询价和撮合交易。

NO.99 经常项目外汇管理与资本项目外汇管理

使用斯尔教育APP
扫码观看本节好课

背【1分】

（一）经常项目外汇管理

（1）经常项目的类型和内容。

类型	内容
贸易收支	指货物贸易收支，是一国出口货物所得外汇收入和进口货物所需外汇支出的总称
服务收支	服务贸易收支，是一国对外提供各类服务所得外汇收入和接受服务发生的外汇支出的总称，包括国际运输、旅游等项下外汇收支
收益	包括职工报酬和投资收益两部分，其中： ①职工报酬主要是工资、薪金和其他福利； ②投资收益主要是利息、红利等
经常转移	指国家间单方面进行的、无须归还或偿还的外汇收支，分为个人转移和政府转移： ①个人转移是指个人之间的无偿赠与或赔偿等； ②政府转移是指政府间的军事及经济援助、赔款、赠与等

（2）经常项目外汇管理一般规定。

①经常项目外汇收入实行意愿结汇制；

②经常项目外汇支出凭有效单证，无须审批；

③经常项目外汇收支需有真实、合法的交易基础。

（3）服务贸易外汇管理。

①境内机构和境内个人办理服务贸易外汇收支，应按规定提交能够证明交易真实合法的交易单证；

②提交的交易单证无法证明交易真实合法或与其申请办理的外汇收支不一致的，金融机构应要求其补充其他交易单证；

③办理服务贸易外汇收支业务，金融机构应按规定期限留存审查后的交易单证备查；境内机构和境内个人应按规定期限留存相关交易单证备查。

（4）个人外汇管理制度。

①个人外汇收支管理采用额度管理方式，年度总额为每人每年等值5万美元；

②对于个人开展对外贸易产生的经营性外汇收支，视同机构按照货物贸易的有关原则进行管理；

③境内个人在境外投资买房，境外个人在境内投资买房，均属于资本项目外汇交易。

（二）资本项目外汇管理

（1）资本项目的类型和内容：包括资本转移、直接投资（股权投资、债权投资）、证券投资、衍生产品投资、贷款以及非生产、非金融资产的收买或者放弃等。

（2）资本项目外汇管理的一般规定。

①资本项目外汇收入（事先批准为原则）：资本项目外汇收入保留或者卖给经营结汇、售汇业务的金融机构，应当经外汇管理机关批准，但国家规定无须批准的除外。

②资本项目外汇支出（事先批准为例外）：资本项目外汇支出，凭有效单证以自有外汇支付或者向经营结汇、售汇业务的金融机构购汇支付；国家规定应当经外汇管理机关批准的，应当在外汇支付前办理批准手续。

（3）直接投资项下的外汇管理。

①外商直接投资（"外投内"）：

a.前置登记：无论是直接投资的汇入还是汇出，外国投资者应先在外汇局办理登记，如果登记事项发生变化，外国投资者还应当办理变更登记。

b.真实自用：外商投资企业外汇资本金及其结汇所得人民币资金，应在企业经营范围内使用，并符合真实自用原则。

②境外直接投资（"内投外"）：

a.登记备案：国家外汇管理局取消了境外投资外汇资金的来源审核，改为实行登记备案制度。

b.资金来源：境内机构可以使用自有外汇资金、符合规定的国内外汇贷款、人民币购汇或实物、无形资产及经外汇局核准的其他外汇资产来源等进行境外直接投资。境内机构境外直接投资所得利润也可留存境外用于其境外直接投资。

c.利润汇回：境内机构将其所得的境外直接投资利润汇回境内的，可以保存在其经常项目外汇账户或办理结汇。

（4）间接投资项下的外汇管理。

制度	机构	职责
合格境外机构投资者制度（QFII）	中国证监会、中国人民银行	对合格境外投资者的境内证券期货投资实施监督管理
	中国人民银行、国家外汇管理局	对合格境外投资者境内银行账户、资金汇兑等实施监督管理
	中国证监会、中国人民银行、国家外汇管理局	合格境外投资者可参与的金融衍生品等交易品种和交易方式由三大机构同意后公布
合格境内机构投资者制度（QDII）	银保监会和证监会	分别负责各自监管范围内金融机构境外投资业务的市场准入，包括资格审批、投资品种确定以及相关风险管理
	国家外汇管理局	负责QDII机构境外投资额度、账户及资金汇兑管理

（5）外债管理。

①外债的范围：境外借款、发行债券、国际融资租赁等。

②外债登记：国家外汇管理局及其分支局负责外债的登记、账户、使用、偿还以及结售汇等管理、监督和检查，并对外债进行统计和监测。

③外债资金的使用：

a.外商投资企业借用的外债资金可以结汇使用；

b.除另有规定外，境内金融机构和中资企业借用的外债资金不得结汇使用；

c.短期外债原则上只能用于流动资金，不得用于固定资产投资等中长期用途。

④外保内贷：

a.外保内贷业务发生担保履约的，金融机构可直接与境外担保人办理担保履约收款；

b.境内债务人因外保内贷项下担保履约形成的对外负债，其未偿还本金余额不得超过其上年度末经审计的净资产数额。

必备知识清单

大破主观题

注会经济法的每张卷子里都有4道案例分析题，分别涉及票据法、破产法、民法（物权法、合同法）以及公司证券法。其中，破产法和票据法的案例分析题最容易得分，高频考点非常集中。以下，我们将前述高频考点及其相关的主要"套路"梳理如下，以便大家高效备考！

一、票据法案例题

（一）记载事项

通关绿卡

命题角度：三类票据的记载事项。

关于三类票据的记载事项，注会经济法主要在客观题中考查，较少在主观题中考查（以下即是一例）。即使如此，大家还是不要掉以轻心，因为注会经济法每年考票据法的题目并不多，针对"票据记载事项"出题还大有可为！

背书时附有条件的，所附条件不影响背书行为的效力（所附条件不具有汇票上的效力）。

【例1】D公司将汇票背书转让给E公司，用于支付装修工程款，并在汇票上注明："本票据转让于工程验收合格后生效。"后E公司施工的装修工程因存在严重质量问题未能通过验收。

问：在装修工程未能验收合格的情况下，D公司对E公司的背书转让是否生效？并说明理由。（摘取自2015年案例分析题）

【斯尔解析】D公司对E公司的背书转让生效。

根据票据法律制度的规定，背书时附有条件的，所附条件不影响背书行为的效力（或答：背书时附有条件的，所附条件不具有汇票上的效力）。

（二）票据抗辩切断制度

票据债务人不得以自己与持票人的前手之间的抗辩事由对抗持票人，但持票人明知存在抗辩事由而取得票据的除外。

【例2】B公司将一汇票背书转让给C公司，用于支付买卖合同价款。后因C公司向B公司出售的合同项下货物存在严重质量问题，双方发生纠纷。C公司为支付广告费，将该汇票背书转让给D公司。D公司负责人知悉B、C公司之间合同纠纷的详情。

经过数次背书转让，该汇票最终持票人为F公司（C→D→E→F），F公司被承兑人拒付，遂向B公司追索。B公司以C公司违反买卖合同为由，对F公司的追索予以拒绝。

F公司随后对D公司成功追索。D公司继而向B公司追索，B公司仍以C公司违反买卖合同为由，对D公司的追索予以拒绝。

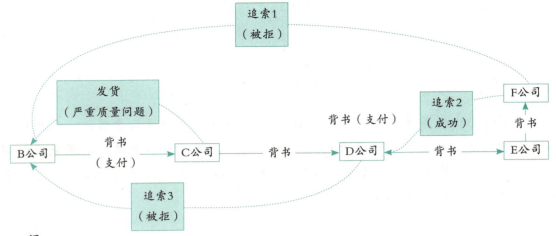

问：

（1）B公司拒绝F公司追索的理由是否成立？并说明理由。

（2）B公司拒绝D公司追索的理由是否成立？并说明理由。（摘取自2016年案例分析题）

【斯尔解析】

（1）B公司拒绝F公司追索的理由不成立。

根据票据法律制度的规定，票据债务人不得以自己与持票人的前手之间的抗辩事由对抗持票人。

（2）B公司拒绝D公司追索的理由成立。

根据票据法律制度的规定，票据债务人不得以自己与持票人的前手之间的抗辩事由对抗持票人，但持票人明知存在抗辩事由而取得票据的除外。（或答：D公司明知C公司的违约事实，却仍然接受汇票，故B公司可以基于该抗辩事由拒绝向其承担票据责任。）

（三）票据权利的限制

1.背书人禁止转让

背书人在汇票上记载"不得转让"字样，其后手再背书转让的，原背书人对后手的被背书人不承担保证责任。

【例3】A公司向B公司签发了一张汇票，经数次背书转让，D公司持有该汇票。D公司随后将该汇票背书转让给E公司，并在汇票上注明"不得转让"；E公司随即又将汇票背书转让给F公司。F公司被承兑人拒付，向D公司追索，D公司拒绝。

问：D公司关于其无需向F公司承担票据责任的主张是否成立？并说明理由。（摘取自2020年案例分析题）

【斯尔解析】D公司关于其无需向F公司承担票据责任的主张成立。

根据规定，背书人在汇票上记载"不得转让"字样，其后手再背书转让的，原背书人（D公司）对后手的被背书人（F公司）不承担保证责任。

2."传染"的情况

（1）票据债务人可以对不履行约定义务的与自己有直接债权债务关系的持票人进行抗辩。

（2）因税收、继承、赠与等依法无偿取得票据的，其票据权利不得优于其前手。

【例4】D公司将支票背书转让给E公司，用于购买生产原料。随后，D公司发现E公司向其出售的原料存在严重质量问题。

E公司将该支票背书转让给F大学，用于设立奖学金。

F大学向支票所记载的付款银行请求付款时遭拒，于是先后向E、D公司追索。

问：D公司是否有权拒绝F大学的追索请求？（摘取自2014年案例分析题）

【斯尔解析】D公司有权拒绝F大学的追索请求。

根据票据法律制度的规定：因税收、继承、赠与等依法无偿取得票据的，其票据权利不得优于其前手；票据债务人可以对不履行约定义务的与自己有直接债权债务关系的持票人进行抗辩。

E公司向D公司出售的原料存在严重质量问题，构成违约，D公司可以据此对E公司进行抗辩。而F大学系无偿取得票据，其票据权利不得优于其前手E公司。因此，D公司也可以对F公司进行抗辩，拒绝其追索请求。

> **通关绿卡**
>
> **命题角度：票据权利限制——"传染"的情况。**
>
> "因税收、继承、赠与等依法无偿取得票据的，其票据权利不得优于其前手。"如果前手享有的是完整的票据权利，则这条规定并不具备可考性——反正后手也享有完整的票据权利。真题中，该规则往往和可能导致持票人的票据权利受到限制的规则搭配考查，就像"传染病"一样，把前手票据权利的限制"传染"给后手。

（四）票据"文义性"的正反两面

1. "文义性"的正面

（1）在票据上（有效）签章的人，承担对应的票据责任。

【例5-1】A公司向B公司签发一张以甲银行为承兑人的汇票，甲银行作为承兑人在汇票票面上签章。数次背书转让后，最后持票人向甲银行请求付款时，甲银行以A公司资信状况不佳、账户余额不足为由拒付。

问：甲银行的拒付理由是否成立？并说明理由。（摘取自2016年案例分析题）

【斯尔解析】甲银行的拒付理由不成立。

根据票据法律制度的规定，付款人承兑汇票后，应当承担到期付款的责任。

提示：这里也涉及票据抗辩切断制度，即"票据债务人原则上不得以自己与出票人或者与持票人的前手之间的抗辩事由（如基于资金关系的抗辩事由），对抗持票人"。

【例5-2】A公司为支付货款，向B公司签发一张汇票。甲银行与B公司签署承兑协议后，作为承兑人在票面上签章。后该承兑协议因重大误解而被人民法院撤销。数次背书转让后，该汇票最终持票人为G公司。G公司持该汇票向甲银行提示付款，甲银行以其与B公司之间的承兑协议已被撤销为由拒付。

问：甲银行拒绝向G公司付款的理由是否成立？并说明理由。（摘取自2018年案例分析题）

【斯尔解析】甲银行拒绝向G公司付款的理由不成立。

根据票据法律制度的规定，付款人承兑汇票后，应当承担到期付款的责任（或答：汇票承兑人/票据债务人不得以其与出票人或者持票人前手之间的抗辩事由对抗持票人）。

（2）票据是文义证券，票据上的一切权利义务，都严格依照票据上记载的文义而定。

【例6】A公司向B公司购买一批医疗物资，合同金额为600万元。为支付货款，A公司向B公司签发了一张银行承兑汇票，但因工作人员疏忽，将汇票金额记载为900万元。

问：A公司是否有权向持票人主张仅在600万元的范围内承担票据责任？并说明理由。（摘取自2020年案例分析题）

【斯尔解析】A公司关于其仅应在600万元合同金额范围内承担票据责任的主张不成立。

根据规定，票据是文义证券，票据上的一切权利义务，都严格依照票据上记载的文义而定，文义之外的任何理由、事项都不得作为根据。

2.“文义性”的反面

未在票据上（有效）签章的人，不是票据责任人，不承担票据责任，但可能承担其他责任。

通关绿卡

命题角度：关于票据“文义性”的考查。

总的来说，“当事人未在票据上签章，因此不承担票据责任”是一个“万金油”答案，基本不会错。

但是，案例分析题考到这个知识点的时候一般还会进一步考查相关知识点，例如：当事人不承担票据责任，那是否承担其他责任？被伪造人、伪造人都不承担票据责任，那谁应该承担票据责任之外的责任？

（1）没有票据责任。

【例7】A公司为支付货款，向B公司签发一张汇票。B公司收到汇票后背书转让给C公司，用于支付房屋租金，但未在被背书人栏内记载C公司的名称。C公司欠D公司一笔应付账款，遂直接将D公司记载为B公司的被背书人，并将汇票交给D公司。

问：G公司（即该题中的持票人）是否有权向C公司追索？并说明理由。（摘取自2018年案例分析题）

【斯尔解析】G公司无权向C公司追索。

由于C公司未在汇票上签章，因此不是票据义务人，不承担票据债务责任。

（2）没有票据责任，还有民事责任。

【例8-1】B公司与公益机构C基金会签订书面协议，约定捐赠30万元用于救灾。随后，B公司将该支票交付C基金会，但未在支票上作任何记载。

问：C基金会是否有权向B公司追索？是否有权要求B公司继续履行赠与义务？并分别说明理由。（摘取自2014年案例分析题）

【斯尔解析】

（1）C基金会无权向B公司追索。

根据票据法律制度的规定，B公司未在票据上签章，不是票据债务人，故不应承担票据责任。

（2）C基金会有权要求B公司继续履行赠与义务。

根据合同法律制度的规定，B、C双方的赠与合同具有社会公益性质，B公司不得撤销，C基金会有权要求其继续履行。

【例8-2】C公司为支付广告费，将一汇票背书转让给D公司。E公司与D公司签订了一份保证合同，约定E公司就C公司对D公司承担的票据责任提供连带责任保证。但E公司未在汇票上记载有关保证事项，亦未签章。

问：D公司能否要求E公司承担票据责任？能否依保证合同要求E公司承担保证责任？并分别说明理由。（摘取自2016年案例分析题）

【斯尔解析】

（1）D公司不能要求E公司承担票据责任。

根据票据法律制度的规定，票据保证必须在票据上记载有关事项，才能发生票据保证的效力。E公司未在汇票上记载有关保证事项，亦未签章，其行为不构成票据保证，故D公司不能要求其承担票据责任。

（2）D公司可以依保证合同要求E公司承担保证责任。

尽管E公司不存在票据上的保证责任，但其与D公司签订了保证合同，适用有关保证责任的规定。作为连带保证人，在C公司不履行债务时，E公司应当承担保证责任。

（3）票据伪造相关方的责任

【例9-1】甲公司为支付货款，向乙公司签发一张汇票。甲公司工作人员孙某将该汇票交回乙公司后，将汇票暗中取出，并伪造乙公司财务专用章和法定代表人名章，将汇票背书转让给与其相互串通的丙公司。

丙公司随即将该汇票背书转让给丁公司，用于支付房屋租金。丁公司对于孙某伪造汇票之事不知情。

问：

（1）乙公司是否应当向丁公司承担票据责任？并说明理由。

（2）孙某是否应当向丁公司承担票据责任？并说明理由。（摘取自2017年案例分析题）

【斯尔解析】

（1）乙公司不应向丁公司承担票据责任。

根据票据法律制度的规定，承担票据责任以在票据上签章为前提。乙公司在汇票上的签章系伪造，实际上并未在汇票上签章，故不应承担票据责任。

（2）孙某不应向丁公司承担票据责任。

孙某虽然伪造了乙公司的签章，但并未以自己的名义在汇票上签章，故不承担票据责任。

（五）票据伪造

在假冒他人名义的情形下，被伪造人、伪造人均不承担票据责任（可由票据的"文义性"推知，上文已述及）。如果伪造的票据行为无效，其他真实签章的效力不受影响。

【例9-2】甲公司为支付货款，向乙公司签发一张汇票。甲公司的股东郑某在汇票上以乙公司为被保证人，进行了票据保证的记载并签章。

甲公司工作人员孙某将该汇票交回乙公司后，将汇票暗中取出，并伪造乙公司财务专用章和法定代表人名章，将汇票背书转让给与其相互串通的丙公司。

丙公司随即将该汇票背书转让给丁公司，用于支付房屋租金。丁公司对于孙某伪造汇票之事不知情。

问：郑某是否应当向丁公司承担票据责任？并说明理由。（摘取自2017年案例分析题）

【斯尔解析】郑某应当向丁公司承担票据责任。

虽然汇票上的乙公司签章系伪造，但作为善意第三人的丁公司并未因此丧失票据权利，郑某在汇票上进行了票据保证的记载并签章，故应当对丁公司承担票据责任。

（六）票据权利的"跳跃"

1.因善意取得而"跳跃"

虽然前手没有票据权利，但后手基于善意并支付合理对价取得票据，可依据票据的善意取得制度而取得票据权利。

通关绿卡

命题角度：关于票据权利的考查。

（1）票据权利善意取得的要件有若干个，根据官方历年公布的答案，考生在答主观题时无需一一分析所有的要件，而只要踩到这两个点即可：

①后手善意（即对前手不具有票据权利的情况不知情，且无重大过失）；

②后手付出相当对价（即不是无偿取得）。

（2）票据权利善意取得的适用前提即是该次转让的前手不具有票据权利，具体的原因可能各不相同。

（3）整体来看，发生票据权利的善意取得时，票据权利直接从无权处分人的前手"跳跃"到无权处分人的直接后手。

【例10-1】（违法贴现）B公司因急需现金，将一汇票背书转让给C公司，C公司向B公司支付现金75万元。C公司将该汇票背书转让给D公司，以支付房屋租金。D公司对B公司与C公司之间的票据买卖事实不知情。

问：D公司能否因C公司的背书转让行为而取得票据权利？并说明理由。（摘取自2015年案例分析题）

【斯尔解析】 D公司能够因C公司的背书转让行为而取得票据权利。

根据票据法律制度的规定，C公司进行背书时虽然不是票据权利人，但是D公司善意且无重大过失，并支付了相应对价，因此可以取得票据权利。

提示：C公司不能因B公司的背书转让行为而取得票据权利，因为二者之间的背书转让缺乏真实的交易关系，属于违法贴现行为，不具有票据法上的效力。因此，C公司并不是票据权利人。

【例10-2】（盗取票据、票据伪造）A公司为支付货款，向B公司签发一张汇票。经数次背书转让，D公司成为持票人。

D公司财务人员李某将其负责保管的该汇票盗出，并伪造D公司相关签章，将该汇票背书转让给与其相互串通的E公司。

E公司将该汇票背书转让给F公司，用于支付货款。F公司知道E公司获得该汇票的详情，但仍予接受。

F公司随即将该汇票背书转让给G公司，用于支付装修工程款。G公司对李某的行为及E公司、F公司获取该汇票的经过均不知情。

问：

（1）F公司是否取得票据权利？并说明理由。

（2）G公司是否取得票据权利？并说明理由。（摘取自2018年案例分析题）

【斯尔解析】

（1）F公司没有取得票据权利。

根据票据法律制度的规定，以偷盗手段取得票据的，或者明知有此情形而恶意取得票据的，不享有票据权利。

（2）G公司取得了票据权利。

根据票据法律制度的规定，F公司进行背书时虽然不是票据权利人，但是C公司善意且无重大过失，并支付了相应对价，因此可以取得票据权利（或答：G公司善意取得票据权利）。

提示：从上述第（2）问的官方答案来看，阅卷人可以接受票据权利善意取得的"不言自明"。

2.因企业合并等事项"跳跃"

背书不连续的，持票人应证明背书中断之处乃是由于其他合法原因而发生票据权利的转移。

【例11】D公司将一汇票背书转让给E公司。后E公司被F公司吸收合并，E公司注销了工商登记。F公司为支付材料款将该汇票背书转让给G公司。G公司持该汇票向X银行请求付款，X银行以背书不连续为由拒付。

问：在X银行以背书不连续为由拒付时，G公司应如何证明其是票据权利人？（摘取自2015年案例分析题）

【斯尔解析】G公司应向X银行提出证据证明F公司吸收合并E公司，其从F公司合法获得票据权利。

二、破产法案例题

（一）谁可以提出破产申请

主体		重整	和解	清算
债务人		√	√	√
债权人	一般债权人	√	×	√
	有担保的债权人	√	×	√
	税务、社保主管机关	×（2016）	×	√
	破产企业职工（注）	√	×	√

注：职工提出破产申请应经职工代表大会或者全体职工（会议）多数决议通过（2017）。

除上述基本规则外，还请记住：债权人申请对债务人进行破产清算的，人民法院受理破产申请后、宣告债务人破产之前，出资额占债务人注册资本10%以上的出资人有权向人民法院提出破产重整申请。（2020）

（二）什么情况下可以提破产申请

1.破产原因（"僧多粥少"）的判断

通关绿卡

命题角度：关于破产原因的考查。

从法律规定看，破产原因的表述具有"且+或"的结构，即"企业法人不能清偿到期债务+资产不足以清偿全部债务/明显缺乏清偿能力"。

（1）"资产不足以清偿全部债务"一般指账面上资不抵债，真题较少涉及；

（2）"明显缺乏清偿能力"是高频考点。

请记住以下"明显缺乏清偿能力"的判断标准。要注意，以下情况的前提都是"债务人账面资产大于负债"：

关键词	情况
现金不足	因资金严重不足或者财产不能变现等原因，无法清偿债务（2014、2019）
老板跑路	法定代表人下落不明且无其他人员负责管理财产，无法清偿债务
执行未果	经人民法院强制执行，无法清偿债务（2015、2019）
造血困难	长期亏损且经营扭亏困难，无法清偿债务

2.当事人可能提出的抗辩

（1）申请强制执行的主体并非提出破产申请的主体——抗辩失败。

只要债务人的任何一个债权人经人民法院强制执行未能得到清偿，其每一个债权人均有权提出破产申请，并不要求申请人自己已经申请法院采取了强制执行措施。

【例1】A公司因拖欠B公司债务被诉至人民法院并败诉。判决生效后经人民法院强制执行，A公司仍无法完全清偿B公司债务。A公司的债权人C公司知悉该情况后，于2014年7月30日向人民法院提出对A公司的破产申请。人民法院予以受理。

（2）提出申请的债权人还有其他收回债权的方式——抗辩失败。

①相关当事人以对债务人的债务负有连带责任的人（如连带债务人、保证人）未丧失清偿能力为由，主张债务人不具备破产原因的，人民法院应不予支持。（2014、2018）

【例2】2014年5月5日，因A公司未能偿还对B公司的到期债务，B公司向人民法院提出对A公司进行破产清算的申请。A公司收到人民法院通知后，于5月9日提出异议，认为本公司不存在破产原因，理由是B公司对A公司之债权由C公司提供连带保证，而C公司完全有能力代为清偿该笔债务。该理由不影响对于A公司是否存在破产原因的判断。

②如提出破产申请的债权人之债权存在物的担保，无论担保物价款是否足以清偿所担保的债权，担保债权人均享有破产申请权。

（3）破产原因由于市场原因而消失——抗辩失败。

由于债务人财产的市场价值发生变化导致其在案件受理后资产超过负债乃至破产原因消失的，不影响破产案件的受理与继续审理，人民法院不得裁定驳回申请（2018）；债务人如不愿意进行破产清算，可以通过申请和解、重整等方式清偿债务、结束破产程序。

【例3】破产宣告前，由于A公司的一土地使用权市场价值大幅上升，公司资产价值整体超过负债总数。该情况不影响破产案件的受理与继续审理。

（4）主张可以清偿，又无法达成和解——抗辩失败。

债务人以其具有清偿能力或者资产超过负债为由提出抗辩异议，但又不能立即清偿债务或与债权人达成和解的，其异议不能成立。（2017、2020）

【例4】自2015年年底开始，A公司生产经营停滞，无力偿还银行贷款本息，并持续拖欠职工工资。2017年2月，A公司的债权人B银行向人民法院申请A公司破产。

A公司提出异议称，A公司账面资产总额超过负债总额，并未丧失清偿能力。在此情形下，人民法院召集A公司和B银行代表磋商偿还贷款事宜。但A公司坚持要求B银行再给其半年还款缓冲期，争取恢复生产，收回货款后再清偿贷款。B银行则要求A公司立即清偿债务。双方谈判破裂。

该例中，债务人A公司对于和解的请求（即延期还款的请求，说白了就是"讨饶"）未得到债权人B银行允许，即属于上述"不能立即清偿债务或与债权人达成和解"的情况。

（5）主张当事人未预缴诉讼费——抗辩失败。

破产案件的诉讼费用从债务人财产中拨付，因此相关当事人以申请人未预先缴纳诉讼费用为由对破产申请提出异议的，人民法院不予支持。（2019）

（三）破产申请受理的"威力"巨大，影响如何？

1.对债务人合同相对方

事项	表述
管理人对于是否继续履行合同拥有选择权	（1）什么时候行使：破产申请受理前成立＋双方当事人均未履行完毕； （2）"不靠谱，就解除"： ①管理人迟迟不通知对方或对方催告未答复怎么办：视为解除合同； ②管理人继续履行但对方不放心怎么办：对方当事人有权要求管理人提供担保，管理人不提供担保的，视为解除合同
债务人向个别债权人的清偿原则上无效（2014、2017、2020）	人民法院受理破产申请后，债务人对个别债权人的债务清偿无效。 例外：债务人以其财产向债权人提供物权担保的，其在担保物市场价值内向债权人所作的债务清偿，不受上述规定限制。 【例5】A公司于2013年4月8日向E信用社借款200万元，期限1年。A公司以其所属厂房为该笔借款提供了抵押担保。2014年5月18日，经管理人同意，A公司向E信用社偿还了其所欠200万元借款本金及其利息。经查，A公司用于抵押的厂房市场价值为500万元。该情况下，担保物价值高于债权价值，债务人A公司对E信用社的清偿有效
次债务人清偿债务应向管理人交付财产	（1）应该交给谁：管理人； （2）没交给管理人怎么办： ①违反法律规定未向管理人而是向债务人清偿，使债权人受到损失的，不免除其清偿债务或者交付财产的义务（2017）； ②如果债务人的债务人或者财产持有人虽向债务人清偿债务或者交付财产，但债务人将接收到的清偿款项或者财产全部上交管理人，债权人并未受到损失，则不必再承担民事责任

2.对诉讼程序

事项	表述
财产保全与执行程序	人民法院受理破产申请后，有关债务人财产的保全措施应当解除，执行程序应当中止（2017）
一般民事诉讼或仲裁	人民法院受理破产申请后，已经开始而尚未终结的有关债务人的民事诉讼或者仲裁应当中止； 在管理人接管债务人财产、掌握诉讼情况后能够继续进行时，该诉讼或者仲裁继续进行
四类特殊诉讼	（1）特殊在哪：人民法院应当中止审理，管理人接手后也不继续进行； （2）哪四类诉讼： ①债权人主张次债务人代替债务人直接向其偿还债务的

事项	表述
四类 特殊诉讼	②债权人主张债务人的出资人、发起人和负有监督股东履行出资义务的董事、高级管理人员，或者协助抽逃出资的其他股东、董事、高级管理人员、实际控制人等直接向其承担出资不实或者抽逃出资责任的；（2014） ③债权人以债务人的股东与债务人法人人格严重混同为由，主张债务人的股东直接向其偿还债务人对其所负债务的； ④其他就债务人财产提起的个别清偿诉讼

（四）如何确定"蛋糕"（破产财产）有多大

1.谁来确定——管理人

组织、个人以及清算组均可成为破产管理人，但涉及以下情况的不得担任破产管理人：

（1）因故意犯罪受过刑事处罚；

（2）曾被吊销相关专业执业证书；

（3）与本案有利害关系。

①与债务人、债权人有未了结的债权债务关系；

②在人民法院受理破产申请前3年内，曾为债务人提供相对固定的中介服务；

③现在是或者在人民法院受理破产申请前3年内曾经是债务人、债权人的控股股东或者实际控制人；

④现在担任或者在人民法院受理破产申请前3年内曾经担任债务人、债权人的财务顾问、法律顾问；（2018年主观题）

⑤现在担任或者在人民法院受理破产申请前3年内曾经担任债务人、债权人的董事、监事、高级管理人员；

⑥与债权人或者债务人的控股股东、董事、监事、高级管理人员存在夫妻、直系血亲、三代以内旁系血亲或者近姻亲关系。

2.如何确定——厘清债务人财产，把属于债务人的拿回来，把不属于债务人的还回去

（1）把属于债务人的拿回来。

找谁拿	怎么拿
债务人 的出资人	在企业破产时，出资人必须立即缴纳所认缴的出资，而不受原出资期限是否已到的限制（2020）
债务人的 "董监高"	①侵占企业财产——收回； ②绩效奖金、非正常收入、高出企业职工平均工资计算的部分工资性收入——作为普通债权清偿（2018）； ③平均工资以内部分工资性收入——作为拖欠职工工资清偿。 提示：上述②和③都应先由管理人收回，只是后续的分配顺位不一样
债权人	破产申请受理前6个月的个别清偿行为应由管理人撤销，但下列清偿不可撤销： ①债务人为维系基本生产需要而支付水费、电费等的； ②债务人支付劳动报酬、人身损害赔偿金的；

续表

找谁拿	怎么拿
债权人	③债务人经诉讼、仲裁、执行程序对债权人进行的个别清偿（债务人与债权人恶意串通损害其他债权人利益的除外）； ④使债务人财产受益的其他个别清偿
"占便宜"的人	破产申请受理前1年内的无偿减少债务人财产行为，应由管理人撤销： ①无偿转让财产。 ②以明显不合理的价格进行交易。 ③对没有财产担保的债务提供财产担保。 例外：在可撤销期间内设定债务的同时为债务提供的财产担保不包括在内，因其是有对价的行为。 ④对未到期的债务提前清偿。 例外：破产申请受理前一年内债务人提前清偿的未到期债务，在破产申请受理前已经到期，管理人请求撤销该清偿行为的，人民法院不予支持（2015、2020） 【例6】2013年9月，A公司向乙银行借款50万元，借期6个月，E公司为此提供保证担保。2014年2月2日，A公司提前偿还借款，该次清偿不得撤销。 ⑤放弃债权

（2）把不属于债务人的还回去——往往由其他方取回。

①人民法院受理破产申请后，债务人占有的不属于债务人的财产（定作物、托运货物、出租物、寄存物等），该财产的权利人可以通过管理人取回。（2014）

a.权利人行使取回权时未依法向管理人支付相关的加工费、保管费、托运费、委托费、代销费等费用，管理人拒绝其取回相关财产的，人民法院应予支持

b.对债务人占有的权属不清的鲜活易腐等不易保管的财产或者不及时变现价值将严重贬损的财产，管理人应当及时变价并提存变价款，有关权利人可以就该变价款行使取回权。（2020）

②原物被转让给第三人的：

情况	说明
第三人通过善意取得制度取得财产所有权	原权利人无法取回该财产的，人民法院应当按照以下规定处理：（2020年主观题） a.转让行为发生在破产申请受理前的，原权利人因财产损失形成的债权，作为普通破产债权清偿； b.转让行为发生在破产申请受理后的，因管理人或者相关人员执行职务导致原权利人损害产生的债务，作为共益债务清偿

③出卖人取回权（适用于买卖合同）。

人民法院受理破产申请时，出卖人已将买卖标的物向作为买受人的债务人发运，债务人尚未收到且未付清全部价款的，出卖人可以取回在运途中的标的物。

a.在途中主张了但未实现，出卖人还可以取回。

出卖人通过通知承运人或者实际占有人中止运输、返还货物、变更到达地，或者将货物交给其他收货人等方式，对在运途中标的物主张了取回权但未能实现，或者在货物未达管理人前

已向管理人主张取回在运途中标的物，在买卖标的物到达管理人后，出卖人向管理人主张取回的，管理人应予准许。

b.途中未主张到达后主张了，出卖人不得取回。

出卖人对在运途中标的物未及时行使取回权，在买卖标的物到达管理人后向管理人行使在运途中标的物取回权的，管理人不应准许。（2019、2020）

（3）若债权人恰好也对债务人负担债务——可以行使抵销权。

破产法上的抵销权只能由债权人向管理人提出行使，管理人（或债务人）不得主动主张债务抵销。须注意以下禁止抵销的情形：

①债权人已知债务人有不能清偿到期债务或者破产申请的事实，对债务人负担债务的，禁止抵销，但是，债权人因为法律规定或者有破产申请1年前所发生的原因而负担债务的除外。

②债务人的债务人在破产申请受理后取得他人对债务人的债权的，禁止抵销。（2015）

③债务人的债务人已知债务人有不能清偿到期债务或者破产申请的事实，对债务人取得债权的，但是，债务人的债务人因为法律规定或者有破产申请1年前所发生的原因而取得债权的除外。

④债务人股东因欠缴债务人的出资对债务人所负的债务与债务人对其负有的债务抵销，债务人管理人提出异议的，人民法院应予支持。（2020）

（五）怎么"分蛋糕"（破产债权申报）——谁能申，谁不能申，谁不需要申

1.可以申报的债权

（1）常规考点。

债权类型	申报规则
职工劳动债权	不必申报，由管理人调查后列出清单并予以公示
税收、社保债权	需依法申报
对债务人特定财产享有担保权的债权	需依法申报
未到期的债权	在破产申请受理时视为到期
附利息的债权	自破产申请受理时起停止计息
无利息的债权	无论是否到期均以本金申报债权
附条件、附期限的债权和诉讼、仲裁未决的债权	可以申报
违约金	不得申报

提示：涉及担保的债权申报相对复杂，如有余力，请自行参看"99记"中对应内容。

（2）《民法典》下的新考点。

《民法典》"合同编"规定："债权人的债权到期前，债务人的债权或者与该债权有关的从权利存在诉讼时效期间即将届满或者未及时申报破产债权等情形，影响债权人的债权实现的，债权人可以代位向债务人的相对人请求其向债务人履行、向破产管理人申报或者作出其他必要的行为。"

将该规定放在破产法的语境下，其含义是：债权人未及时申报破产债权的，债权人的债权人可以代位申报，即使其对债权人享有的债权尚未到期。图示如下：

2.债权登记

（1）管理人应当依照规定对所申报的债权进行登记造册，不允许以其认为债权超过诉讼时效或不能成立等为由拒绝编入债权申报登记册。

（2）职工对清单记载提出异议并要求管理人更正，管理人不予更正的，职工可以向人民法院提起债权确认诉讼。（2018）

（六）破产清算（"杀鸡取卵"）——用债务人财产清偿破产债权

1.别除权

情形	效力
主债务人破产	对该特定财产享有优先受偿的权利； 未能完全受偿的债权作为普通债权
担保人破产	对该特定财产享有优先受偿的权利； 在担保物价款不足以清偿担保债权时，余债不得作为破产债权向破产人要求清偿，只能向原主债务人求偿

2.破产财产分配顺序

（1）清偿有优先权的债权，如有物权担保的债权、建设工程优先权；

（2）清偿破产费用（不能让人白干）；

（3）清偿共益债务（先公后私）；

（4）工资薪金（人道主义）；

（5）破产人欠缴的除前项规定以外的社会保险费用和破产人所欠税款（不欠国家的）；

（6）普通破产债权。

（七）不考破产考重整（"起死回生"）怎么办——重整地图

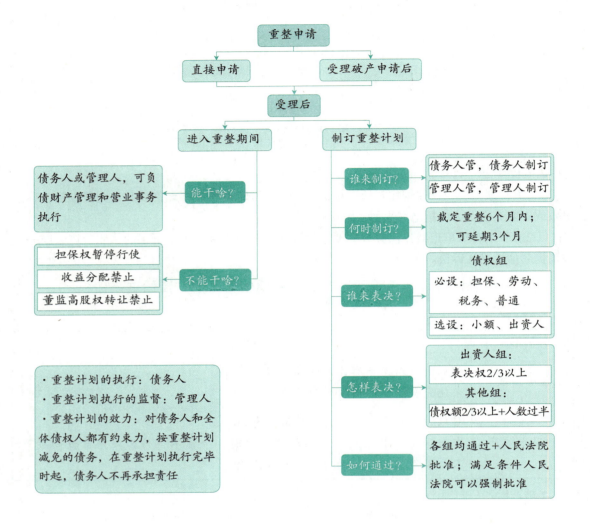

此外，还要注意重整阶段管理人的职责：

（1）经人民法院批准由债务人自行管理财产和营业事务的，管理人应当对债务人的自行管理行为进行监督。（2020）

（2）经人民法院批准由债务人自行管理财产和营业事务的，管理人发现债务人存在严重损害债权人利益的行为或者有其他不适宜自行管理情形的，可以申请人民法院作出终止债务人自行管理的决定。债务人有上述行为而管理人未申请人民法院作出终止决定的，债权人等利害关系人可以向人民法院提出申请。（2020）

飞越必刷题

经济法

注册会计师
考试辅导用书

冲刺飞越 | 课程配套讲义

2022

#2022 SINCERE EDU

斯尔教育
SINCERE EDU

飞越必刷150题共分为四部分，前三部分与《斯尔99记》内容对应，第四部分为集训主观题。每道题后面链接了99记对应的部分，建议与99记配套使用。同时，在斯尔99记中，每一记有对应的飞越必刷题链接，在复习完每一记之后，请务必及时将对应的飞越必刷题做完，以达到及时反馈、及时巩固的效果。在解析中，我们将干扰选项进行了提示，完成一道题的练习后，可以将对应知识点掌握得更加牢固。

除此之外，我们还特地设置应试攻略栏目，目的是让同学们通过了解和使用解题技巧、做题套路，注意易混易错点等，来提高考场应变能力和做题速度。

最后，希望同学们能够认真对待《飞越必刷题》，认真对待考试，认真对待自己！

使用指南

目 录

飞越必刷题

答案与解析

第一模块　飞越重难点

（建议用时：1.5 小时）

努力，才是人生的应有态度。

　　本模块主要包括公司法律制度、证券法律制度、物权法律制度、合同法律制度的内容，本模块内容学习难度较大，但在考试中分值占比很高，客观题和主观题都会涉及，请务必亲自动手，通过如下题目加以巩固。

一、单项选择题

1　根据公司法律制度的规定，下列有关股份公司设立的表述中，错误的是（　　）。
A.股份公司设立采取发起设立方式的，公司章程应经创立大会通过
B.以募集设立方式设立的股份公司，股东必须在设立时缴纳全部出资
C.以发起设立方式设立的股份公司，在发起人认购的股份缴足前不得向他人募集股份
D.股份公司采取募集设立的，发起人认购股份不得少于公司股份总数的35%

2　郑某、吴某、蔡某共同出资设立甲有限责任公司。郑某在规定时间缴纳了认缴出资额的一半；吴某以房产出资，并已实际将该房产交付给甲公司用于生产经营，但未按章程规定办理房屋所有权转移手续；蔡某如期足额缴纳出资。根据公司法律制度的规定，下列表述中错误的是（　　）。
A.郑某应向甲公司补足出资
B.郑某应向吴某、蔡某承担违约责任
C.如吴某后续在人民法院要求的时限内补办房屋所有权转移手续，则其有权主张自实际交付该房产时享有股东权利
D.甲公司设立后，如发现吴某用于出资的房屋的实际价值远低于公司章程约定的价额，则蔡某就差额补足事宜对甲公司承担连带责任

3　甲、乙、丙共同设立甲有限责任公司，且均缴足各自认缴的出资。甲在该公司董事李某、财务负责人金某的协助下，通过关联交易将其出资逐步转出。根据公司法律制度的规定，下列表述中，错误的是（　　）。
A.甲的行为属于抽逃出资
B.乙、丙有权直接通过股东会决议取消甲的股东资格

C.该公司有权要求甲返还相应的出资本息，并要求李某、金某承担连带责任

D.该公司要求甲返还出资本息的请求权不适用诉讼时效制度

4   根据公司法律制度的规定，下列主体中，可以担任公司董事、监事、高级管理人员的是（   ）。

A.赵某，今年刚满7周岁

B.钱某，目前负有2 000万元到期债务尚未清偿

C.孙某，曾担任破产清算公司的经理，对该公司破产负有个人责任，目前距该公司破产清算完结之日已满4年

D.李某，曾因贪污罪被判处刑罚，执行期满未逾4年

5   根据公司法律制度的规定，下列有关上市公司的表述中，错误的是（   ）。

A.关联董事回避后，出席上市公司董事会的非关联董事人数不足3人的，相关事项应提交股东大会审议

B.上市公司拟一次性购买重大资产达到其资产总额30%的，应经出席股东大会会议的股东所持表决权的2/3以上同意方可实施

C.上市公司应设置董事会秘书，董事会秘书属于上市公司高级管理人员

D.上市公司董事会下设薪酬委员会的，其中应至少1/3为独立董事

6   根据证券法律制度的规定，下列有关上市公司独立董事的表述中，正确的是（   ）。

A.持有上市公司1%以上股份的自然人可以担任该上市公司独立董事

B.持有上市公司1%以上股份的自然人可以向该上市公司提名独立董事

C.独立董事连续3次未亲自出席董事会会议的，应由董事会撤换

D.上市公司具有5年以上工作经验的法律顾问，可以担任该上市公司独立董事

7   赵某、钱某、孙某、李某共同出资设立甲有限公司，注册资本为1 000万元。其中，四人认缴的出资分别为400万元、300万元、200万元、100万元，但截至目前，四人均缴纳了100万元出资。甲公司的公司章程对于股东权利并无特别约定，根据公司法律制度的规定，下列表述中正确的是（   ）。

A.赵某、钱某、孙某、李某可以对外转让其享有的增资优先认缴权

B.赵某、钱某、孙某、李某应均等行使分红权

C.李某有权要求查阅甲公司董事会会议记录、财务会计报告和会计账簿

D.赵某、钱某、孙某、李某应按照4：3：2：1的比例行使增资优先认缴权

第7记 99记 知识链接

8   张三、李四、王五、赵六分别出资40万元、30万元、20万元、10万元设立甲有限公司（以下简称"甲公司"），甲公司的公司章程对于股权转让事宜并无特别约定。根据公司法律制度的规定，下列表述中正确的是（   ）。

A.王五拟对外转让其股权，应经张三、李四和赵六同意

B.王五拟向赵六转让其股权，应经张三、李四同意

C.如人民法院对张三持有的甲公司股权进行强制执行，应经其他股东过半数同意

D.如张三因意外死亡，其儿子继承其股权时，其他股东不享有优先购买权

第9记 99记 知识链接

9 根据公司法律制度的规定，下列关于股份有限公司股份转让限制的表述中，正确的是（　　）。

A.公司收购自身股份用于员工持股计划或者股权激励的，所收购的股份应当在2年内转让给职工

B.发起人持有的本公司股份，自公司成立之日起1年内不得转让

C.公司监事在任职期间每年转让的股份，不得超过其持有的本公司股份总数的35%

D.公司董事所持有的本公司股份，自公司股票上市交易之日起3年内不得转让

第9记、第12记 99记 知识链接

10 下列关于一人有限责任公司的表述中，不符合公司法律制度规定的是（　　）。

A.股东只能是一个自然人

B.一个自然人只能投资设立一个一人有限责任公司

C.财务会计报告应当经会计师事务所审计

D.股东不能证明公司财产独立于自己财产的，应当对公司债务承担连带责任

第10记 99记 知识链接

11 根据证券法律制度的规定，下列有关首次公开发行股票并上市的表述中，错误的是（　　）。

A.对于拟公开发行股票并在主板上市的发行人，其应在中国证监会核准发行之日起6个月内发行股票

B.对于拟公开发行股票并在科创板上市的发行人，其应在中国证监会作出同意注册决定之日起1年内发行股票

C.申请首次公开发行股票并在科创板上市的，发行人的董事、监事、高级管理人员自中国证监会作出注册决定之日起就注册申请文件承担法律责任

D.申请首次公开发行股票并在科创板上市，中国证监会作出不予注册决定的，自决定作出之日起6个月后，发行人可以再次提出公开发行股票并上市申请

第14记 99记 知识链接

12 根据证券法律制度的规定，下列对于北京证券交易所的表述中，错误的是（　　）。

A.北京证券交易所是中国第一家公司制证券交易所

B.在北京证券交易所发行证券适用注册制

C.在北京证券交易所发行股票，可以面向社会公众投资者发行

D.在北京证券交易所公开发行并上市的公司，可以向不特定的合格投资者公开发行股票

第13记 99记 知识链接

13 根据证券法律制度的规定，下列有关招股说明书的表述中，错误的是（   ）。

A.招股说明书内容与格式准则是信息披露的最低要求

B.招股说明书中引用的财务报表在其最近一期截止日后6个月内有效

C.招股说明书的有效期为6个月

D.预先披露的招股说明书（申报稿）应含有价格信息

第16记   99记   知识链接

14 根据证券法律制度的规定，下列有关公开发行优先股的表述中，错误的是（   ）。

A.上市公司和非上市公众公司均可公开发行优先股

B.公司已发行的优先股不得超过公司普通股股份总数的50%

C.在有可分配税后利润的情况下，优先股发行人必须向优先股股东分配股息

D.上市公司最近12个月内受到中国证监会行政处罚的，不得公开发行优先股

第18记   99记   知识链接

15 根据证券法律制度的规定，上市公司发行股份购买资产时，资产出让方为该上市公司控股股东的，此次发行的股份自发行结束之日起一定期限内不得转让。该期限是（   ）。

A.24个月   B.48个月

C.12个月   D.36个月

第24记   99记   知识链接

16 根据证券法律制度的规定，投资者保护机构受一定数量以上的投资者委托，可以作为代表人参加虚假陈述等证券民事赔偿诉讼。该数量是（   ）。

A.10名   B.50名

C.20名   D.15名

第13记   99记   知识链接

17 根据证券法律制度的规定，上市公司拟配售股份数量不得超过本次配售股价前股本总额的一定比例。该比例是（   ）。

A.30%   B.10%

C.5%   D.20%

第17记   99记   知识链接

18 根据证券法律制度的规定，下列有关公司债券非公开发行的表述中，错误的是（   ）。

A.每次发行对象不得超过200人

B.非公开发行的公司债券应当向专业投资者发行

C.非公开发行公司债券只能申请在证券交易场所转让

D.非公开发行的公司债券只能在专业投资者范围内转让

第25记   99记   知识链接

19　根据证券法律制度的规定，对于虚假陈述行政责任的认定，下列事由可以单独作为不予处罚情形认定的是（　　）。

A.能力不足　　　　　　　　　　B.信任专业机构出具的审计报告

C.由于不可抗力无法正常履职　　D.受到股东控制

第28记　99记　知识链接

20　甲为乙上市公司董事，并持有乙公司股票10万股。2021年3月1日和3月8日，甲以每股25元的价格先后卖出其持有的乙公司股票2万股和3万股。2021年9月3日，甲以每股15元的价格买入乙公司股票5万股。根据证券法律制度的规定，甲通过上述交易所获收益中，应当收归公司所有的金额是（　　）。

A.20万元　　　　B.30万元　　　　C.50万元　　　　D.75万元

第30记　99记　知识链接

21　根据物权法律制度的规定，下列各项中，属于"物"的是（　　）。

A.电脑程序　　　B.手机　　　　C.太阳　　　　D.人的身体

第31记　99记　知识链接

22　根据物权法律制度的规定，下列表述中，正确的是（　　）。

A.金钱是非消费物

B.备胎是汽车的从物

C.牛是可分物

D.树上长的苹果是苹果树的孳息

第31记　99记　知识链接

23　根据物权法律制度的规定，下列事项中，经登记方可生效的是（　　）。

A.设定居住权　　　　　　　　　B.设定土地承包经营权

C.设定地役权　　　　　　　　　D.设定动产抵押权

第36记　99记　知识链接

24　根据物权法律制度的规定，"动产物权设立和转让前，权利人已经占有该动产的，物权自民事法律行为生效时发生效力"。该条规定所指的交付形式是（　　）。

A.现实交付　　　B.简易交付　　　C.占有改定　　　D.指示交付

第32记　99记　知识链接

25　张三名下有一房屋，且已完成登记。根据物权法律制度的规定，下列情形中，适用变更登记的是（　　）。

A.张三将其名下的房屋转让给李四

B.张三更名为李四

C.登记机关将该房屋的所有权人误载为李四

D.张三将该房屋作价出资

第32记　99记　知识链接

26　根据物权法律制度的规定，下列有关共有的表述中，正确的是（　　）。

A.共有人之间如对共有形态并无约定，则推定为共同共有

B.除另有约定外，按份共有人拟变更共有物用途的，应经占份额2/3以上的按份共有人同意

C.按份共有人对外转让其份额，须经其他共有人过半数同意方可为之

D.共同共有人对外转让其份额，则其他共有人享有优先购买权

27　乙从甲处购得一古董花瓶，且已经交付。根据物权法律制度的规定，下列情形中，乙可以基于善意取得制度取得该花瓶所有权的是（　　）。

A.甲合法购得该古董花瓶并拥有其所有权

B.该花瓶其实系丙委托甲保管，乙以市场价格购得，三天后，乙才听说甲并非该花瓶的主人

C.该花瓶其实系丙委托甲保管，乙对此并不知情，但以市场价的1/10购得该花瓶

D.该花瓶其实系甲从丙处盗取，乙对此并不知情，并以市场价格购得

28　根据物权法律制度的规定，下列情形中，正确的是（　　）。

A.甲拾得遗失物并送交公安机关，公安机关发布招领公告后一年内无人认领，则该物属于甲

B.甲的油漆被乙误用，涂满了乙的柜子，则该柜子应属于甲

C.甲和乙存储的木材被不知情的丙做成一个木箱，其中大部分的木材属于甲，则该木箱属于甲

D.甲是大书法家，未经乙之允许在乙的宣纸上写了一副名作，则载有该作品的宣纸属于甲

29　根据物权法律制度的规定，下列有关建设用地使用权的表述中正确的是（　　）。

A.建设用地使用权无偿划拨应当由省级以上人民政府依法批准

B.商业开发用地可以以无偿划拨的方式取得

C.未依法登记领取权属证书的城市房地产不得转让

D.商业、旅游、娱乐用地的建设用地使用权出让的最高年限为50年

30　根据物权法律制度的规定，下列说法中正确的是（　　）。

A.永久基本农田转为建设用地的，由省级以上人民政府批准

B.符合条件的集体经营性建设用地经本集体经济组织成员的村民会议2/3以上成员同意，可以出租

C.通过出让方式合法取得的集体经营性建设用地使用权可以转让、互换，但不得抵押

D.集体经营性建设用地不得出租给个人使用

二、多项选择题

31　根据公司法律制度的规定，以下有关公司设立阶段债务承担的表述中，正确的有（　　）。

A.如发起人为设立公司之目的，以自己的名义与他人订立合同，则公司成立后，仍由该发起人承担合同义务

B.如发起人为设立公司之目的，以设立中的公司名义与他人订立合同，则公司成立后，公司承担该合同义务

C.如发起人为设立公司之目的，以设立中的公司名义与他人订立合同，公司最终未能设立的，发起人承担该合同义务

D.发起人如因设立公司而对他人造成损害，无论公司成立与否，均应由该发起人承担侵权责任

32　根据公司法律制度的规定，下列有关公司出资的表述中，正确的有（　　）。

A.自然人姓名不得用于出资，但注册为商标后，该商标可用于出资

B.设立抵押的土地使用权不得用于出资

C.股权和债权可以用于出资

D.出资人以符合法定条件的非货币财产出资后，因客观因素导致出资贬值的，无须补足出资

33　甲公司是一家以募集方式设立的股份有限公司，其实收股本总额为人民币6 000万元。甲公司章程规定，董事会由8名成员组成。最大股东李某持有公司12%的股份。根据公司法律制度的规定，下列各项中，属于甲公司应当在两个月内召开临时股东大会的情形有（　　）。

A.董事人数减至5人　　　　　　　　B.监事陈某提议召开

C.最大股东李某请求召开　　　　　　D.公司未弥补亏损达人民币1 600万元

34　根据公司法律制度的规定，下列有关有限责任公司的表述中，正确的有（　　）。

A.有限责任公司的非职工董事由股东会选举

B.有限责任公司的职工监事通过职工代表大会选举

C.有两个以上国有投资主体作为股东的有限责任公司应设置职工董事

D.有限责任公司监事会成员中可以设置职工代表

35　张三、李四、王五分别出资60万元、20万元、20万元，共同设立甲有限责任公司（以下简称"甲公司"）。甲公司的公司章程规定，公司股东均等行使表决权，且公司董事会由9人组成，监事会由3人组成。除此之外，甲公司的公司章程并无特别约定。根据公司法律制度的规定，下列表述中，正确的有（　　）。

A.李四、王五在股东会上表决同意的，甲公司可以进行减资

B.甲公司监事会中，职工代表人数不得少于1人

C.甲公司的董事会中，无须设置职工董事

D.甲公司的公司章程可以规定，召开股东会时，应提前20日通知全体股东

第4记 99记 知识链接

36 根据公司法律制度的规定，下列表述中正确的有（ ）。

A.公司决议内容违反法律、行政法规的，该决议无效

B.公司决议内容违反公司章程的，该决议可撤销

C.股东会会议的召集程序违反法律、行政法规规定的，该决议可撤销

D.股东就某事项的表决结果并未达到公司章程规定的通过比例，股东会径行作出相应决议的，该决议不成立

第5记 99记 知识链接

37 根据公司法律制度的规定，下列表述中正确的有（ ）。

A.上市公司的董事与董事会决议事项所涉及的企业有关联关系的，不得对该项决议行使表决权

B.经股东大会决议，股份公司可以向其董事提供借款

C.经董事会决议，有限公司可以为其股东提供担保

D.经股东（大）会决议，董事可以经营与公司同类的业务

第4记、第5记 99记 知识链接

38 根据公司法律制度的规定，下列事项中，属于有限公司董事会职权的有（ ）。

A.审议批准公司的年度财务预算方案　　　B.制订公司的利润分配方案

C.制定公司的基本管理制度　　　D.决定聘任或者解聘公司经理

第5记 99记 知识链接

39 根据公司法律制度的规定，下列情况中，可能导致有限责任公司的异议股东享有回购请求权的有（ ）。

A.公司合并　　　　　　　　　　　B.公司分立

C.公司改变组织形式　　　　　　　D.公司转让主要财产

第7记 99记 知识链接

40 甲有限公司（以下简称"甲公司"）注册资本为1 000万元，法定公积金累计额为600万元。根据公司法律制度的规定，下列表述中，正确的有（ ）。

A.甲公司可以不再提取法定公积金

B.甲公司的资本公积金可以用于弥补公司亏损、扩大生产经营、转增公司资本

C.甲公司以法定公积金转增注册资本的，转增后留存的法定公积金可以是150万元

D.如无特别约定，甲公司股东应按照各自实缴出资的比例分配利润

第11记 99记 知识链接

41 已知，投资者保护机构并未持有甲上市公司股票。根据证券法律制度，下列表述中，正确的有（ ）。

A.投资者保护机构可以支持甲上市公司股东向人民法院提起诉讼

B.投资者保护机构可以就甲上市公司提出股东代表诉讼

C.投资者保护机构可以有偿、公开征集甲上市公司股东的表决权

D.投资者保护机构受50名以上投资者委托，可以作为代表人参加诉讼

42 根据证券法律制度的规定，下列表述中，属于首次公开发行股票并在主板上市条件的有（　　）。

A.发行人最近3年内实际控制人没有发生变更

B.最近一期期末无形资产占净资产的比例不低于20%

C.发行后股本总额不少于人民币3 000万元

D.最近一期期末不存在未弥补亏损

43 根据公司法律制度的规定，下列对于上市公司独立董事的表述中，正确的有（　　）。

A.上市公司应当保证独立董事享有与其他董事同等的知情权

B.上市公司向独立董事提供的资料，上市公司及独立董事本人应当至少保存五年

C.独立董事聘请中介机构的费用及其他行使职权时所需的费用由其自行承担

D.上市公司应当给予独立董事适当的津贴，津贴的标准由董事会审议通过

44 根据证券法律制度的规定，甲上市公司的下列机构或人员中，可以作为征集人，自行或者委托证券公司、证券服务机构，公开请求上市公司股东委托其代为出席股东大会，并代为行使表决权等股东权利的有（　　）。

A.持有甲公司3%有表决权股份的股东王某

B.甲公司董事会

C.独立董事刘某

D.职工监事李某

45 根据证券法律制度的规定，上市公司发生下列可能影响债券价格的事项中，在投资者尚未得知时，公司应当立即披露的有（　　）。

A.公司重大资产抵押

B.对外提供担保超过上年末净资产的20%

C.公司发生未能清偿到期债务的情况

D.公司分配股利

46 根据证券法律制度的规定，下列各项中，公开发行优先股的上市公司须在公司章程中予以明确规定的有（　　）。

A.有可分配税后利润时，普通股股东与优先股股东同时分配

B.优先股股东按照约定的股息率分配股息后，不再同普通股股东一起参加剩余利润分配

C.未向优先股股东足额派发股息的差额部分累计到下一会计年度

D.浮动股息率的浮动范围

第18记 99记 知识链接

47　某上市公司就重大资产重组事宜与交易对方签署意向书。在其按照法律规定的时间进行信息披露之前，可能导致该上市公司须提前进行信息披露的事由的有（　　）。

A.本次交易难以保密

B.本次交易已被该公司某董事透露给媒体

C.市场上已出现与本次交易相关的传闻

D.该公司股票价格连续3个交易日异常波动

48　根据证券法律制度的规定，下列有关上市公司非公开发行股票的表述中，正确的有（　　）。

A.发行人控股股东认购的股份自发行结束之日起6个月不得转让

B.每次发行对象不得超过35名

C.发行价格不低于定价基准日前20个交易日公司股票均价的70%

D.必须经出席股东大会会议的股东所持表决权的2/3以上通过方可实施

49　根据证券法律制度的规定，下列表述中，错误的有（　　）。

A.自愿要约的收购比例可以低于上市公司已发行股份的5%

B.收购期限不得少于60日

C.在收购要约确定的承诺期内，收购人不得撤销其收购要约

D.收购要约发出后，收购人可以缩短收购期限

50　甲股份有限公司（以下简称"甲公司"）在上海证券交易所主板上市。在最近一个会计年度中，甲公司经审计的总资产为7 000万元，净资产为3 000万元，营业收入为2 000万元。根据证券法律制度的规定，下列交易中，构成甲公司重大资产重组的有（　　）。

A.甲公司发行股份购买某工业企业全部股权，该工业企业最近一期总资产为4 000万元

B.甲公司出售某厂区土地使用权、厂房和机器设备，其评估值为4 000万元

C.甲公司以现金购买某原料供应商全部股权，该供应商最近一期净资产为2 000万元

D.甲公司以经营性资产出资，参股设立某合资公司，该等经营性资产上一会计年度的营业收入为1 500万元

51　甲股份有限公司（以下简称"甲公司"）于上海证券交易所上市。甲公司发行股份向其控股股东乙有限公司（以下简称"乙公司"）购买资产。本次交易前，乙公司持有甲公司20%股份；本次交易后，乙公司持有甲公司股份的比例将达到40%。在本次交易中，乙公司承诺3年内不转让其通过本次交易取得的新股，并请求免于发出要约。根据证券法律制度，下列表述中，正确的有（　　）。

A.本次交易必须经出席股东大会会议的股东所持表决权的2/3以上通过

B.乙公司不得参与股东大会对于本次交易的表决

C.股东大会合法审议通过本次交易全部议案后，乙公司无须发出收购要约

D.甲公司发行股票的价格不得低于市场参考价的90%

52　根据证券法律制度的规定，下列属于公开发行公司债券的受托管理人之职责的有（　　）。
　　A.在必要时召集债券持有人会议
　　B.在债券存续期内监督发行人募集资金的使用情况
　　C.持续关注担保物情况和增信措施的实施情况
　　D.预计发行人不能偿还债务时，要求发行人追加担保

 第25记　99记　知识链接

53　根据证券法律制度的规定，下列关于可转换债券的表述中，正确的有（　　）。
　　A.可转换公司债券的最长期限为5年
　　B.可转换公司债券的面值为100元
　　C.可转换公司债券自发行结束之日起6个月后才可以转换为公司股票
　　D.公开发行可转换公司债券的，必须提供担保

 第26记　99记　知识链接

54　根据证券法律制度的规定，下列各项中，属于操纵市场行为的有（　　）。
　　A.在自己实际控制的账户之间进行证券交易，影响证券交易价格
　　B.不以成交为目的，频繁或者大量申报并撤销申报
　　C.对证券公开作出评价，并进行反向证券交易
　　D.利用不确定的重大消息，诱导投资者进行证券交易

 第30记　99记　知识链接

55　根据物权法律制度的规定，关于物的分类，下列表述正确的有（　　）。
　　A.国有土地、黄金均为限制流通物
　　B.粮食、金钱属于消费物
　　C.米和汽车均为可分物
　　D.齐白石的画属于不可替代物

 第31记　99记　知识链接

56　根据物权法律制度的规定，下列表述中，正确的有（　　）。
　　A.土地使用权是自物权
　　B.抵押权是他物权
　　C.地役权是独立物权
　　D.土地使用权是不动产物权

 第31记　99记　知识链接

57 张三将自己的一幢房屋卖给李四，双方以书面形式约定，李四不得将该房屋再行转卖。据此，李四向张三支付房款，张三向李四办理该房屋的过户登记。随后，李四与王五约定，以该房屋向王五出质，由王五向李四出借1 000万元，二人分别签署了书面的质押合同、借款合同。李四又与赵六签署房屋买卖合同，将该房屋出卖给赵六。赵六付款后，李四将该房屋过户登记至赵六名下。根据物权法律制度，下列表述中，正确的有（　　　）。

A.赵六不能取得该房屋的所有权，因为张三与李四约定该房屋不得再行转卖

B.赵六可以取得该房屋的所有权，但李四对张三负有违约责任

C.由于王五和李四已签署书面的质押合同，王五可以就该房屋取得质权

D.王五不能就该房屋取得质权

58 乙拾得甲丢失的手机，以市场价500元出卖给不知情的旧手机商丙。根据物权法律制度的规定，下列表述中，正确的有（　　　）。

A.乙拾得手机后，甲即失去手机所有权

B.丙不可以基于善意取得制度取得手机

C.甲有权请求乙给予损害赔偿

D.甲有权请求丙返还手机，但应向丙支付500元

59 根据物权法律制度的规定，下列财产中，可以用于抵押的有（　　　）。

A.建设用地使用权　　　　　　　　B.股权

C.半成品　　　　　　　　　　　　D.正在建造的房屋

60 根据物权法律制度的规定，下列各项中，属于可以质押的应收账款的有（　　　）。

A.销售货物产生的债权　　　　　　B.出租房屋产生的债权

C.公路收费权　　　　　　　　　　D.汇票的付款请求权

61 根据合同法律制度的规定，下列情形中，构成有效承诺的有（　　　）。

A.受要约人向要约人发出承诺函后，随即又发出一封函件表示收回承诺，两封函件同时到达要约人

B.受要约人向要约人回函表示："请在箱子里多塞一些泡沫，其他没问题"

C.受要约人寄出表示承诺的函件时承诺期限还剩一天，但要约人远在国外，要约人收到后未作任何表示

D.要约以对话方式作出，受要约人当即表示同意

第41记　99记　知识链接

62 根据合同法律制度的规定，下列关于格式条款的表述中，正确的有（　　　）。

A.对格式条款的理解发生争议的，应作出不利于格式条款提供方的解释

B.提供格式条款方不得通过格式条款不合理地减轻自身责任

C.提供格式条款方不得通过格式合同排除对方主要权利

D.就格式合同提供方是否尽到法定的说明义务，由格式合同接受方承担举证责任

第41记　99记　知识链接

63 甲向乙借入1 000万元，丙与二人约定，就该笔债务与甲承担连带责任。之后，甲丙二人之间约定，双方按照6∶4的份额承担上述债务。目前，该笔债务已经到期，下列表述中正确的有（　　　）。

A.乙可以要求甲偿还1 000万元

B.乙只可以要求甲偿还600万元

C.如果甲向乙偿还1 000万元，其可以向丙追偿400万元

D.除非乙直接向丙要求偿还400万元，丙无须承担该笔债务

第44记　99记　知识链接

64 根据合同法律制度的规定，下列有关情势变更的表述中，正确的有（　　　）。

A.商业风险可以是情势变更的事由

B.发生情势变更时，当事人可以请求变更或者解除合同

C.发生情势变更时，人民法院应优先考虑解除合同

D.可归责于某方当事人的情况不能作为情势变更的事由

第49记　99记　知识链接

65 下列情形中，一般保证的保证人不得行使先诉抗辩权的有（　　　）。

A.法院已受理债务人破产案件

B.债权人有证据证明债务人丧失履行债务能力

C.债务人下落不明，但法院查明其名下尚有一处房产

D.保证人书面放弃先诉抗辩权

第44记　99记　知识链接

66 甲公司向乙银行借款1 000万元，借款期限自2021年2月2日起，至2023年2月1日止。就该笔借款，丙公司提供保证。借款合同、保证合同签署后，发生如下事项，其中丙公司仍应承担1 000万元保证责任的有（　　　）。

A.甲公司与乙银行约定，追加借款200万元，但未经丙公司同意

B.甲公司与乙银行约定，将借款金额降低至800万元，但未经丙公司同意

C.丁公司与甲公司、乙银行约定，加入该笔债务

D.乙银行将该笔债权转让给其下设的资产管理公司，并就此通知丙公司

第44记、第47记　99记　知识链接

67 根据合同法律制度的规定，下列关于定金的表述中，正确的有（　　　）。

A.定金合同属于诺成合同

B.定金数额不得超过主合同标的额的20%

C.给付定金一方违约的，无权要求返还定金

D.收受定金一方违约的，应当双倍返还定金

第46记

68 根据合同法律制度的规定，下列关于抵销的表述中，正确的有（　　　）。

A.法定抵销权属于请求权

B.满足法定抵销的条件，任何一方都可以将自己的债务与对方的到期债务抵销

C.法定抵销属于单方民事法律行为

D.法定抵销可以附条件或期限

第48记

69 甲为庆祝好友乙60岁生日，拟赠与其古董瓷瓶一只。但双方约定，瓷瓶交付乙后，甲可以随时借用该瓷瓶。根据合同法律制度的规定，下列表述中，正确的有（　　　）。

A.瓷瓶交付乙前，甲不得撤销赠与

B.瓷瓶交付乙前，若甲的经济状况显著恶化，严重影响其生活，可不再履行赠与义务

C.瓷瓶交付乙后，若甲请求借用时被乙拒绝，甲可以撤销赠与

D.如乙故意将甲杀害，甲的儿子有权在知悉此事后1年内撤销该赠与

第54记

第二模块　极致性价比

（建议用时：1小时）

你感受到的压力，都是来自于自己不努力不积极，而又不甘于现状的恐慌。

本模块主要包括合伙企业法律制度、破产法律制度和票据法律制度的内容。其中，合伙企业法律制度的内容，是客观题的高频考点，学习难度较小，是得分的利器。破产法律制度和票据法律制度的内容，在主观题和客观题都会涉及，但是客观题考核题量相对较少，考点较为明确。请通过如下试题练习。

一、单项选择题

70 境外甲私募基金与境内乙有限责任公司拟合作设立丙合伙企业。根据合伙企业法律制度的规定，下列关于丙合伙企业的表述中，正确的是（　　　）。
A.甲出资的货币应当是人民币　　　B.应当由乙负责办理审批手续
C.应当由丙缴纳企业所得税　　　　D.应当领取外商投资合伙企业营业执照

第73记　99记　知识链接

71 根据合伙企业法律制度的规定，在有限合伙企业中，下列表述中，错误的是（　　　）。
A.合伙协议不得约定部分合伙人承担合伙企业的全部亏损
B.合伙协议不得约定部分合伙人享有合伙企业的全部利润
C.除非合伙协议另有约定，有限合伙人可以出质其财产份额
D.有限合伙人可以转让其财产份额

第73记、第77记　99记　知识链接

72 赵某、钱某、孙某、李某共同设立甲普通合伙企业，四人认缴出资的比例为1：2：3：4。截至目前，四人实缴出资的金额相同。赵某个人对周某负有10万元到期债务，无力清偿；同时，周某对甲合伙企业负有20万元债务。此外，吴某对甲合伙企业拥有100万元债权，但甲合伙企业目前的合伙财产仅有40万元。已知甲合伙企业的合伙协议中对于损益承担事宜并无约定，根据合伙企业法律制度的规定，下列表述中，正确的是（　　　）。
A.甲合伙企业的全体合伙人可以签署补充协议，约定由赵某承担该合伙企业全部亏损
B.如该合伙企业分配利润，各合伙人对于分配比例无法协商一致，则应平均分配

C.赵某可以向周某提出，以其债务抵销周某对甲合伙企业负有的债务

D.由于合伙财产不足以清偿全部债务，吴某可以直接要求合伙人孙某承担合伙企业对其负有的全部债务

第73记、第77记　99记　知识链接

73　国有企业甲、上市公司乙、自然人丙拟共同投资设立一个合伙企业。根据合伙企业法律制度的规定，下列表述中，正确的是（　　　）。

A.该合伙企业的名称可以带有"特殊普通合伙"字样

B.丙不得以劳务出资

C.上市公司乙可以参与决定普通合伙人的入伙事宜

D.如合伙协议无特殊约定，甲、乙、丙三方是合伙事务的共同执行人

第73记、第74记　99记　知识链接

74　根据合伙企业法律制度的规定，如合伙协议并无特殊约定，下列表述中，正确的是（　　　）。

A.有限合伙人丧失民事行为能力的，则当然退伙

B.有限合伙人违反合伙协议约定的，应被除名

C.作为有限合伙人的自然人丧失偿债能力后，其当然退伙

D.有限合伙人死亡，其继承人依法取得其在该有限合伙企业中的资格

第75记　99记　知识链接

75　根据企业破产法律制度的规定，下列主体中可以担任甲有限公司（以下简称"甲公司"）破产管理人的是（　　　）。

A.曾在近三年内担任甲公司常年法律顾问的乙律师事务所

B.对甲公司享有1 000万元到期债权的丙公司

C.甲公司现任监事会主席丁某

D.破产申请受理前，根据有关规定成立的甲公司行政清算组

第58记　99记　知识链接

76　根据企业破产法律制度的规定，下列各项中，属于免于申报的破产债权是（　　　）。

A.税收债权　　　　　　　　　　　　B.社会保障债权

C.职工劳动债权　　　　　　　　　　D.对债务人特定财产享有担保权的债权

第61记　99记　知识链接

77　根据票据法律制度的规定，票据质押中，如出质人未在票据上记载"质押""担保""设质"等字样即作成背书并交付，其后果是（　　　）。

A.该次背书不发生票据效力　　　　　B.该次背书构成转让背书

C.该次背书构成票据贴现　　　　　　D.该次背书构成票据承兑

第65记　99记　知识链接

78　根据票据法律制度的规定，下列表述中，正确的是（　　　）。

A.承兑人在票据上的签章不符合法律规定的，票据无效

B.票据上的收款人名称不得更改

C.票据金额的阿拉伯数字和中文大写不一致的,以中文大写为准

D.票据背书附条件的,背书无效

二、多项选择题

79　根据相关法律制度的规定,下列各项表述中,正确的有(　　　)。

A.有限公司可以只有1个股东,但合伙企业至少要有2个合伙人

B.个人独资企业可以做普通合伙人,但国有独资公司不能做普通合伙人

C.合伙协议自全体合伙人签章之日生效,但合伙企业自营业执照下发之日设立

D.有限公司股东不得以劳务出资,但普通合伙企业的合伙人可以劳务出资

第73记 99记 知识链接

80　甲为某普通合伙企业中执行合伙事务的合伙人。甲为清偿其对合伙企业以外的第三人乙的20万元个人债务,私自将合伙企业的一台工程机械以25万元的市价卖给善意第三人丙并交付。甲用所获价款中的20万元清偿了对乙的债务,剩余5万元被其挥霍一空。除甲外,该合伙企业还有张三、李四、王五三位合伙人,甲与该三人持有的财产份额比例分别为6∶1∶2∶1,且合伙企业中对于合伙事务的表决事宜并无特别约定。根据合伙企业法律制度的规定,下列表述中,错误的有(　　　)。

A.合伙企业有权从丙处取回工程机械

B.乙应将20万元款项直接返还给合伙企业

C.经甲同意,该合伙企业即可对外投资设立新公司

D.经甲、张三、李四同意,该合伙企业即可对外提供担保

81　甲、乙、丙共同出资设立一特殊普通合伙企业,甲、乙、丙的出资分别为50万元、25万元、25万元,均已实缴。甲在执业活动中因重大过失造成合伙企业债务,以合伙企业全部财产偿还后,仍有余债100万元,根据合伙企业法律制度,下列表述中,正确的有(　　　)。

A.甲应承担无限责任,乙、丙无须以个人财产承担责任

B.甲应承担无限责任,乙、丙以25万元范围承担补充责任

C.该合伙企业应建立执业风险基金、办理职业保险

D.执业风险基金应单独立户管理

第74记、第76记 99记 知识链接

82　普通合伙人甲、乙、丙、丁分别持有某合伙企业18%、20%、27%和35%的财产份额。合伙协议约定:合伙人对外转让财产份额应当经持有2/3以上合伙财产份额的合伙人同意。根据合伙企业法律制度的规定,下列表述中,正确的有(　　　)。

A.经丙、丁同意,甲即可将其财产份额转让给戊

B.经丙、丁同意,甲即可将其财产份额出质给戊

C.无需经丙、丁同意,甲即可将其财产份额转让给乙

D.甲向戊转让其财产份额的,乙、丙、丁在同等条件下享有优先购买权

83　根据合伙企业法律制度的规定，下列关于有限合伙企业的表述中，正确的有（　　）。

A.有限合伙人应具有完全民事行为能力

B.合伙事务执行人不得要求合伙企业就执行事务的劳动付出支付报酬

C.在合伙协议无相反约定的情况下，有限合伙人可以同本企业进行交易

D.在合伙协议无相反约定的情况下，有限合伙人可以经营与本企业相竞争的业务

第73记、第74记　99记　知识链接

84　根据合伙企业法律制度的规定，下列各项中，属于普通合伙人当然退伙事由的有（　　）。

A.合伙人死亡　　　　　　　　　B.合伙人被责令关闭

C.合伙人未履行出资义务　　　　D.合伙人个人丧失偿债能力

第75记　99记　知识链接

85　根据合伙企业法律制度的规定，下列关于有限合伙人入伙和退伙责任的表述中，正确的有（　　）。

A.有限合伙人对基于其退伙前的原因发生的合伙企业债务，以其退伙时从合伙企业中取回的财产承担责任

B.有限合伙人对基于其退伙前的原因发生的合伙企业债务，以其实缴的出资额为限承担责任

C.新入伙的有限合伙人对入伙前合伙企业的债务，以其认缴的出资额为限承担责任

D.新入伙的有限合伙人对入伙前合伙企业的债务承担无限连带责任

第75记　99记　知识链接

86　根据票据法律制度的规定，汇票出票时，下列情况中可以导致汇票无效的有（　　）。

A.票据缺少出票日期　　　　　　B.票据缺少付款日期

C.票据支付文句附条件　　　　　D.记载"不得转让"

第65记　99记　知识链接

87　根据票据法律制度的规定，支票的下列记载事项中，可以由出票人授权补记的有（　　）。

A.出票日期　　　B.收款人名称　　　C.票据金额　　　D.付款人名称

第66记　99记　知识链接

88　根据票据法律制度的规定，下列各项中，属于票据上的主债务人的有（　　）。

A.汇票的承兑人　　B.汇票的出票人　　C.本票的出票人　　D.支票的付款人

第66记　99记　知识链接

89　根据票据法律制度的规定，下列关于票据变造的表述中，正确的有（　　）。

A.变造前在票据上签章的票据行为人，依照原记载事项负责

B.变造后在票据上签章的票据行为人，依照变造后的记载事项负责

C.不能辨别是在票据被变造之前或者之后签章的，视同在变造之后签章

D.如果变造人也是票据上的签章人，变造人应解释为在变造后的票据行为人

第71记　99记　知识链接

第三模块　考前背多分

（建议用时：1.5 小时）

把模棱两可的三分钟热度变成一往无前的决心。

本模块主要包括法律基础知识、基本民事法律制度、企业国有资产法律制度、反垄断法律制度、涉外经济法律制度五个章节的内容，涉及较多需背记的内容，需要在题目完成后再加以适当的背记。

一、单项选择题

90　下列关于法律渊源的表述中，正确的是（　　　）。
　　A.基本法律仅能由全国人大制定、补充和修改
　　B.行政法规的地位和效力仅次于宪法和法律
　　C.有地方立法权的地方人民政府可以制定地方性法规
　　D.只有最高人民法院可以进行司法解释

91　下列关于法律渊源的表述中，正确的是（　　　）。
　　A.全国人大常委会有权部分修改由全国人大制定的基本法律
　　B.除最高人民法院外，其他国家机关无权解释法律
　　C.地方性法规是指地方人民政府就地方性事务制定的规范性法律文件的总称
　　D.部门规章可以设定减损公民、法人和其他组织权利或增加其义务的规范

92　下列各项法律规范中，属于确定性规范的是（　　　）。
　　A.供用水、供用气、供用热力合同，参照供用电合同的有关规定
　　B.法律、行政法规禁止或者限制转让的标的物，依照其规定
　　C.上市公司设独立董事，具体办法由国务院规定
　　D.因正当防卫造成损害的，不承担民事责任

93　下列关于法律规范的表述中，错误的是（　　　）。
　　A.规范性法律文件是法律规范的载体　　B.法律规范是法律条文的唯一内容
　　C.一个法律条文可以反映若干法律规范　　D.法律条文是法律规范的表现形式

第79记　99记　知识链接

94 根据民事法律制度的规定，下列各项中，属于无权利能力的是（　　）。

A.刚出生的婴儿　　　　　　　　　B.植物人

C.病理性醉酒的人　　　　　　　　D.智能机器人

第80记　99记　知识链接

95 王某13周岁生日时，爷爷送其价值1万元的电脑一台，奶奶送其价值50元的棒球帽一顶。同年某天，王某未事先征得法定代理人的同意，将其电脑与棒球帽分别赠送给同班同学。下列关于王某行为效力的表述中，正确的是（　　）。

A.赠送棒球帽的行为效力待定　　　B.受赠棒球帽的行为有效

C.赠送电脑的行为无效　　　　　　D.受赠电脑的行为效力待定

第80、81记　99记　知识链接

96 关于法律主体，下列表述中，错误的是（　　）。

A.合伙企业属于法律关系的主体

B.基金会属于营利法人

C.有限公司的权利能力、行为能力同时产生

D.法人的行为能力通过其法定代表人或其他代理人实现

第80记　99记　知识链接

97 根据民事行为法律制度的规定，下列行为中，不属于可撤销的民事法律行为的是（　　）。

A.李某误以为赵某的镀金表为纯金表而花高价购买

B.陈某受王某胁迫与其签订房屋租赁合同

C.刘某超越代理权以甲公司的名义与乙公司签订买卖合同

D.孙某受蔡某欺诈与其签订买卖合同

第81记　99记　知识链接

98 根据民事法律制度的规定，下列行为中，可以适用代理制度的是（　　）。

A.缔结买卖合同　　　　　　　　　B.结婚

C.订立遗嘱　　　　　　　　　　　D.整理学术资料

第82记　99记　知识链接

99 甲公司授权张某代理采购事宜，并向供应商乙公司出具书面说明，确认自2021年1月1日至2022年12月31日期间，张某有权代理甲公司向乙公司购买钢材。为实施代理事宜，甲公司给张某若干空白合同书，其上盖有甲公司合同章。2021年6月，因双方合作不愉快，甲公司与张某解除代理关系，但一直未通知乙公司。根据民事法律制度的规定，下列表述中，错误的是（　　）。

A.如张某解除代理关系后仍代理甲公司与乙公司签署钢材买卖合同，则张某构成无权代理

B.2021年8月1日，张某以甲公司名义与乙公司签署钢材买卖合同，则该买卖合同对甲公司有约束力

C.2021年8月1日，张某以甲公司名义与乙公司签署木材买卖合同，则该买卖合同对甲公司有约束力

D.如张某以甲公司名义与丙公司签署木材买卖合同，则该买卖合同效力待定

100　根据民事法律制度的规定，下列各项中，不属于要约邀请的是（　　　）。

A.招股说明书　　　　　　　　　　B.招标公告

C.悬赏广告　　　　　　　　　　　D.寄送的价目表

101　甲、乙两公司的住所地分别位于北京和海口。甲向乙购买一批海南产香蕉，3个月后交货。但合同对于履行地点和价款均无明确约定，双方也未能就有关内容达成补充协议，依照合同其他条款及交易习惯也无法确定。根据合同法律制度的规定，下列关于合同履行价格的表述中，正确的是（　　　）。

A.按合同订立时海口的市场价格履行

B.按合同订立时北京的市场价格履行

C.按合同履行时海口的市场价格履行

D.按合同履行时北京的市场价格履行

102　甲公司与乙公司签订买卖合同，约定甲公司先向乙公司支付货款，乙公司再向甲公司交付货物。后来乙公司经营状况严重恶化，对于乙公司提出的给付请求权，甲公司拟行使不安抗辩权。根据合同法律制度的规定，下列关于不安抗辩权行使的表述中，不正确的是（　　　）。

A.甲公司行使不安抗辩权，必须有确切证据证明乙公司经营状况严重恶化

B.乙公司提供相应担保的，甲公司应当恢复合同的履行

C.甲公司可以通过行使不安抗辩权直接解除合同

D.甲公司行使不安抗辩权而中止履行的，应当及时通知乙公司

第42记　99记　知识链接

103　乙对甲负有1 000万元到期债务，无力偿还。经调查，甲发现乙在该笔债务存续期间存在如下情况。根据合同法律制度的规定，以下情况中，甲可以行使代位权的是（　　　）。

A.乙对丙享有200万元到期货款债权，乙曾就此向丙发函催要

B.乙对丁享有300万元到期服务费债权，乙已经就此起诉丁催要该等款项

C.乙曾遭遇车祸，并因此对肇事司机戊享有20万元人身损害赔偿请求权

D.乙曾为他人提供担保，且接受担保方明知乙对甲负有到期债务

第43记　99记　知识链接

104 甲公司向乙银行借款20万元，借款期限为2年。借款期满后，甲公司无力偿还借款本息，此时甲公司对丙公司享有到期债权10万元，却怠于主张，乙银行拟行使代位权。根据合同法律制度的规定，下列关于乙银行行使代位权的表述中，符合规定的是（   ）。

A.乙银行应当以甲公司的名义行使对丙公司的债权

B.乙银行行使代位权应取得甲公司的同意

C.乙银行应自行承担行使代位权所支出的必要费用

D.乙银行必须通过诉讼方式行使代位权

105 甲小学为了"六一"儿童节学生表演节目的需要，向乙服装厂订购了100套童装，约定在"六一"儿童节前一周交付。5月28日，甲小学向乙服装厂催要童装，却被告知，因布匹供应问题6月3日才能交付童装，甲小学因此欲解除合同。根据合同法律制度的规定，下列关于该合同解除的表述中，正确的是（   ）。

A.甲小学应先催告乙服装厂履行，乙服装厂在合理期限内未履行的，甲小学才可以解除合同

B.甲小学可以解除合同，无须催告

C.甲小学无权解除合同，只能要求乙服装厂承担违约责任

D.甲小学无权自行解除合同，但可以请求法院解除合同

106 甲公司向乙公司购买机器设备，约定乙公司先发货，甲公司在收货后付款。合同约定的送货日期当天，甲公司无故拒绝收货，乙公司遂将该设备依法提存，并通知甲公司。合同约定的付款期满，甲公司拒绝付款。根据合同法律制度的规定，下列表述中错误的是（   ）。

A.乙公司提存后，其已完成发货义务

B.乙公司提存后，该设备损毁灭失的风险由甲公司承担

C.若甲公司不予付款，乙公司有权取回该设备，提存费用由甲公司负担

D.如甲公司要求领取该设备，提存部门应予拒绝

107 甲公司欲出售其机器设备，先后与乙公司、丙公司签署买卖合同。根据合同法律制度的规定，下列表述中，正确的是（   ）。

A.如甲公司先将该设备交付给乙公司，则甲公司与丙公司之间的买卖合同无效

B.如甲公司先将该设备交付给乙公司，则丙公司有权要求乙公司将该设备归还甲公司

C.如乙公司先行付款，但甲公司先将该设备交付给丙公司，则丙公司取得该设备

D.乙公司、丙公司共有该机器设备

108 甲、乙签订买卖合同，甲向乙购买机器5台及附带的维修工具，机器编号分别
为E、F、G、X、Y，拟分别用于不同厂区。乙向甲如期交付5台机器及附带的
维修工具。经验收，E机器存在重大质量瑕疵而无法使用，F机器附带的维修
工具亦属不合格品，其他机器及维修工具不存在质量问题。根据合同法律制
度的规定，下列关于甲如何解除合同的表述中，正确的是（　　　）。
A.甲可以解除5台机器及维修工具的买卖合同
B.甲只能就买卖合同中E机器的部分解除
C.甲可以就买卖合同中E机器与F机器的部分解除
D.甲可以就买卖合同中F机器的维修工具与E机器的部分解除

第50记 99记 知识链接

109 甲公立医院向乙公司以融资租赁形式承租一台呼吸机，该呼吸机的型号、厂
家均由甲公立医院自行决定。此外，甲公立医院向丙公司租赁房屋一处用作
仓库。根据合同法律制度的规定，下列表述中，正确的是（　　　）。
A.如无特别约定，应由丙公司承担该房屋的维修义务
B.如无特别约定，应由乙公司承担该呼吸机的维修义务
C.在融资租赁关系中，该呼吸机归甲公立医院所有
D.该房屋用作仓库期间，为出售该房屋，丙公司有权要求甲公立医院清退该处房屋

第51记、第52记 99记 知识链接

110 根据企业国有资产法律制度的规定，下列有关国家出资企业的表述中，正确
的是（　　　）。
A.国有独资企业系根据《公司法》设立
B.履行出资人职责的机构可以任免国有资本控股公司的非职工董事
C.人民政府履行出资人职责时应做到政企分开，不干预企业依法自主经营
D.国有资本控股公司改为非国有资本参股公司的，不属于改制

第84记 99记 知识链接

111 根据反垄断法律制度的规定，下列关于相关市场界定的表述中，正确的是（　　　）。
A.只有滥用市场支配地位案件，才需要界定相关市场
B.界定相关市场的基本标准是商品间较为紧密的相互替代性
C.任何反垄断案件的分析中，相关市场均应从商品、地域和时间三个维度界定
D.供给替代是界定相关市场的主要分析视角

第88记、第92记 99记 知识链接

112 根据反垄断法律制度的规定，下列关于反垄断行政执法的表述中，错误的是（　　　）。
A.国家发改委和商务部主管反垄断行政执法工作
B.反垄断执法机构调查时可以查询经营者的银行账户
C.反垄断执法机构查实经营者的行为构成违法垄断的，不接受中止调查申请
D.经营者承诺制度主要适用于垄断协议和滥用市场支配地位案件

第89记 99记 知识链接

113　根据反垄断法律制度的规定，下列关于反垄断民事诉讼制度的表述中，正确的是（　　）。

A.作为间接购买人的消费者，不能作为垄断民事案件的原告

B.原告起诉时，被诉垄断行为已经持续超过3年，被告提出诉讼时效抗辩的，损害赔偿应当自原告向人民法院起诉之日起向前推算3年计算

C.原告提起反垄断民事诉讼，须以反垄断执法机构认定相关垄断行为违法为前提

D.在反垄断民事诉讼中，具有相应专门知识的人员出庭就案件专门性问题所作说明，属于《民事诉讼法》上的证人证言

114　根据反垄断法律制度的规定，下列关于垄断协议的表述中，正确的是（　　）。

A.垄断协议违法行为导致的民事诉讼遵循"谁主张、谁举证"的基本原则

B.生产或销售同类商品的多个经营者之间就同一商品约定以高价出售的，构成纵向垄断协议

C.纵向垄断协议是危害最大的垄断行为

D.限定向第三人转售商品的最低价格的纵向垄断协议为我国反垄断法所禁止

115　根据反垄断法律制度的规定，下列横向垄断协议中，反垄断执法机构可以接受经营者提出的承诺而中止调查的是（　　）。

A.涉嫌固定交易价格　　　　　　　　B.涉嫌限制交易数量

C.涉嫌分割销售市场　　　　　　　　D.涉嫌联合抵制交易

116　根据对外贸易法律制度的规定，下列关于对外贸易经营者的表述中，正确的是（　　）。

A.对外贸易经营者仅包括法人和其他组织

B.对外贸易经营者无须专门许可

C.对外贸易经营者不需要备案登记

D.国营贸易的对外贸易经营者一定是国营企业

117　下列关于我国国营贸易制度的表述中，符合对外贸易法律制度规定的是（　　）。

A.实行国营贸易管理的货物进出口业务只能由经授权的企业专属经营，一律不得由其他企业经营

B.实行国营贸易管理的货物和经授权经营企业的目录，由商务部会同国务院其他有关部门确定、调整并公布

C.国家可以对全部货物的进出口实行国营贸易管理

D.判断一个企业是不是国营贸易企业，关键是看该企业的所有制形式

118　根据对外贸易法律制度的规定，我国对限制进出口的技术实行的是（　　）。

A.许可证管理　　　　　　　　　　　B.关税配额及许可证管理

C.配额管理　　　　　　　　　　　　D.备案登记管理

二、多项选择题

119 下列属于全面推进依法治国基本原则的有（　　　）。
A.坚持中国共产党的领导　　　　　　　B.坚持人民主体地位
C.坚持法律面前人人平等　　　　　　　D.坚持依法治国和以德治国相结合

第78记　

120 下列关于法律关系的表述中，正确的有（　　　）。
A.张三与李四约定明天共进晚餐，因此二人之间产生法律关系
B.国家可以是法律关系的主体
C.不作为的行为可以是法律关系的客体
D.智力成果可以是法律关系的客体

第80记　

121 根据民事法律制度的规定，下列关于民事法律行为的表述中，错误的有（　　　）。
A.张某自行建造房屋一座并取得该房屋的所有权，该行为属于民事法律行为
B.赠与是单方法律行为、无偿法律行为以及处分行为
C.如订立合同是双方法律行为，则当事人就此行使法定解除权的行为也是双方法律行为
D.经公证的赠与合同不得撤销，因此赠与是要式法律行为

第81记　

122 根据民事法律制度得的规定，下列关于意思表示的表述中，正确的有（　　　）。
A.遗嘱行为包含意思表示，但该意思表示并无相对人
B.以对话方式发出的要约，自受要约人知道其内容时生效
C.如符合交易习惯，沉默也可以作为意思表示的方式
D.撤回承诺的意思表示与承诺同时到达要约人的，可以发生承诺撤回的效果

第81记　

123 根据民事法律制度的规定，下列关于民事法律行为效力的表述中，正确的有（　　　）。
A.无效法律行为自始无效，而可撤销法律行为在被撤销前应属有效
B.无效法律行为当然无效，而效力待定法律行为经追认后则有效
C.无效法律行为绝对无效，不能通过当事人的行为予以补正
D.无效法律行为当然无效，但应经人民法院确认

第81记　

124 根据民事法律制度的规定，下列各项中，属于附条件法律行为的有（　　　）。
A.郭某与金某约定，如金某在今年结婚，则将一个古董花瓶送给金某
B.陈某与孙某约定，赵某死亡时，陈某将其珍藏的挂钟卖给孙某
C.于某与刘某约定，如果眼前的付某出生时没哭，就把自己的一块手表送给刘某
D.徐某将其吹风机借给崔某，双方约定，如崔某秃顶了，则应归还该吹风机

第81记　99记　知识链接

125 根据民事法律制度的规定，下列关于诉讼时效的表述中，错误的有（　　）。

A.诉讼时效届满，债务人产生抗辩权，权利人的实体权利相应消灭

B.诉讼时效届满，债务人未提出诉讼时效抗辩的，人民法院应向其释明

C.根据意思自治原则，当事人可以通过协议改变具体法律关系中诉讼时效的长度

D.诉讼时效届满，债务人主动履行债务的，债权人应予退回

第83记 99记 知识链接

126 根据民事法律制度的规定，下列各项中，属于诉讼时效中止法定事由的有（　　）。

A.权利人被义务人控制

B.权利人是无行为能力人且法定代理人死亡

C.权利人为主张权利，申请法院宣告义务人死亡

D.权利人向人民法院申请义务人破产

第83记 99记 知识链接

127 根据民事法律制度的规定，下列表述中正确的有（　　）。

A.涉外货物买卖合同争议中，权利人的诉讼时效长度为4年，其属于最长诉讼时效

B.最长诉讼时效自权利被侵害时起算

C.请求他人不作为的债权请求权，应自权利人知道义务人违反不作为义务时起算

D.普通诉讼时效长度为3年

第83记 99记 知识链接

128 根据企业国有资产法律制度的规定，下列表述中正确的有（　　）。

A.企业国有资产属于国家所有，即全民所有，国务院代表国家行使其所有权

B.国务院和地方人民政府代表国家对国家出资企业履行出资人职责

C.国有资本投资、运营公司对授权范围内的国有资本履行出资人职责

D.金融企业国有资产的监督管理部门是财政部门

第84记 99记 知识链接

129 根据企业国有资产法律制度的规定，下列表述中正确的有（　　）。

A.国有资产无偿划转的，无须评估

B.国有资产转让、置换的，应当评估

C.国家出资企业接受非国有单位以非货币资产出资的，应当评估

D.国有上市公司流通股转让的，无须评估

第85记、第86记 99记 知识链接

130 根据企业国有资产管理法律制度的规定，下列各项中，属于国家出资企业的有（　　）。

A.国有独资企业　　　　　　　　　　B.国有独资公司

C.国有资本控股公司　　　　　　　　D.国有资本参股公司

第84记 99记 知识链接

131 根据反垄断法律制度的规定，下列表述中正确的有（　　）。

A.经营者依法行使知识产权的行为不适用反垄断法

B.农业生产者在农产品运输中实施的联合行为排除适用反垄断法

C.铁路、电信等行业的国有垄断企业达成垄断协议的，不适用反垄断法

D.中华人民共和国境外的垄断行为，不适用反垄断法

第88记 99记 知识链接

132 根据反垄断法律制度的规定，下列情形中，属于反垄断法禁止的滥用市场支配地位行为的有（　　）。

A.以不公平的高价销售商品

B.以不公平的低价购买商品

C.以低于成本的价格销售商品

D.没有正当理由，拒绝与交易相对人进行交易

第91记 99记 知识链接

133 根据外商投资法律制度的规定，下列关于外商投资的表述中，正确的有（　　）。

A.外国投资者与中国企业在中国境内合资设立外商投资企业

B.外国投资者单独在中国境内投资新建项目

C.外国投资者收购中国境内企业的股权

D.外国投资者通过协议控制方式间接投资中国境内企业

第94记 99记 知识链接

134 根据涉外投资法律制度的规定，下列关于外商投资安全审查的表述中，正确的有（　　）。

A.外商投资安全审查的日常工作由国家发改委和商务部牵头

B.外商投资重要农产品的，应在实施投资前主动申报

C.经一般审查，认为外商投资项目可能影响国家安全的，应予禁止

D.外商投资安全审查期间，当事人不得实施投资

第95记 99记 知识链接

135 根据对外贸易法律制度的规定，下列属于反倾销措施的有（　　）。

A.保障措施　　　　　　　　　B.临时反倾销措施

C.价格承诺　　　　　　　　　D.反倾销税

第97记 99记 知识链接

136 下列各项中，属于我国《外汇管理条例》所规定的外汇的有（　　）。

A.中国银行开出的欧元本票　　　B.境内机构持有的境外上市公司股票

C.中国政府持有的特别提款权　　　D.中国公民持有的日元现钞

第98记 99记 知识链接

137 根据外汇管理法律制度的规定，下列货币中，属于特别提款权货币篮组成货币的有（　　）。

A.美元　　　　　　B.日元　　　　　　C.人民币　　　　　D.加拿大元

第98记 99记 知识链接

第四模块　集训主观题

（建议用时：3 小时）

命运不会辜负每一个认真而努力的人。

本模块主要包括物权法律制度、合同法律制度、公司法律制度、证券法律制度、破产法律制度和票据法律制度的内容。考试中每套试卷主观题合计分值50分，需要重点把握，建议先通过如下试题进行集训后，再将《99记》中"必背法条"进行背记。

138　A公司向B公司购买一批医疗物资，合同金额为600万元。为支付货款，A公司向B公司签发了一张纸质银行承兑汇票。但因工作人员疏忽，汇票金额被记载为900万元。甲银行与A公司签署承兑协议后，作为承兑人在该汇票的票面上签章；后该承兑协议因重大误解而被人民法院撤销。

B公司收到汇票后，将其背书转让给C公司用于偿还房屋租金，但未在被背书人栏内记载C公司的名称。

C公司欠D公司一笔装修费用，遂直接将D公司记载为B公司的被背书人，并将该汇票交给D公司。D公司随后将该汇票背书转让给E公司用于支付咨询费，并在该汇票上注明"不得转让"字样。E公司随即又将该汇票背书转让给F公司，用于支付在线办公系统开发费用。

F公司于汇票到期日向银行提示付款，甲银行以其与A公司之间的承兑协议已被撤销为由拒付。F公司遂向前手行使追索权。A公司辩称，900万元票面金额系错误记载，其仅应在600万元合同金额范围内承担票据责任。D公司辩称，其已在汇票上明确记载"不得转让"字样，E公司仍擅自转让，故D公司无须向F公司承担票据责任。（2020年案例分析题）

要求：

根据上述内容，分别回答下列问题：

（1）甲银行拒绝向F公司付款的理由是否成立？并说明理由。

（2）A公司关于其仅应在600万元合同金额范围内承担票据责任的主张是否成立？并说明理由。

（3）D公司关于其无须向F公司承担票据责任的主张是否成立？并说明理由。

（4）C公司是否应当承担票据责任？并说明理由。

第67记、第70记　99记　知识链接

139　A公司为支付工程款，向B公司签发了一张以甲银行为承兑人、金额为50万元的纸质银行承兑汇票。甲银行作为承兑人在票面上签章。

B公司财务人员项某利用职务之便将汇票盗出，伪造B公司财务专用章和法定代表人签章，将汇票背书转让给与其合谋的C公司。C公司又将该汇票背书转让给D公司，用于偿付货款。D公司对于汇票伪造一事不知情。

后D公司被E公司吸收合并，E公司于汇票到期日向甲银行提示付款。甲银行以E公司不是汇票上的被背书人为由拒付，E公司遂向B公司、C公司追索。B公司拒绝，理由是：票据转让背书系项某与C公司合谋伪造，C公司及其后手D公司均未取得票据权利。（2020年案例分析题）

要求：

根据上述内容，分别回答下列问题：

（1）C公司是否取得票据权利？并说明理由。

（2）D公司是否取得票据权利？并说明理由。

（3）B公司是否应当承担票据责任？并说明理由。

（4）A公司是否应当承担票据责任？并说明理由。

第69记、第70记　99记　知识链接

140　2020年3月5日，债权人B公司向人民法院提出了针对A公司的破产申请。A公司欲与B公司协商和解，但未取得实质性进展，遂向人民法院提出针对破产申请的异议，称公司目前只是暂时性资金周转困难，其实际资产水平远高于负债，一个月之后即可偿付所欠B公司债务，据此主张人民法院不应受理该破产申请。

人民法院于2020年3月20日裁定受理对A公司的破产申请，并指定管理人。管理人接管A公司后发现以下情况：

（1）A公司于2020年3月21日擅自向C公司清偿到期债务50万元。在该笔债务设定之时，A公司以其厂房为其中30万元债务设立了抵押担保，并且办理了抵押登记。目前，该厂房的市场价值为200万元。

（2）A公司于2019年9月15日向D公司提前清偿了一笔债务，该债务原本应于2020年3月10日到期。有债权人提出，管理人应向人民法院申请撤销A公司对该笔债务的清偿行为。

（3）A公司于2020年2月向E公司订购了一批货物，并支付了部分货款。E公司于2020年3月19日向A公司发货。3月25日货物到达A公司后，E公司得知人民法院已受理A公司破产申请，遂向管理人要求取回货物。

（4）A公司的仓库中储存了一批F公司寄存的高档水果，且已有部分出现变质，管理人遂将其变卖。F公司向管理人主张取回水果变卖后所得价款。（2020年案例分析题）

要求：

根据上述内容，分别回答下列问题。

（1）A公司对破产申请提出的异议是否成立？并说明理由。

（2）A公司对C公司债务的清偿行为是否有效？并说明理由。

（3）管理人是否有权请求人民法院撤销A公司对D公司债务的清偿行为？并说明理由。

（4）管理人是否应当准许E公司取回货物？并说明理由。

（5）F公司是否有权取得水果变卖价款？并说明理由。

第12记、第56记、第59记、第60记　99记　知识链接

141　2015年，甲公司经A市B县工商行政管理机关登记设立。此后，甲公司以A市C县为主要办事机构所在地开展经营活动。2019年5月15日，因甲公司不能清偿到期债务且明显缺乏清偿能力，债权人向人民法院提出对甲公司的破产申请。

2019年6月12日，人民法院受理破产案件，并指定管理人。管理人在履行职责过程中发现下列情形：

（1）甲公司股东王某认缴出资50万元，出资期限为公司设立后5年内。王某已向甲公司实缴出资10万元。管理人要求王某缴纳剩余40万元出资，王某先以出资缴纳期限尚未届满为由拒绝，后又向管理人提出以甲公司欠其40万元借款本息抵销其欠缴出资。

（2）2019年3月，乙公司与甲公司签订仓储合同，将一批红木交由甲公司保管。2019年4月，甲公司擅自将该批红木以市场价格售予不知情的第三人丙公司并已交付，取得价款80万元。破产案件受理后，乙公司了解到相关情况，遂要求丙公司返还红木。遭到丙公司拒绝后，乙公司又向管理人主张就甲公司出售红木所得80万元货款行使取回权。（2020年案例分析题）

要求：

根据上述内容，分别回答下列问题：

（1）甲公司破产案件应由何地基层人民法院管辖？并说明理由。

（2）王某拒绝缴纳剩余40万元出资的理由是否成立？并说明理由。

（3）王某以甲公司欠其40万元借款本息抵销其欠缴出资的主张是否成立？并说明理由。

（4）乙公司是否有权要求丙公司返还红木？并说明理由。

（5）对于甲公司出售红木所得80万元货款，乙公司是否享有取回权？并说明理由。

第34记、第56记、第57记、第58记、第59记　99记　知识链接

142　2019年9月5日，人民法院受理债权人针对债务人甲公司提出的破产申请。随后，甲公司及甲公司股东张某（出资额占甲公司注册资本的比例为15%）均向人民法院提出重整申请，甲公司同时提出自行管理财产和营业事务的申请。9月18日，人民法院裁定甲公司重整，批准甲公司自行管理财产和营业事务，并指定乙会计师事务所为管理人。

重整计划草案调减了甲公司出资人的相应权益，需债权人会议出资人组对此进行表决。甲公司共有股东20人，其中10名股东赞成重整计划草案，合计出资比例为45%；4名股东反对重整计划草案，合计出资比例为15%；其余股东未参加表决。

重整期间，甲公司所欠丙银行一笔借款到期，该笔借款以甲公司正在使用的一台生产设备为抵押担保。丙银行要求将该设备变卖以实现其抵押权。

重整期间，甲公司擅自将存放于公司仓库的一批贵重原材料转移给其关联企业。部分债权人将此情况报告了管理人乙会计师事务所。乙会计师事务所认为，人民法院已批准甲公司自行管理财产和营业事务，因此管理人不再负有义务。（2020年案例分析题）

要求：

根据上述内容，分别回答下列问题：

（1）张某是否有资格向人民法院提出重整申请？并说明理由。

（2）重整计划草案是否通过了出资人组表决？并说明理由。

（3）重整期间，丙银行能否就甲公司抵押的设备实现抵押权？并说明理由。

（4）乙会计师事务所关于"人民法院已批准甲公司自行管理财产和营业事务，因此管理人不再负有义务"的观点是否正确？并说明理由。

（5）对于甲公司擅自转移财产的行为，债权人可以通过何种途径获得法律救济？并说明理由。

第62记、第64记　99记　知识链接

143　债务人A公司拖欠B公司债务到期未清偿，后B公司将A公司诉至人民法院，A公司败诉。判决生效后，经人民法院强制执行，A公司仍无法完全清偿B公司债务。A公司的另一债权人C公司知悉后，于2020年9月1日向人民法院提出针对A公司的破产申请。A公司提出异议，主张C公司并未就其债权向A公司提出清偿要求，因此无法判断其债权能否获得清偿。人民法院驳回异议，于9月20日裁定受理破产申请，并指定管理人此后，A公司拒不向人民法院提交财产状况说明、债权债务清册等资料。

管理人调查A公司财产状况时发现如下事项：

（1）2019年12月，D公司向A公司购入一批农产品，价款总计120万元，A公司已先行交付该批农产品，D公司一直未支付货款。2020年9月5日，D公司获悉A公司有不能清偿到期债务的事实且已被提出破产申请，即以50万元的价格受让了E公司对A公司的130万元债权。2020年9月25日，D公司向管理人主张以其受让E公司的债权抵销所欠A公司的债务。

（2）2020年7月15日，人民法院受理了F公司对G公司的代位权诉讼，G公司为A公司的债务人，F公司主张G公司代替A公司直接向其偿还债务。

2020年11月，人民法院收到实质合并破产申请，经听证及审查，A公司的母公司及数家其他关联公司均已进入破产程序。A公司及其母公司与其他关联公司之间共用财务人员和资金账户，且在未签署相关协议的前提下长期、持续存在代收代付情况。2020年11月25日，人民法院裁定，对A公司及其母公司、其他关联公司适用实质合并破产审理。

要求：

根据上述内容，分别回答下列问题：

（1）A公司对破产申请提出的异议是否成立？并说明理由。

（2）A公司拒不向人民法院提交财产状况说明等材料，是否影响人民法院对破产申请的受理和审理？并说明理由。

（3）D公司向管理人提出以其受让E公司债权抵销所欠A公司债务的主张是否成立？并说明理由。

（4）对于F公司对G公司的债务纠纷案，人民法院应如何处理？并说明理由。

（5）人民法院裁定对A公司及其母公司、其他关联公司适用实质合并破产审理是否合法？并说明理由。

第56记、第58记、第59记、第63记、第64记　99记　知识链接

144　甲公司获悉乙医院欲购10台呼吸机，遂于2021年6月3日向乙医院发出要约函，称愿以30万元的总价向乙医院出售呼吸机10台，乙医院须先支付定金5万元，货到后10日内支付剩余货款，质量保证期为5年。

2021年7月6日，乙医院获知信件内容，并于同日向甲公司发出传真表示同意要约，但同时提出：总价降为28万元，甲公司于2021年9月5日前交付全部货物，我方于2021年10月10日前支付剩余货款；任何一方未按约履行的，均须向对方支付违约金5万元。次日，甲公司回复传真表示同意。双方未约定货物交付地点及方式。

2021年7月29日，乙医院向甲公司支付定金5万元。次日，甲公司将呼吸机交付承运人丙公司。

2021年8月10日，乙医院收到8台呼吸机，且其中2台存在瑕疵：1台外观有轻微划痕，1台严重变形无法正常使用。经查，甲公司漏发1台，实际只发了9台。运输途中遇山洪突然暴发被洪水冲走1台，2台呼吸机的瑕疵系因甲公司员工不慎碰撞所致。

2021年10月13日，乙医院要求甲公司另行交付4台呼吸机，否则将就未收到的2台呼吸机以及存在瑕疵的2台呼吸机部分解除合同，并要求甲公司支付违约金5万元，同时双倍返还定金。甲公司要求乙医院支付剩余货款23万元，并告知乙，甲公司之前委托丁公司保管1台全新呼吸机，已通知丁公司向乙医院交付以补足漏发的呼吸机，其余则未作出回应。乙医院表示同意接收丁公司交来的呼吸机。

甲公司交付乙医院的呼吸机中有1台一直未启用。直至2023年12月6日启用时，乙医院才发现该台呼吸机也因质量瑕疵无法使用，遂向甲公司主张赔偿，甲公司拒绝。（2020年案例分析题改编）

要求：

根据上述内容，分别回答下列问题：

（1）甲公司与乙医院的买卖合同何时成立？并说明理由。

（2）乙医院是否有权分别就外观有划痕和严重变形无法使用的呼吸机部分解除合同？并说明理由。

（3）甲公司是否有权要求丙公司赔偿被洪水冲走的呼吸机？并说明理由。

（4）甲公司是否有权要求乙医院支付被洪水冲走呼吸机的价款？并说明理由。

（5）乙医院是否有权要求甲公司同时支付违约金和双倍返还定金？并说明理由。

（6）甲公司通知丁公司向乙医院交付呼吸机，是否构成甲公司向乙医院的交付？并说明理由。

（7）乙医院是否有权要求甲公司就2023年12月6日发现的呼吸机质量瑕疵进行赔偿？并说明理由。

第32记、第41记、第46记、第50记、第55记 | 99记 | 知识链接

145 2021年11月23日，从事连锁快餐业务的甲公司与乙公司订立买卖合同。双方约定：甲公司向乙公司购买80台商用制冰机，每台6 000元；乙公司应于60天内交付制冰机，交付后15天内，甲公司一次性付清货款；双方未约定交付地点。

2022年1月中旬，乙公司获悉，甲公司的业务活动陷入停滞，经营状况严重恶化，已被人民法院多次公示为失信被执行人。乙公司遂告知甲公司暂不履行合同，并要求甲公司在15天内提供具有足够履约能力的担保，甲公司未予理会。

2022年4月，甲公司的业务逐步回暖，乙公司与甲公司进行协商，双方约定：乙公司5天内交付制冰机，交付后15天内，甲公司一次性支付货款。

2022年5月2日，为了与兄弟商家共渡难关，甲公司决定向同街的丙公司、丁公司、戊公司各赠与一批制冰机，助其恢复经营。其中，丁公司与甲公司同为餐饮企业，且均销售芝士奶盖茶产品，故甲公司赠与丁公司制冰机时，与其约定：自制冰机交付之日起，丁公司不再销售芝士奶盖茶产品。此外，甲公司还与戊公司约定，未来甲公司若需要向银行借款，戊公司须作为抵押人，以该批制冰机提供抵押担保。

2022年6月2日，丙公司在使用甲公司赠与的制冰机过程中，发生火灾，造成实际经济损失8万元。经查，甲公司赠与丙公司的制冰机在此前的使用曾受损，且甲公司明知该批制冰机关键零部件损坏，存在安全隐患。丙公司要求甲公司赔偿相关经济损失，甲公司以赠与行为的无偿性为由拒绝向丙公司承担责任。

2022年6月下旬，随着天气逐渐变热，奶盖茶的销量不断上涨，甲公司经走访发现，丁公司违反此前约定，重新上架芝士奶盖茶产品。甲公司遂主张丁公司返还制冰机。

2022年7月2日，甲公司的业务规模进一步扩大，为了满足资本性投入的资金需求，向银行借款10万元，戊公司依约以制冰机为该笔借款设定抵押，并于当日签订了

抵押合同，但未办理抵押登记，也未就抵押物转让事宜作出特别约定。甲公司董事长王某以个人名义为该笔借款提供连带责任保证。

该笔借款到期后，甲公司无力清偿，银行同时要求王某和戊公司代为清偿。王某以该笔借款存在物的担保，应先就戊公司提供的制冰机进行求偿，无法清偿部分再由其进行清偿为由拒绝了银行的请求。戊公司则已经将该批制冰机以市价出售给不知情的己公司，并已经交付。

要求：

根据上述内容，分别回答下列问题：

（1）乙公司中止履行向甲公司交付制冰机的义务，是否构成违约？并说明理由。

（2）丙公司是否有权要求甲公司承担火灾相关的经济损失？并说明理由。

（3）甲公司是否有权要求丁公司返还制冰机？并说明理由。

（4）戊公司向银行提供的抵押于何时生效？并说明理由。

（5）王某关于银行应先就戊公司提供的制冰机进行求偿的主张是否成立？并说明理由。

（6）戊公司出售该制冰机是否须经银行同意？并说明理由。

（7）银行是否有权就己公司买走的制冰机行使抵押权？并说明理由。

第37记、第42记、第45记、第54记　99记　**知识链接**

146　甲、乙二人是在某技校结识的朋友。2017年10月12日，两人共同出资购买一台价格为50万元的挖掘机，甲出资10万元，乙出资40万元，双方约定按出资比例共有。

2018年7月9日，挖掘机出现故障，无法正常工作。乙在未征得甲同意的情况下请丙维修，维修费3万元。乙要求甲分担20%的维修费用，甲以维修未征得自己同意为由拒绝。丙要求乙支付全部维修费，乙拒绝。

乙不想再与甲合作，欲将其份额对外转让。2018年8月2日，乙发函征询丁的购买意向，同时告知甲：正在寻找份额买主，甲须在接到通知之日起15日内决定是否行使优先购买权。甲认为，份额转让须经其同意，况且乙尚在寻找份额买主，在未告知任何交易条件的情况下，要求自己接到通知之日起15日内决定是否行使优先购买权，不符合法律规定，故对乙的通知置之不理。

2018年8月3日，甲在未告知乙的情况下，将挖掘机以市价卖给不知情的戊，约定3日后交付。

2018年8月4日，丁向乙回函称，对乙所占挖掘机份额不感兴趣，想要整台挖掘机。由于甲对乙之前的通知置之不理，乙也不再告知甲，于8月4日当天将挖掘机转让给丁，并同时交付。

2018年8月6日，戊要求甲交付挖掘机时，发现挖掘机已被乙交付给了丁，遂要求丁交出挖掘机，丁拒绝。

要求：

根据上述内容，分别回答下列问题：

（1）挖掘机维修是否需要征得甲的同意？乙是否有权要求甲分担20%的维修费用？并分别说明理由。

（2）乙是否有权拒绝向丙支付全部维修费用？并说明理由。

（3）乙的份额转让是否需征得甲的同意？并说明理由。

（4）乙在寻找份额买主时要求甲在接到通知之日起15日内决定是否行使优先购买权，是否符合法律规定？并说明理由。

（5）丁是否取得挖掘机的所有权？并说明理由。

  （6）甲与戊之间买卖挖掘机的行为是否有效？并说明理由。

  （7）丁是否有权拒绝戊交出挖掘机的请求？并说明理由。

第33记、第43记   99记 知识链接

147   甲公司专营化肥生产。为扩大生产规模，甲公司于2021年1月3日与乙银行签署流动资金借款合同，向乙银行借款3亿元，借款期限为1年。

  为担保上述债务的履行，甲公司向乙银行提供如下担保：

  （1）甲公司以自有化肥生产设备10台为乙银行设定抵押。2021年1月3日，双方签订抵押合同，但未就抵押物转让事宜作出约定。2021年1月15日，双方就该笔抵押办理动产抵押登记。

  （2）甲公司法定代表人张某就上述债权向乙银行出具保函，该保函未明确保证方式和保证责任范围，乙银行接受且无异议。

  （3）丁公司以其名下一宗建设用地使用权为乙银行设定抵押。2021年1月3日，双方签订抵押合同，并于2021年1月5日办理抵押登记。

  当事人未就上述担保实现的先后顺序作出约定。

  在该笔借款存续期间，又发生如下事件：

  （1）甲公司为担保其对戊公司负有的货款债务，将上述10台化肥生产设备中的3台出质给戊公司。双方于2021年1月4日签署质押合同，并于2021年1月10日完成质押物交付。

  （2）2021年6月7日，甲公司将上述10台设备中的1台出售给己公司。己公司按照该设备的市场价格向甲公司支付价款，并取走该设备。

  2022年1月，该笔借款到期，甲公司无力清偿，乙银行因此欲实现担保权。乙银行首先向丁公司发出通知，要求就抵押的土地使用权实现抵押权。丁公司回函拒绝，并提出如下理由：（1）抵押权设立后，丁公司已在该宗地块上进行建设，但截至目前，相关建筑物尚未取得建设施工许可证，属于"违建"。因此，该笔抵押无效。（2）乙银行的该笔借款债权之上还有其他担保，乙银行应先向债务人甲公司主张抵押权。

  同月，甲公司欠戊公司的货款债务也已经到期。因甲公司无力偿还，戊公司拟就上述质物实现质权。乙银行获悉后，要求戊公司向甲公司归还设备，以实现其抵押权。

  要求：

  根据上述内容，分别回答下列问题：

  （1）甲公司对乙银行提供的抵押自何时设立？并说明理由。

  （2）张某与乙银行之间是否形成有效的保证合同？并说明理由。

  （3）甲公司向己公司出售设备事宜是否须经乙银行同意？并说明理由。

  （4）乙银行是否有权就己公司买走的设备行使抵押权？并说明理由。

  （5）丁公司向乙银行提出的第1项拒绝理由是否成立？并说明理由。

  （6）丁公司向乙银行提出的第2项拒绝理由是否成立？并说明理由。

  （7）乙银行向戊公司提出的要求是否合法？并说明理由。

第37记、第40记、第44记、第45记   99记 知识链接

148   赵某担任甲上市公司总经理，并持有该公司股票10万股。钱某为甲公司董事长兼法定代表人。2021年7月1日，钱某召集甲公司的董事会，9名董事中有4人出席，另有1名董事孙某因故未能出席，书面委托钱某代为出席投票。经钱某提议，出席董事会的全体董事通过决议，从即日起免除赵某总经理的职务。12月20日，赵某卖出所持的2万股甲公司股票。

2021年12月23日，赵某向中国证监会书面举报称：（1）甲公司的子公司乙公司曾向甲公司全体董事提供低息借款，用于个人购房。（2）2021年4月1日，甲公司召开的董事会通过决议为母公司丙公司向银行借款提供担保。该董事会决议通过后，甲公司即为丙公司提供担保，但并未公开披露该担保事项。

2022年1月16日，中国证监会宣布对甲公司涉嫌虚假陈述的行为立案调查。7月1日，中国证监会宣布：经调查，甲公司存在虚假陈述行为，决定对甲公司给予警告，并处罚款100万元；认定钱某为直接责任人员，并处罚款100万元；认定董事李某等人为其他直接责任人，并处罚款50万元。

钱某辩称，甲公司未披露担保事项是公司实际控制人的要求，自己只是遵照指令行事，不应受处罚；李某则辩称，自己是独立董事，并不参与甲公司的经营管理活动，因此不应对甲公司的虚假陈述行为承担任何责任。中国证监会未采纳钱某和李某的抗辩理由。（2013年案例分析题改编）

要求：

根据上述内容，分别回答下列问题：

（1）2021年7月1日甲公司董事会的出席人数是否符合规定？并说明理由。

（2）甲公司董事会能否在无正当理由的情况下解除赵某的总经理职务？并说明理由。

（3）2021年12月20日赵某卖出所持甲公司2万股股票的行为是否合法？并说明理由。

（4）乙公司向甲公司的所有董事提供低息借款用于购房的行为是否合法？并说明理由。

（5）甲公司董事会通过为丙公司提供担保的决议后，甲公司即提供该笔担保是否合法？并说明理由。

（6）钱某和李某各自对中国证监会行政处罚的抗辩是否成立？并分别说明理由。

第3记、第4记、第5记、第6记、第9记、第28记　99记　知识链接

149　　林森木业是在深圳证券交易所挂牌的上市公司。林木集团系林森木业控股股东，持股比例为45%。

2020年10月27日，人民法院裁定受理林木集团的破产重整申请。2021年5月，林木集团第一大股东赵某与新民投资开始实质性磋商，由新民投资以向林木集团注资的方式参与重整。2021年9月18日，新民投资与赵某等林木集团股东签署重组框架协议。9月21日，林森木业对该重组框架协议签订事宜予以公告。

2021年12月26日，人民法院裁定批准林木集团的破产重整计划草案。根据该破产重整计划，新民投资向林木集团注资后，将持有重整后的林木集团85%的股权。

2022年2月12日，新民投资公布要约收购报告书，向林森木业除林木集团以外的所有股东发出收购其所持全部无限售流通股的要约。此前，新民投资发布的要约收购报告书摘要的提示性公告显示：此次要约收购有效期为2022年2月14日至2022年4月10日；预定收购股份数量为6亿股；收购价格为每股9.77元；提示性公告日前6个月内，新民投资未买入林森木业任何股票。2月12日前30个交易日内，林森木业每日加权平均价格的算术平均值为每股9.76元。

2022年3月，林森木业独立董事钱某因个人健康原因向董事会提出辞职。

2022年2月16日，林森木业召开董事会会议并发布《致全体股东报告书》，对股东是否接受新民投资的要约提出建议，但未聘请独立财务顾问提出专业意见。持有林

森木业股票的孙某于2022年3月30日委托其开户的证券公司办理接受前述收购要约的预受手续。4月9日，孙某反悔前述预受承诺，并委托证券公司撤回预受。

2022年5月，中国证监会因新民投资副董事长李某涉嫌内幕交易对其立案调查。经查，李某于2021年9月15日以每股8元的价格买入林森木业10万股，并于要约收购有效期内接受了要约。李某辩称：其买入林森木业股票时，不仅重组框架协议尚未签署，林木集团重整计划草案能否获得通过也不确定，故新民投资向林木集团注资一事尚未形成内幕信息。李某对其买入行为未给出其他理由。（2018年案例分析题改编）

要求：

根据上述内容，分别回答下列问题：

（1）新民投资按照重整计划向林木集团注资，是否构成对林森木业的收购？并说明理由。

（2）新民投资按照重整计划向林木集团注资，是否必须向林森木业其他所有股东发出收购要约？并说明理由。

（3）新民投资对林森木业的要约收购价格是否符合证券法律制度的规定？并说明理由。

（4）钱某能否辞去独立董事职务？并说明理由。

（5）林森木业发布《致全体股东报告书》时未聘请独立财务顾问提出专业意见的做法是否符合证券法律制度的规定？并说明理由。

（6）孙某能否撤回预受？并说明理由。

（7）李某关于其购买股票时内幕信息尚未形成的主张是否成立？李某的行为是否构成内幕交易？并分别说明理由。

第19记、第21记、第22记、第29记 99记 知识链接

150 甲公司为上市公司。2019年5月，以甲公司董事长为首的8名董事和高管所持公司股票的限售期到期。

2019年5月底，农业农村部向社会通报猪瘟疫情。6月5日，财经媒体大同财经发布新闻报道称，甲公司正在与某科研机构合作研发"可有效预防非洲猪瘟的疫苗"；当日，甲公司股票交易价格明显上涨。6月18日，甲公司发布重大合同公告，声称公司研发的兽用疫苗注射液将投入产业化生产，对猪瘟的预防率达到100%，并将给公司带来显著业绩增长；当日，甲公司股票涨停，交易量显著增多，8名董事和高管各自售出部分股票。

6月19日，农业农村部发布公告称"目前尚未有任何猪瘟商品化疫苗获批或上市，且目前尚无预防率为100%的猪瘟疫苗"。证券交易所亦于同日就甲公司6月18日披露的公告向甲公司发出问询函。甲公司回复称，6月18日的公告误将"兽用注射液"写成"兽用疫苗注射液"。当日，甲公司股票跌停。

2020年2月4日，甲公司发布公告称：因公司涉嫌证券违法行为，证监会决定对甲公司立案调查。

投资者赵某于2019年6月18日买入甲公司股票，投资者孙某于2019年6月3日买入甲公司股票，二人都于2020年3月将股票陆续卖出。2020年5月，赵某和孙某分别向人民法院提起虚假陈述民事赔偿诉讼，要求甲公司及其董事、高管赔偿投资损失。

孙某向人民法院主张：虚假陈述揭露日为2020年2月4日证监会立案调查公告之日。

人民法院查明：公司股票价格自2019年6月19日跌停后，一直处于相对低位；2020年2月4日公司股价没有明显下跌。人民法院将2019年6月19日认定为虚假陈述揭露日，并驳回孙某的起诉。

在赵某提起的诉讼中，甲公司董事长提出：虚假陈述行为人是甲公司，公司董事和高管不应该作为虚假陈述民事赔偿诉讼的共同被告。甲公司独立董事李某提出：自己在该虚假陈述事项的表决中发表了反对意见，并说明了具体理由，且在审计相关文件时投了反对票，其不应该作为共同被告。

证监会在调查中发现：甲公司董事和高管在6月初向交易所报备减持计划的同时，授意大同财经记者袁某发布公司研发"非洲猪瘟疫苗"的新闻，有证据表明袁某应当知道该新闻是不真实的。稽查人员认为：甲公司董事和高管的行为构成操纵市场；袁某也违反了证券法的相关规定。袁某辩称：他不是信息披露义务人，其作为记者有权进行财经新闻报导，没有义务核实信息的真实性，因此没有违反证券法。

（2020年案例分析题）

要求：

根据上述内容，分别回答下列问题：

（1）甲公司6月18日的公告构成哪些类型的信息披露违法行为？并分别说明理由。

（2）甲公司董事长关于"公司董事和高管不应该作为共同被告"的主张是否成立？并说明理由。

（3）甲公司独立董事李某关于其不应该作为共同被告的主张是否成立？并说明理由。

（4）法院将2019年6月19日认定为虚假陈述揭露日，是否符合证券法律制度的规定？并说明理由。

（5）法院认可投资者赵某的原告资格，是否符合证券法律制度的规定？并说明理由。

（6）甲公司董事和高管的行为是否构成操纵市场？并说明理由。

（7）袁某关于"他不是信息披露义务人""没有义务核实信息的真实性"的辩解是否成立？并说明理由。

第8记、第28记、第30记 | 99记 知识链接

第一模块　飞越重难点

（建议用时：1.5 小时）

一、单项选择题

1 ▶ A	2 ▶ B	3 ▶ B	4 ▶ C	5 ▶ D
6 ▶ B	7 ▶ B	8 ▶ D	9 ▶ B	10 ▶ A
11 ▶ C	12 ▶ C	13 ▶ D	14 ▶ A	15 ▶ D
16 ▶ B	17 ▶ A	18 ▶ C	19 ▶ C	20 ▶ B
21 ▶ B	22 ▶ B	23 ▶ A	24 ▶ B	25 ▶ B
26 ▶ B	27 ▶ B	28 ▶ D	29 ▶ C	30 ▶ B

二、多项选择题

31 ▶ BC	32 ▶ ABCD	33 ▶ AC	34 ▶ ABC	35 ▶ ABCD
36 ▶ ABCD	37 ▶ AD	38 ▶ BCD	39 ▶ ABD	40 ▶ AD
41 ▶ AD	42 ▶ AD	43 ▶ AB	44 ▶ ABC	45 ▶ ABCD
46 ▶ BC	47 ▶ ABCD	48 ▶ BD	49 ▶ ABD	50 ▶ ABD
51 ▶ ABCD	52 ▶ ABCD	53 ▶ BC	54 ▶ ABCD	55 ▶ BD
56 ▶ BD	57 ▶ BD	58 ▶ BC	59 ▶ ACD	60 ▶ ABC
61 ▶ BD	62 ▶ BC	63 ▶ AC	64 ▶ BD	65 ▶ ABD
66 ▶ ACD	67 ▶ BCD	68 ▶ BC	69 ▶ BC	

一、单项选择题

1　斯尔解析　A　"创立大会"是股份公司募集设立涉及的程序，发起设立并不涉及"创立大会"这一程序，选项A当选。

2　斯尔解析　B　对于股东不按照规定缴纳出资的情况，《公司法》规定，除该股东应当向公司足额缴纳外，还应当向已按期足额缴纳出资的股东承担违约责任。注意，这里承担违约责任的对象是"已按期足额缴纳出资的股东"。题干中，吴某也没有完全履行出资义务，因此郑某只须向"如期足额缴纳出资"的蔡某承担违约责任即可，选项B当选。

3　斯尔解析　B　有限公司股东抽逃出资的，公司应先向其催告返还；经催告后，该股东仍未返还的，其他股东方可通过股东会决议解除其股东资格，选项B当选。

4　斯尔解析　C　曾担任破产清算公司的经理，对该公司破产负有个人责任的，自公司破产清算完结之日起未逾3年的，不得担任"董监高"，超过3年的，则可以担任，选项C正确。

　　❓干扰选项：

　　选项A错误，赵某未满8周岁，属于无民事行为能力人，不得担任公司"董监高"。

　　选项B错误，钱某负有大额到期债务，尚未清偿，不得担任公司"董监高"。

　　选项D错误，因为贪污罪被判处刑罚，执行期满未逾5年的，不得担任公司"董监高"。

5　斯尔解析　D　上市公司董事会成员中应当至少1/3为独立董事，而上市公司董事会下设的审计委员会、提名委员会、薪酬与考核委员会中独立董事应占"多数"（即超过1/2），选项D错误。

6　斯尔解析　B　上市公司持股比例大于1%的自然人本身不得担任独立董事，但可以向上市公司提名独立董事候选人，选项A错误，选项B正确。

　　❓干扰选项：

　　选项C错误，无论独立董事做什么，应由董事会提请股东大会予以撤换，董事会无权撤换独立董事。

　　选项D错误，为上市公司或者其附属企业提供财务、法律、咨询等服务的人员，不得担任上市公司独立董事。

7　斯尔解析　B　在公司章程无特别约定的前提下，股东按照实缴出资比例行使分红权、增资优先认缴权。题述情况下，甲公司四名股东出资比例为4：3：2：1，实缴出资比例为1：1：1：1，应均等行使分红权和增资优先认缴权，选项D错误，选项B正确。

　　❓干扰选项：

　　选项A错误，有限公司股东对于增资的优先认缴权可以转让，但仅限于股东之间内部转让；有限公司股东不得将其增资优先认缴权对外转让。

　　选项C错误，有限公司股东可以查阅的资料是"公司章程、股东会会议记录、董事会会议决议、监事会会议决议、财务会计报告、公司会计账簿"。其中包括"董事会会议决议"，并不包括"董事会会议记录"。

8　斯尔解析　D　在发生继承时，有限公司股东的合法继承人依法继承其股权的，其他股东不得行使优先购买权，公司章程另有规定的除外，选项D正确。

　　❓干扰选项：

　　选项AB错误，如无特别约定，有限公司股东之间可以自由转让股权，但有限公司股东拟对外转让股权，应经其他股东过半数同意，即只需张三、李四和赵六中的两个人同意即可，而无须其他股东全部同意。

选项C错误，在法院强制执行有限公司股东所持股权时，其他股东仍然享有优先购买权，但是该事项无须经其他股东同意。

9　斯尔解析　**B**　公司收购自身股份用于员工持股计划或者股权激励的，所收购的股份应当在3年内转让或注销，而非2年，选项A错误。公司监事在任职期间每年转让的股份，不得超过其持有的本公司股份总数的25%，而非35%，选项C错误。公司董事所持有的本公司股份，自公司股票上市交易之日起1年内不得转让，而非3年，选项D错误。

10　斯尔解析　**A**　要注意，所谓"一人有限责任公司"的"一人"并不限于"一个自然人"，一个有限公司也可以再设立一个一人有限责任公司。因此选项A当选。

11　斯尔解析　**C**　自注册申请文件受理之日起，发行人及其控股股东、实际控制人、董事、监事、高级管理人员，以及与本次股票公开发行并上市相关的保荐人、证券服务机构及相关责任人员，即承担相应法律责任。因此，相关方对于注册申请文件承担法律责任的起点是该等申请文件受理之日，而非中国证监会作出注册决定之日，选项C当选。

12　斯尔解析　**C**　在北京证券交易所发行股票的，发行人仅得向不特定的合格投资者进行公开发行，即参与申购和交易的投资者应符合中国证监会和北京证券交易所关于投资者适当性的管理规定，选项C当选。

　　❓干扰选项：

选项A不当选，北京证券交易所于2021年9月3日注册成立，是经国务院批准设立的中国第一家公司制证券交易所，受中国证监会监督管理。

选项B不当选，北京证券交易所适用注册制，公开发行申请报北京证券交易所审核并经证监会注册。

选项D不当选，在北京证券交易所公开发行并上市的公司，依法履行《证券法》规定的注册程序，可以向不特定的合格投资者公开发行股票。

13　斯尔解析　**D**　预先披露的招股说明书（申报稿）不是发行人发行股票的正式文件，不能含有价格信息，发行人不得据此发行股票，选项D当选。

　　❓干扰选项：

选项A不当选，中国证监会等监管机构就信息披露发布的各类格式准则都是信息披露的"最低"要求，这意味着，信息披露至少要达到这类准则的要求，否则即构成违法。

选项B不当选，招股说明书中引用的财务报表在其最近一期截止日后6个月内有效，特殊情况下发行人可申请适当延长，但至多不超过3个月。

选项C不当选，招股说明书的有效期为6个月，自公开发行前招股说明书最后一次签署之日起计算。

应试攻略

　　（1）招股说明书引用的财务报表有效期为最近一期截止日后6个月内；特殊情况可延长，但至多不超过3个月（即合计最多9个月）。

　　（2）招股说明书的有效期为6个月，起算点为自公开发行前招股说明书最后一次签署之日，这同样是考点，大家也要掌握。

14 斯尔解析 A 上市公司和非上市公众公司均可非公开发行优先股，但只有上市公司可以公开发行优先股，选项A当选。

❓ 干扰选项：

选项B不当选，公司已发行的优先股不得超过公司普通股股份总数的50%，且筹资金额不得超过发行前净资产的50%。

选项C不当选，为了保护公众投资者，公开发行优先股的公司应在公司章程中规定，在有可分配税后利润的情况下必须向优先股股东分配股息。

选项D不当选，最近12个月内受到中国证监会行政处罚的，不得发行优先股。

15 斯尔解析 D 发行股份购买资产中，特定对象以资产认购而取得的上市公司股份，自股份发行结束之日起12个月内不得转让；属于下列情形之一的，36个月内不得转让：（1）特定对象为上市公司控股股东、实际控制人或者其控制的关联人（选项D正确）；（2）特定对象通过认购本次发行的股份取得上市公司的实际控制权；（3）特定对象取得本次发行的股份时，对其用于认购股份的资产持续拥有权益的时间不足12个月。

16 斯尔解析 B 投资者保护机构受50名以上投资者委托，可以作为代表人参加诉讼。故本题选择选项B。

17 斯尔解析 A 上市公司配股的，拟配售股份数量不超过本次配售股份前股本总额的30%。故本题选择选项A。

18 斯尔解析 C 非公开发行公司债券，可以申请在证券交易场所、证券公司柜台转让，选项C当选。

19 斯尔解析 C 当事人在信息披露违法事实所涉及期间，由于不可抗力、失去人身自由等无法正常履行职责的，可以不予处罚，选项C正确。

20 斯尔解析 B 短线交易的行为主体（包括上市公司董事）将其持有的该公司股票或者其他具有股权性质的证券在买入后6个月内卖出，或者在卖出后6个月内又买入，由此所得收益归该公司所有。其中，"买入后6个月内卖出"是指最后一笔买入时点起算6个月内卖出的；"卖出后6个月内又买入"是指最后一笔卖出时点起算6个月内又买入的。题述情况下，买入时间是2021年9月3日，往前数6个月，则2021年3月8日在该期间内，2021年3月1日不在该期间内。因此，对于上述短线交易的情况，应当收归公司所有的金额为30 000×（25−15）=300 000（元）。故本题选择选项B。

21 斯尔解析 B 物权法上的物指的是除人的身体之外，能为人力所支配，独立满足人类社会生活需要之有体物，选项B正确。

❓ 干扰选项：

选项A错误，电脑程序因"无体性"而不能成为物权法上的"物"；

选项C错误，太阳因"不能为人力支配"而不属于物权法上的"物"；

选项D错误，人的身体不属于物权法上的"物"。

22 斯尔解析 B 成立"主物与从物"的前提必须是两个物，备胎可以与汽车分离，因此备胎属于汽车的从物，选项B正确。

❓ 干扰选项：

选项A错误，金钱不可能在使用了以后，又原封不动地归还原来的所有者，因此属于消费物。

选项C错误，牛属于不可分物。

选项D错误，"原物与孳息"的前提必须是两个物，苹果未与苹果树相分离时，既不属于"从物"又不属于"孳息"。

23　斯尔解析　A　设立居住权的，应当向登记机构申请居住权登记，居住权自登记时设立，选项A正确。

　　❓ 干扰选项：

选项BC错误，土地承包经营权自土地承包经营合同生效时设立，未经登记，不得对抗善意第三人；地役权自地役权合同生效时设立，未经登记，不得对抗善意第三人。

选项D错误，动产抵押权自抵押合同生效时设立。

24　斯尔解析　B　现实交付，指的是将物直接交由对方占有，选项A不当选。占有改定，指的是动产物权转让时，当事人又约定由出让人继续占有该动产的，物权自该约定生效时发生效力，选项C不当选。指示交付，指的是动产物权设立和转让前，第三人占有该动产的，负有交付义务的人可以通过转让请求第三人返还原物的权利代替交付，选项D不当选。

25　斯尔解析　B　变更登记和转移登记最大的区别是变更登记不涉及权利转移，而转移登记适用于不动产权利在不同主体之间发生转移的情况。张三更名为李四，就其更名事宜，其可以要求不动产登记机关"变更登记"的不动产所有权人姓名（"对的"变成"对的"），选项B正确。

　　❓ 干扰选项：

选项AD错误，其均涉及所有权人的变化，因此，应适用转移登记，不适用变更登记。

选项C错误，登记信息与实际情况的差异系由登记机关的错误导致，应适用更正登记（"错的"变成"对的"）。

26　斯尔解析　B　按份共有人对共有的不动产或者动产作重大修缮、变更性质或者用途的，应当经占份额2/3以上的按份共有人同意，但是共有人之间另有约定的除外，选项B正确。

　　❓ 干扰选项：

选线A错误，共有人之间未约定共有形态，除共有人具有家庭关系等外，视为按份共有。

选项CD错误，按份共有人可自由对外转让其享有份额，其他共有人在同等条件下享有优先购买权；至于共同共有人，并无"份额"可言。

27　斯尔解析　B　善意取得制度适用的前提是存在无权处分。善意取得制度中，在"善意"的判断上，应以交易时为判断时点，受让方受让之后才获知转让方无处分权的，不影响"善意"的判断，选项B正确。

　　❓ 干扰选项：

选项A错误，甲作为出售方合法拥有该花瓶的所有权，其出售行为并不属于无权处分，因此并不适用善意取得制度。

选项C错误，受让方受让该花瓶的对价显著低于市场价格的，不构成善意取得。

选项D错误，遗失物、盗窃物不适用善意取得制度，因为标的物并非由转让方基于真权利人的意思占有。

28　斯尔解析　D　书写、素描、绘画、印刷、雕刻或其他于物之表面的类似劳作行为，属于加工。通过对一项或数项材料加工或改造而形成新物之人，只要加工或改造的价值不明显低于材料价值，即取得新物所有权。甲加工行为的价值明显高于宣纸的价值，因此，载有该作品的宣纸属于甲，选项D正确。

❓ 干扰选项：

选项A错误，遗失物自发布招领公告之日起1年内无人认领的，归国家所有。

选项B错误，油漆漆于他人之木板，木板是主物，故由原木板所有权人单独取得油漆之后的木板所有权，因此，甲的油漆，涂满了乙的柜子，则该柜子应属于乙。

选项C错误，动产与他人之动产附合，非毁损不能分离，或分离须费过巨者，各动产所有人，按其动产附合时之价值，共有合成物，因此，甲的木材和乙的木材被做成木箱，该木箱应属甲乙共有。

29　斯尔解析　C　建设用地使用权无偿划拨由县级以上人民政府依法批准，选项A错误。用于商业开发的建设用地不得以划拨方式取得建设用地使用权，选项B错误。以有偿出让方式取得建设用地使用权的，其出让最高年限为：（1）居住用地70年；（2）工业用地、教育、科技、文化、卫生、体育用地、综合或者其他用地50年；（3）商业、旅游、娱乐用地40年，选项D错误。

30　斯尔解析　B　土地利用总体规划、城乡规划确定为工业、商业等经营性用途，并经依法登记的集体经营性建设用地，土地所有权人可以通过出让、出租等方式交由单位或者个人使用，并应当签订书面合同。前款规定的集体经营性建设用地出让、出租等，应当经本集体经济组织成员的村民会议2/3以上成员或者2/3以上村民代表的同意，选项B正确，选项D错误。

❓ 干扰选项：

选项A错误，永久基本农田转为建设用地的，由国务院批准。

选项C错误，通过出让等方式取得的集体经营性建设用地使用权可以转让、互换、出资、赠与或者抵押，但法律、行政法规另有规定或者土地所有权人、土地使用权人签订的书面合同另有约定的除外。

二、多项选择题

31　斯尔解析　BC　发起人为设立公司之目的，以自己的名义与他人订立合同，则公司成立后，相对人有选择权，可以选择请求该发起人或者设立后的公司承担合同义务，选项A错误。发起人如因设立公司而对他人造成损害，公司成立的，由公司承担责任；公司未成立的，由发起人承担责任，选项D错误。

32　斯尔解析　ABCD　《公司法》禁止用以出资的是自然人姓名，但商标权可以用于出资。因此，如将自然人姓名注册为商标，其商标权可用于出资，选项A正确。设定担保的财产不得用于出资，选项B正确。股权、债权均可用于出资，选项C正确。出资人以符合法定条件的非货币财产出资后，因市场变化或者其他客观因素导致出资财产贬值，公司、其他股东或者公司债权人则无权请求该出资人承担补足出资责任，当事人另有约定的除外，选项D正确。

33　斯尔解析　AC　董事人数不足《公司法》规定人数（5～19人）或者公司章程所定人数的2/3（8人×2/3≈6人）时，应当召开临时股东大会。董事人数减至5人时，该数量虽然未小于法定的股份公司董事会人数5人的下限，但已经小于甲公司章程规定的董事会人数的2/3，故应当召开临时股东大会，选项A正确。单独或者合计持有公司10%以上股份的股东请求时，应当召开临时股东大会，李某的持股比例为12%，已经超过了10%，其请求可以触发股东大会临时会议，选项C正确。

干扰选项：

选项B错误，"监事会"提议召开临时股东大会时，应当召开；仅其中的某一个监事提议的，不满足股东大会临时会议的触发条件。

选项D错误，公司未弥补的亏损达实收股本总额的1/3（6 000万元×1/3=2 000万元）时，应当召开临时股东大会；公司未弥补亏损为1 600万元时，尚未达到实收股本总额的1/3，不满足召开股东大会临时会议的条件。

34　斯尔解析　**ABC**　有限责任公司董事会和监事会中的职工代表通过职工代表大会选举产生，非职工董事和监事通过股东会选举产生，选项AB正确。两个以上的国有企业或者其他两个以上的国有投资主体投资设立的有限责任公司，其董事会成员中应当有公司职工代表，选项C正确。

干扰选项：

选项D错误，有限责任公司设监事会的，其成员"应当"包括股东代表和适当比例的公司职工代表，其中职工代表的比例不得低于1/3,具体比例由公司章程规定。

35　斯尔解析　**ABCD**　《公司法》规定，股东会会议由股东按照出资比例行使表决权，但公司章程另有规定的除外，即首先看章程规定，章程无规定的，才按照出资比例行使表决权，本题中，章程约定均等行使表决权；且减资属于"特别决议事项"，须持有2/3以上表决权的股东同意，在均等行使表决权的前提下，李四、王五均同意的，即可通过该决议，选项A正确。监事会必须设置职工监事，且其人数占比不得低于1/3，本题中，甲公司监事会人数为3人，因此职工监事人数不得少于1人，选项B正确。一般的有限责任公司，董事会成员中"可以"设置职工代表，并非必须设置，选项C正确。《公司法》规定，有限公司召开股东会会议的，应在召开前15日通知全体股东，但允许公司章程另行约定，选项D所正确。

36　斯尔解析　**ABCD**　公司决议"内容"违反法律、行政法规的，该决议无效；违反章程的，该决议可撤销，选项AB正确。股东会会议的"召集程序、表决方式"等违反法律、行政法规或公司章程规定的，该决议可撤销，选项C正确。股东会决议虽具备表决条件，但表决结果未达到公司法或者公司章程规定的通过比例的，该决议不成立，选项D正确。

应试攻略

　　导致决议未成立事由，一定是事实上根本未作出或者不满足程序要求而不构成通过（根本没有决议，则谈不上无效、可撤销）。关于导致决议无效或者可撤销的情形，记住"内容"违反法律、行政法规的，导致决议无效，其他导致决议可撤销。

37　斯尔解析　**AD**　关联交易的回避表决制度要求，在上市公司中，董事与董事会决议事项所涉及的企业有关联关系的，不得对该项决议行使表决权，选项A正确。董事、高级管理人员不得未经股东会或者股东大会同意，自营或者为他人经营与所任职公司同类的业务，也就是说只要经过股东（大）会同意，即可经营与公司同类的业务，选项D正确。

干扰选项：

选项B错误，股份有限公司不得直接或者通过子公司向董事、监事、高级管理人员提供借款，该规定属于"绝对禁止"，不得通过股东（大）会决议豁免。选项C错误，公司拟对其股东或者实际控制人提供担保的，必须经股东（大）会决议。

38　斯尔解析　BCD　制订公司的利润分配方案、制定公司的基本管理制度、决定聘任或者解聘公司经理均属于董事会的职权，选项BCD正确。

🔖 干扰选项：

选项A错误，董事会有权"制订"公司的年度财务预算方案，但并无权对该方案"审议批准"；审议批准公司的年度财务预算方案属于股东会职权。

39　斯尔解析　ABD　有限责任公司的股东在出现以下情形之一时，对股东会决议投反对票的股东，可以请求公司按合理价格收购其股权：（1）公司连续5年不向股东分配利润，而公司连续5年盈利，并符合《公司法》规定的分配利润条件的；（2）公司合并、分立、转让主要财产的（选项ABD正确）；（3）公司章程规定的营业期限届满或者章程规定的其他解散事由出现，股东会会议通过决议修改章程使公司存续的。

🔖 干扰选项：

选项C错误，"改变组织形式"属于有限公司股东会的特殊决议事项，但并不属于异议股东享有回购请求权的事由。

应试攻略

　　本题考查的是异议股东股权回购请求权，是高频考点，案例分析尤其爱考，大家一定要掌握。有限责任公司与股份有限公司异议股东有权请求回购的情形是不一样的，股份有限公司股东仅针对"合并、分立"事项有异议才有权请求公司回购股份。

40　斯尔解析　AD　法定公积金累计额为公司注册资本的50%以上的，可以不再提取该项公积金。本题中，累计法定公积金为600万元，占注册资本（1 000万元）的比例超过50%，选项A正确。有限责任公司的股东按照实缴的出资比例分取红利，但全体股东约定不按照出资比例分取红利的除外，选项D正确。

🔖 干扰选项：

选项B错误，资本公积金可以用于扩大生产经营、转增公司资本，但是不得用于弥补亏损。

选项C错误，法定公积金转增资本后留存的金额不得少于转增前公司注册资本的25%（1 000万元×25%=250万元）。

41　斯尔解析　AD　投资者保护机构就上市公司提出股东代表诉讼的前提是"投资者保护机构持有该公司股份"，这一点并未突破《公司法》的规定。题述情况下，投资者保护机构并未持有甲上市公司股票，选项B错误。投资者保护机构，可以作为征集人，自行或者委托证券公司、证券服务机构，公开征集投票权，但是，禁止以有偿或者变相有偿的方式公开征集股东权利，选项C错误。

42　斯尔解析　AD　在主板首次公开发行股票并上市，要求发行人最近3年内主营业务和董事、高级管理人员没有发生重大变化，实际控制人没有发生变更，选项A正确。在主板首次公开发行股票并上市，要求发行人最近一期期末不存在未弥补亏损，选项D正确。

❓ 干扰选项：

选项B错误，在主板首次公开发行股票并上市要求发行人最近一期期末无形资产（扣除土地使用权、水面养殖权和采矿权等后）占净资产的比例"不高于"20%。

选项C错误，在主板首次公开发行股票并上市要求发行人发行"前"股本总额不少于人民币3 000万元。

43　斯尔解析　**AB**　上市公司应当保证独立董事享有与其他董事同等的知情权，选项A正确。上市公司向独立董事提供的资料，上市公司及独立董事本人应当至少保存五年，选项B正确。

❓ 干扰选项：

选项C错误，独立董事聘请中介机构的费用及其他行使职权时所需的费用由上市公司承担。

选项D错误，上市公司应当给予独立董事适当的津贴。津贴的标准应当由董事会制订预案，"股东大会审议通过"，并在公司年报中进行披露。

44　斯尔解析　**ABC**　上市公司董事会（选项B正确）、独立董事（选项C正确）、持有1%以上有表决权股份的股东（选项A正确）或者依照法律、行政法规或者国务院证券监督管理机构的规定设立的投资者保护机构（即投资者保护机构），可以作为征集人，自行或者委托证券公司、证券服务机构，公开请求上市公司股东委托其代为出席股东大会，并代为行使提案权、表决权等股东权利。故本题选择选项ABC。

45　斯尔解析　**ABCD**　发生可能对上市交易公司债券的交易价格产生较大影响的重大事件，投资者尚未得知时，公司应当立即进行披露。重大事件包括：（1）公司股权结构或者生产经营状况发生重大变化；（2）公司债券信用评级发生变化；（3）公司重大资产抵押、质押、出售、转让、报废（选项A正确）；（4）公司发生未能清偿到期债务的情况（选项C正确）；（5）公司新增借款或者对外提供担保超过上年末净资产的20%（选项B正确）；（6）公司放弃债权或者财产超过上年末净资产的10%；（7）公司发生超过上年末净资产10%的重大损失；（8）公司分配股利，作出减资、合并、分立、解散、申请破产决定，或者依法进入破产程序、被责令关闭（选项D正确）；（9）涉及公司的重大诉讼、仲裁；（10）公司涉嫌犯罪被依法立案调查，公司的控股股东、实际控制人、董事、监事、高级管理人员涉嫌犯罪被依法采取强制措施；（11）国务院证券监督管理机构规定的其他事项。故本题选择选项ABCD。

46　斯尔解析　**BC**　为了保护公众投资者，公开发行优先股的公司必须在公司章程中规定以下事项：（1）采取固定股息率（选项D错误）；（2）在有可分配税后利润的情况下必须向优先股股东分配股息（选项A错误）；（3）未向优先股股东足额派发股息的差额部分应当累积到下一会计年度（选项C正确）；（4）优先股股东按照约定的股息率分配股息后，不再同普通股股东一起参加剩余利润分配（选项B正确）。故本题选择选项BC。

47　斯尔解析　**ABCD**　在法定的重大事件临时报告披露时限之前，出现下列情形之一的，上市公司应当及时披露相关事项的现状、可能影响事件进展的风险因素：（1）该重大事件难以保密（选项A正确）；（2）该重大事件已经泄露或者市场出现传闻（选项BC正确）；（3）公司证券及其衍生品种出现异常交易情况（选项D正确）。故本题选择选项ABCD。

48　斯尔解析　BD　非公开发行股票的发行对象不超过35名，选项B正确。无论是公开发行股票还是非公开发行股票，都属于增加注册资本，属于股东大会特别决议事项，必须经出席股东大会会议的股东所持表决权的2/3以上通过，选项D正确。

　　干扰选项：

选项A错误，控股股东、实际控制人及其控制的企业认购的股份，18个月内不得转让；其他主体认购的股份，6个月内不得转让。

选项C错误，非公开发行股票的发行价格不低于定价基准日前20个交易日公司股票均价的80%。

49　斯尔解析　ABD　无论是自愿要约还是强制要约，只要采用要约方式收购一个上市公司的股份的，其预定收购的股份比例不得低于该上市公司已发行股份的5%，选项A当选。收购期限不得少于30日，并不得超过60日，选项B当选。收购要约发出后，收购人可以变更要约，但不得存在下列情形：（1）降低收购价格；（2）减少预定收购股份数额；（3）缩短收购期限。因此，选项D当选。

50　斯尔解析　ABD　对于"重大资产重组"的判断，只看交易标的的体量（从总资产、营业收入、净资产三个维度），不看交易方式（购买、出售、出资）、支付方式（股份购买、现金购买）以及交易标的的类型（股权资产、非股权资产）。（1）购买、出售的资产总额占上市公司最近一个会计年度经审计的合并财务会计报告期末资产总额的比例达到50%以上的，构成重大资产重组，选项AB正确。（2）购买、出售的资产在最近一个会计年度所产生的营业收入占上市公司同期经审计的合并财务会计报告营业收入的比例达到50%以上的，构成重大资产重组，选项D正确。（3）购买、出售的资产净额占上市公司最近一个会计年度经审计的合并财务会计报告期末净资产额的比例达到50%以上，且超过5 000万元人民币的，构成重大资产重组，选项C错误。

51　斯尔解析　ABCD　上市公司发行股份购买资产将导致其股本增加，属于"增资"事项，应经出席股东大会会议的股东所持表决权的2/3以上通过，选项A正确。本次交易构成关联交易，作为交易对方的乙公司应在审议该次交易的股东大会会议上回避表决，选项B正确。经上市公司股东大会非关联股东批准，投资者取得上市公司向其发行的新股，导致其在该公司拥有权益的股份超过该公司已发行股份的30%，投资者承诺3年内不转让本次向其发行的新股，且公司股东大会同意投资者免于发出要约的，投资者可免于发出要约，选项C正确。发行股份购买资产中，上市公司发行股票的价格不得低于市场参考价的90%，选项D正确。

52　斯尔解析　ABCD　选项ABCD所述均属于债券受托管理人的职责。

53　斯尔解析　BC　可转换公司债券的期限最短为1年，最长为6年，选项A错误。公开发行可转换公司债券，应当提供担保，但最近一期期末经审计的净资产不低于人民币15亿元的公司除外，选项D错误。

54　斯尔解析　ABCD　操纵市场是指单位或个人以获取利益或者减少损失为目的，利用其资金、信息等优势或者滥用职权影响证券市场价格，制造证券市场假象，诱导或者致使投资者在不了解事实真相的情况下作出买卖证券的决定，扰乱证券市场秩序的行为，选项ABCD行为均属于操纵市场，故选项ABCD均正确。

55　斯尔解析　BD　消费物是指依其性质只能一次性使用或让与之物，如粮食、金钱等，选项B正确。齐白石的画不可复制，属于不可替代物，选项D正确。

🤔 干扰选项：

选项A错误，根据是否可自由进入市场流通，物可以分为流通物、限制流通物、禁止流通物。其中，药品、黄金等为限制流通物，国有土地为禁止流通物。

选项C错误，可分物是不因分割而变更其性质或减损其价值的物，如米、酒等。反之，如牛、汽车等则属不可分物。

56　斯尔解析　**BD**　对于自己之物所享有的物权，属于自物权；在他人所有之物上设定的物权属于他物权。所有权是自物权，用益物权（建设用地使用权、土地承包经营权、地役权、居住权、宅基地使用权）、担保物权（抵押权、质权、留置权）属于他物权，选项A错误，选项B正确。地役权属于从物权，从属于需役地的所有权或使用权而存在，选项C错误。不动产物权则是设定于不动产之上的物权，如不动产所有权、土地使用权、不动产抵押权等，选项D正确。

57　斯尔解析　**BD**　张三与李四的约定只限制双方，不能限制赵六取得房屋所有权，李四违反约定将房屋出卖给赵六，虽应对张三承担违约责任，但房屋已过户登记至赵六名下，赵六已经取得房屋所有权，选项B正确，选项A错误。能设定质权的财产只有动产和权利，房屋属于不动产，在房屋之上不能设定质权，王五无法就房屋取得质权，选项C错误，选项D正确。

58　斯尔解析　**BC**　善意取得制度要求转让人基于真权利人意思合法占有标的物，因此不适用于拾得遗失物，选项B正确。当转让人将所拾得的遗失物转让给善意第三人时，真权利人拥有选择权，或者放弃遗失物所有权向转让人请求损害赔偿，或者自知道或应当知道受让人之日起2年内向受让人请求返还原物，选项C正确。

🤔 干扰选项：

选项A错误，拾得行为不足以令拾得人取得遗失物的所有权，而负有归还权利人的义务。

选项D错误，若丙通过拍卖或向具有经营资格的经营者处购得遗失物，甲向丙主张返还手机时，应向丙支付相应对价500元。但若丙从其他渠道购入手机，真权利人甲无须向丙支付对价，丙应向转让人乙请求损害赔偿。

应 试攻略

　　受让人要通过拍卖或者向具有经营资格的经营者处购得遗失物时，原所有权人主张返还，才要向受让人支付对价。

59　斯尔解析　**ACD**　可以设立抵押权的财产包括：（1）建筑物和其他土地附着物；（2）建设用地使用权（选项A正确）；（3）海域使用权；（4）生产设备、原材料、半成品、产品（选项C正确）；（5）正在建造的建筑物、船舶、航空器（选项D正确）；（6）交通运输工具；（7）法律、行政法规未禁止抵押的其他财产。股权可以用于设定质权，但不得用于抵押，选项B错误。故本题选择选项ACD。

60　斯尔解析　**ABC**　应收账款中可以包括下列权利：（1）销售产生的债权，包括销售货物，供应水、电、气、暖，知识产权的许可使用等（选项A正确）；（2）出租产生的债权，包括出租动产或不动产（选项B正确）；（3）提供服务产生的债权；（4）公路、桥梁、隧道、渡口等不动产收费权（选项C正确）；（5）提供贷款或其他信用产生的债权。可以质押的应收账款不包括因票据或其他有价证券而产生的付款请求权，选项D错误。

61　斯尔解析　**BD**　受要约人对包装物的细节作出调整，不构成对要约内容的实质变更，其回复属于有效承诺，选项B正确。受要约人超过承诺期限发出承诺，或在承诺期限内发出承诺，按照通常情形不能及时到达要约人的，除要约人及时通知受要约人该承诺有效外，迟延的承诺为新要约。要约以对话方式作出，受要约人即时回复的，构成有效承诺，选项D正确。

干扰选项：

选项A错误，撤回承诺的通知应当在承诺通知到达要约人之前或者与承诺通知同时到达要约人（即在承诺生效前到达要约人）的，可发生承诺撤回之效果，选项A所述情况下，受要约人发出的承诺已被撤回，自不构成有效承诺。

选项C错误，受要约人在承诺期限即将届满时向远在国外的要约人邮寄回函，构成"在承诺期限内发出承诺，按照通常情形不能及时到达要约人"，要约人收到后未作任何表示的，受要约人之回函构成新的要约，而不是承诺。

62　斯尔解析　**BC**　提供格式条款方通过格式条款不合理地减轻自身责任、排除对方主要权利的，格式条款无效，选项BC正确。

干扰选项：

选项A错误，对格式条款理解发生争议的，应当按照字面含义及通常理解予以解释。

选项D错误，"提供"格式条款一方应对已尽合理提示及说明义务承担举证责任。

63　斯尔解析　**AC**　该笔债务属于连带之债，甲丙为连带债务人，乙为债权人，乙可要求甲偿还1 000万元，亦可要求丙偿还1 000万元，选项A正确，选项D错误。甲丙之间对于该笔债务承担虽有约定，但该约定只在甲丙之间发生效力，并不能约束乙，选项B错误。甲偿还1 000万元，超过其应承担的部分（600万元），此时，甲可向丙追偿400万元，选项C正确。

连带之债中，连带债务人对外承担连带责任，即债权人可以请求任一债务人履行全部债务；连带债务人对内如何分担债务，不影响对外承担连带责任。

64　斯尔解析　**BD**　商业风险并不是引起情势变更的事由，选项A错误。发生情势变更时，当事人可以请求变更或者解除合同，当事人请求变更或者解除合同的，人民法院或者仲裁机构应当将变更合同作为首先考虑的选项，只有在难以维持合同时才能解除合同，选项B正确、选项C错误。情势变更是因其他不可归责于双方当事人的事由造成的，可归责于某方当事人的情况不能作为情势变更的事由，由此产生的损失应由该当事人自担或者由对方当事人向其主张违约责任，无须适用情势变更制度，选项D正确。

65　斯尔解析　**ABD**　有下列情形之一，一般保证人不得行使先诉抗辩权：（1）债务人下落不明，且无财产可供执行（选项C错误）；（2）人民法院已经受理债务人破产案件（选项A正确）；（3）债权人有证据证明债务人的财产不足以履行全部债务或者丧失履行债务能力（选项B正确）；（4）保证人书面表示放弃先诉抗辩权（选项D正确）。

66 斯尔解析 **ACD** 债权人和债务人未经保证人书面同意，协商加重债务的，保证人对加重的部分不承担保证责任。丙公司仍应承担1 000万元保证责任，选项A正确。第三人加入债务的，保证人的保证责任不受影响。因此，丙公司仍应承担1 000万元保证责任，选项C正确。债权人转让全部或者部分债权，并通知保证人后，保证人应对新债权人承担保证责任。因此，丙公司仍应承担1 000万元保证责任，选项D正确。

? **干扰选项：**

选项B错误，债权人和债务人未经保证人书面同意，减轻债务的，保证人仍对变更后的债务承担保证责任。此时，丙公司应对800万元借款承担保证责任。

应试攻略

未经保证人书面同意，主合同变更对保证责任的影响：

变更情形		保证人责任
变更主债内容	债务加重	按原来的
	债务减轻	按变更后的
变更主债期限		保证期限不受影响（按原来）
债权转让	通知	承担
	未通知	不承担
债务转移		不承担，另有约除外
第三人加入		不影响保证责任的承担

67 斯尔解析 **BCD** 定金合同是实践合同而非诺成合同，选项A错误。选项BCD表述均正确。

68 斯尔解析 **BC** 抵销权属于形成权，而非请求权，选项A错误。法定抵销不得附条件或期限，选项D错误。故本题选择选项BC。

69 斯尔解析 **BC** 赠与合同成立后，赠与人的经济状况显著恶化，严重影响其生产经营或者家庭生活的，可以不再履行赠与义务，选项B正确。当受赠人有忘恩行为时，无论赠与财产的权利是否转移，赠与是否经过公证或者具有救灾、扶贫、助残等公益、道德义务性质，赠与人或者赠与人的继承人、法定代理人都可以撤销赠与。"忘恩"行为具体包括：（1）严重侵害赠与人或者赠与人的近亲属的合法权益；（2）对赠与人有扶养义务而不履行；（3）不履行赠与合同约定的义务（选项C正确）。

? **干扰选项：**

选项A错误，赠与人有任意撤销权，在赠与财产的权利转移之前可以撤销赠与。但经过公证的赠与合同或者依法不得撤销的具有救灾、扶贫、助残等公益、道德义务性质的赠与合同，不得撤销。

选项D错误，赠与人应在知道或者应当知道撤销原因之日起1年内行使撤销权，而赠与人的法定代理人或继承人应在知道或者应当知道撤销原因之日起6个月行使撤销权。

第二模块　极致性价比

（建议用时：60分钟）

一、单项选择题

| 70 ▶ D | 71 ▶ B | 72 ▶ B | 73 ▶ C | 74 ▶ D |

| 75 ▶ D | 76 ▶ C | 77 ▶ B | 78 ▶ B |

二、多项选择题

| 79 ▶ ABCD | 80 ▶ ABCD | 81 ▶ ACD | 82 ▶ CD | 83 ▶ CD |

| 84 ▶ ABD | 85 ▶ AC | 86 ▶ AC | 87 ▶ BC | 88 ▶ AC |

| 89 ▶ ABD |

一、单项选择题

70　斯尔解析　**D**　外国企业或者个人在中国境内设立合伙企业，应当由全体合伙人指定的代表或者共同委托的代理人向国务院工商行政管理部门授权的地方市场监督管理部门申请设立登记，领取《外商投资合伙企业营业执照》后，方可从事经营活动，选项B错误、选项D正确。外国企业或个人用于出资的货币，应当是可自由兑换的外币，也可以是依法获得的人民币，选项A错误。合伙企业本身不缴纳企业所得税，按照国家有关税收规定，由合伙人分别缴纳企业所得税或个人所得税，选项C错误。

71　斯尔解析　**B**　就利润分配事宜，法律原则上不允许有限合伙企业中的部分合伙人享有全部利润，但合伙协议可另作约定（即"相对禁止"），选项B当选。

❓ 干扰选项：

选项A不当选，对于有限合伙企业而言，法律不允许部分合伙人承担合伙企业全部亏损，也不允许合伙协议就此另行约定（即"绝对禁止"）。

选项C不当选，在合伙协议无相反约定的情况下，有限合伙人可以将财产份额对外出质。

选项D不当选，有限合伙人可以按照合伙协议的约定向合伙人以外的人转让其在有限合伙企业中的财产份额，但应提前30日通知其他合伙人。

应试攻略

与有限合伙企业不同，普通合伙企业的合伙协议不得约定将全部利润分配给部分合伙人或者由部分合伙人承担全部亏损。

72　斯尔解析　**B**　合伙企业中利润分配和亏损分担，有约定按约定；无约定的情形下，首先由合伙人协商决定；协商不成的，由合伙人按照实缴出资比例分配；无法确定出资比例的，由合伙人平均分配，选项B正确。

❓ 干扰选项：

选项A错误，普通合伙企业的合伙协议不得约定将全部利润分配给部分合伙人或者由部分合伙人承担全部亏损。因此全体合伙人不得签署补充协议约定由赵某承担该合伙企业全部亏损。

选项C错误，合伙人发生与合伙企业无关的债务，相关债权人不得以其债权抵销其对合伙企业的债务。

选项D错误，对于普通合伙企业的债务，应先以合伙企业以其自身财产清偿，不足清偿部分，由合伙人承担无限连带责任。题述情况下，甲合伙企业尚有40万元合伙财产，吴某并不能直接要求合伙人孙某就甲合伙企业对其负有的全部债务进行清偿。

73　斯尔解析　**C**　有限合伙人不执行合伙事务，但有限合伙人参与决定普通合伙人入伙、退伙，不视为执行合伙事务，选项C正确，选项D错误。若国有企业甲、上市公司乙、自然人丙三方共同投资设立合伙企业，只能是有限合伙企业，名称中不得带有"特殊普通合伙"字样，选项A错误。国有企业甲、上市公司乙只能成为有限合伙人，而有限合伙企业中至少有一个合伙人是普通合伙人，因此，自然人丙为普通合伙人。丙作为普通合伙人可以以劳务出资，选项B错误。

74　斯尔解析　**D**　有限合伙人死亡的，其合法继承人可以依法取得其在该有限合伙企业中的资格，选项D正确。

❓ 干扰选项：

选项A错误，有限合伙人本身就无须具备完全民事行为能力，因此，其丧失民事行为能力的，并不导致当然退伙。

选项B错误，有限合伙人不适用"除名"这一退伙事由。

选项C错误，有限合伙人对合伙企业的债务承担"有限责任"，而非无限连带责任，因此，作为有限合伙人的自然人丧失偿债能力后，并不导致其当然退伙。

75　斯尔解析　**D**　管理人可以由有关部门、机构的人员组成的清算组或者依法设立的律师事务所、会计师事务所、破产清算事务所等社会中介机构担任，选项D正确。

❓ 干扰选项：

选项A错误，现在担任或者在人民法院受理破产申请前3年内曾经担任债务人、债权人的财务顾问、法律顾问的，不得担任债务人的破产管理人。

选项B错误，与债务人有未了结的债权债务关系的，不得担任债务人的破产管理人。

选项C错误，现在担任或者在人民法院受理破产申请前3年内曾经担任债务人、债权人的董事、监事、高级管理人员的，不得担任债务人的破产管理人。

76　斯尔解析　**C**　职工劳动债权不必申报，由管理人调查后列出清单并予以公示，除此之外，其他债权如税收债权、社会保障债权以及对债务人特定财产享有担保权的债权等均需依法申报，选项C正确。

第三模块　考前背多分

（建议用时：1.5 小时）

一、单项选择题

90 ▶ B	91 ▶ A	92 ▶ D	93 ▶ B	94 ▶ D
95 ▶ B	96 ▶ B	97 ▶ C	98 ▶ A	99 ▶ C
100 ▶ C	101 ▶ A	102 ▶ C	103 ▶ A	104 ▶ D
105 ▶ B	106 ▶ C	107 ▶ C	108 ▶ D	109 ▶ A
110 ▶ C	111 ▶ B	112 ▶ A	113 ▶ B	114 ▶ D
115 ▶ D	116 ▶ B	117 ▶ B	118 ▶ A	

二、多项选择题

119 ▶ ABCD	120 ▶ BCD	121 ▶ ABCD	122 ▶ ABCD	123 ▶ ABC
124 ▶ AD	125 ▶ ABCD	126 ▶ AB	127 ▶ BCD	128 ▶ ABCD
129 ▶ ABCD	130 ▶ ABCD	131 ▶ AB	132 ▶ ABD	133 ▶ ABCD
134 ▶ AD	135 ▶ BCD	136 ▶ ABCD	137 ▶ ABC	

一、单项选择题

90 　斯尔解析　**B**　行政法规应当依据宪法和法律制定，其地位和效力仅次于宪法和法律，选项B正确。

　💡 干扰选项：

选项A错误，基本法律由全国人大制定，但在全国人大闭会期间，全国人大常委会也可以对基本法律进行补充和修改。

选项C错误，有地方立法权的地方人民代表大会及其常委会可以制定地方性法规，而非地方人民政府。

选项D错误，最高人民法院和最高人民检察院均可进行司法解释。

91 斯尔解析 **A** 在全国人大闭会期间，全国人大常委会可以对基本法律进行部分补充和修改，但是不得同该法律的基本原则相抵触，选项A当选。

干扰选项：

选项B不当选，最高人民法院、最高人民检察院均有权对法律作出解释。

选项C不当选，地方性法规由有地方立法权的地方人民代表大会及其常委会（而非地方政府）制定。

选项D不当选，没有法律或者国务院的行政法规、决定、命令的依据，部门规章不得设定减损公民、法人和其他组织权利或者增加其义务的规范。

92 斯尔解析 **D** 选项ABC均有"依照规定""参照规定""由……规定"的描述，没有明确具体的行为模式或者法律后果，需要引用其他法律规范来说明或补充，均属于非确定性规范；选项D属于确定性规范，内容已经完备明确，无须再援引或参照其他规范来确定其内容，选项D当选。

93 斯尔解析 **B** 法律规范是法律条文的内容，但法律条文的内容还可能包含其他法律要素，如法律原则等，选项B当选。

干扰选项：

选项A不当选，规范性法律文件是表现法律内容的具体形式，是法律规范的载体。

选项C不当选，法律规范与法律条文也不是一一对应的，一项法律规范的内容可以表现在不同法律条文甚至不同的规范性法律文件中，同样，一个法律条文中也可以反映若干法律规范的内容。

选项D不当选，法律条文是法律规范的文字表述形式。

94 斯尔解析 **D** 机器人不能成为民事法律关系的主体，只能成为民事法律关系的客体，当然谈不上"权利能力"，选项D当选。

干扰选项：

选项ABC不当选，自然人的权利能力始于出生，终于死亡，无论是植物人还是醉酒的人，都具有权利能力。

95 斯尔解析 **B** 受赠棒球帽的行为属于纯获益的民事法律行为，该行为有效，选项B正确。

干扰选项：

选项A错误，王某13周岁，为限制民事行为能力人。限制民事行为能力人可以独立实施纯获利益的民事法律行为或者与其智力、精神健康状况相适应的民事法律行为。除此之外，限制民事行为能力人实施其他民事法律行为效力待定。赠送棒球帽的行为与其年龄智力相匹配，该行为有效。

选项C错误，赠送电脑的行为与其年龄智力不相匹配，该行为效力待定。

选项D错误，受赠电脑的行为属于纯获益的民事法律行为，该行为有效。

 试攻略

效力待定的民事法律行为须经法定代理人追认，经过追认有效，否则无效。

96 斯尔解析 **B** 法人分为营利法人、非营利法人、特别法人。非营利法人包括事业单位、社会团体、基金会、社会服务机构等。基金会属于非营利法人，选项B当选。

97 斯尔解析 C 刘某超越代理权以甲公司的名义与乙公司签订买卖合同，属于狭义的无权代理，为效力待定的民事法律行为，选项C当选。

❓干扰选项：

选项A不当选，可能导致民事法律行为可撤销的事由包括"重大误解、欺诈、胁迫、显失公平"。李某误以为赵某的镀金表为纯金表而花高价购买，属于基于重大误解而为的民事法律行为，可撤销。

选项B不当选，陈某受王某胁迫与其签订房屋租赁合同属于基于胁迫而为的民事法律行为，可撤销。

选项D不当选，孙某受蔡某欺诈与其签订买卖合同，属于受欺诈而为的民事法律行为，可撤销。

98 斯尔解析 A 结婚、订立遗嘱等身份行为不适用代理制度，选项BC错误。民法上可"代理"之行为限于民事法律行为，整理学术资料属于不具有法律意义的行为，当然不属于代理制度的适用范围，选项D错误。

应试攻略

　不可以代理的民事法律行为：（1）具有人身关系的（如结婚、收养等）；（2）双方明确约定由本人亲自实施的行为。

99 斯尔解析 C 张某以甲公司名义与乙公司签订木材买卖合同属于超越代理权的代理行为，该行为并不当然有效，而属于效力待定的民事法律行为，须待甲公司追认后方可生效，选项C当选。

❓干扰选项：

选项A不当选，甲公司与张某解除代理关系后张某即无代理权，在此情形下，如张某仍代理甲公司与乙公司签署钢材买卖合同，当然属于无权代理。

选项B不当选，2021年8月1日，甲公司已与张某解除代理关系，由于甲公司并未通知乙公司，且张某仍然持有盖有甲公司公章的空白合同书，因此张某与乙公司签订钢材买卖合同适用表见代理，该合同同样对甲公司有约束力。

选项D不当选，张某向丙公司采购木材的行为，并无甲公司授权，且对于丙公司而言，也并无客观上使其相信张某有代理权的情况，因此张某的行为属于单纯的无权代理，由此订立的买卖合同效力待定。

100 斯尔解析 C 寄送的价目表、拍卖公告、招标公告、招股说明书、债券募集办法、基金招募说明书、商业广告和宣传等，性质均为要约邀请。商业广告一般属于要约邀请，但若商业广告的内容符合要约的规定，如悬赏广告，则视为要约。故本题选择选项C。

101 斯尔解析 A 在合同约定不明，也达不成补充协议，且按合同相关条款和交易习惯也无法确定的，按如下方式确定：价款或者报酬不明确的，按照订立合同时履行地的市场价格履行；同时，履行地点不明确的，给付货币的，在接受货币一方所在地履行；交付不动产的，在不动产所在地履行；其他标的，在履行义务一方所在地履行。本题中，香蕉属于其他标的，卖方乙公司所在地属于履行地。因此，应按照订立合同时海口的市价履行。故本题选择选项A。

102 斯尔解析 C 中止履行后，对方在合理期限内未恢复履行能力并且未提供适当担保的，视为以自己的行为表明不履行主要债务，中止履行的一方可以解除合同并可以请求对方承担违约责任，但不能直接解除合同，选项C当选。

❓ **干扰选项：**

选项A不当选，双务合同中，双方约定先后履行顺序的，先履行合同的一方（甲公司）有不安抗辩权。行使不安抗辩权的一方，必须有确切证据证明对方财产明显减少或欠缺信用，不能保证对待给付，主张不安抗辩权的当事人如果没有确切证据中止履行的，则应当承担违约责任。

选项BD不当选，当事人行使不安抗辩权中止履行的，应当及时通知对方。对方提供适当担保时，应当恢复履行。

103 斯尔解析　A　代位权行使的条件之一是债务人怠于行使其到期债权或者与该债权有关的从权利，影响债权人的到期债权实现。"怠于"系指债务人不以诉讼或者仲裁的方式行使到期债权。乙发函催要仍属于"怠于"行使到期债权的情形，甲可行使代位权，选项A正确。

❓ **干扰选项：**

选项B错误，乙对丁享有的服务费债权，乙已经通过诉讼方式主张到期债权，甲不可行使代位权。

选项C错误，乙对戊享有的人身损害赔偿请求权，属于专属于债务人自身的债权，甲不得代位行使。

选项D错误，"乙曾为他人提供担保"，据此并不能够确定乙是否由此享有到期债权，无法确定甲可以行使代位权。但是，乙为他人提供担保的行为可能成为债权人撤销权的行使对象。

104 斯尔解析　D　债权人行使代位权的方式为代位权诉讼，选项D正确。

❓ **干扰选项：**

选项AB错误，代位权诉讼中，债权人是原告，以自己名义起诉次债务人，无须经债务人同意。

选项C错误，代位权诉讼中，债权人行使代位权的必要费用，由债务人负担，如果债权人胜诉，由次债务人承担诉讼费用，且从实现的债权中优先支付。

105 斯尔解析　B　在履行期限届满之前，当事人一方明确表示或者以自己的行为表明不履行主要债务的，不履行方的对方有权解除合同，不需要催告程序。故本题选择选项B。

106 斯尔解析　C　债权人未履行对债务人的到期债务，或者债权人向提存部门书面表示放弃领取提存物权利的，债务人（乙公司）负担提存费用后有权取回提存物，选项C当选。

❓ **干扰选项：**

选项A不当选，提存成立的，视为债务人在其提存范围内已经履行债务。

选项B不当选，标的物提存后，毁损、灭失的风险由债权人承担，即应当由甲公司承担。

选项D不当选，在债权人未履行债务或者提供担保之前，提存部门根据债务人的要求应当拒绝其领取提存物。

107 斯尔解析　C　如果出卖人就同一标的物订立多重买卖合同，原则上各个买卖合同均属有效，但标的物所有权归属于谁，则另有规定。标的物为普通动产，如果出卖人就同一标的物订立多重买卖合同，在买卖合同均有效的情况下，买受人均要求实际履行合同的，应当按照以下情形分别处理：先行受领交付的买受人有权请求确认所有权已经转移；均未受领交付，先行支付价款的买受人有权请求出卖人履行交付标的物等合同义务；均未受领交付，也未支付价款，依法成立在先合同的买受人有权请求出卖人履行交付标的物等合同义务。因此，选项C正确。

一般动产订立多重买卖合同，标的物的所有权归属：交付＞付款＞合同成立在先；特殊动产订立多重买卖合同，标的物的所有权归属：交付＞登记＞合同成立在先。

108 斯尔解析　**D**　因标的物的主物不符合约定而解除合同的，解除合同的效力及于从物。因标的物的从物不符合约定而解除合同的，解除的效力不及于主物，即从物有瑕疵的，买受人仅可解除与从物有关的合同部分，F机器维修工具是从物，从物有瑕疵，甲只能就F机器维修工具解除合同，选项C错误，选项D正确。标的物为数物，其中一物不符合约定的，买受人可以就该物解除合同，但该物与他物分离使标的物的价值受损害的，当事人可以就数物解除合同。甲能就E机器及维修工具解除合同，选项AB错误。

"从随主转"，意即主物是主角，从物是配角，所以，主物不符合约定而解除合同的，解除合同的效力及于从物；反之，则解除的效力不及于主物。

109 斯尔解析　**A**　对租赁物的维修义务没有约定的情况下，租赁合同中，出租人应承担租赁物的维修义务，融资租赁合同中，承租人应承担租赁物维修义务，选项A正确，选项B错误。租期内，租赁物归出租人（乙公司）所有，选项C错误。租赁物在承租人按照租赁合同占有期限内发生所有权变动的，不影响租赁合同效力，原租赁合同继续有效，丙公司无权要求甲公立医院清退该处房屋，选项D错误。

110 斯尔解析　**C**　人民政府履行出资人职责时应做到政企分开，不干预企业依法自主经营，选项C正确。

干扰选项：

选项A错误，国有独资企业不是公司，并非依据《公司法》设立。

选项B错误，履行出资人职责的机构依照法律、行政法规以及企业章程的规定向国有资本控股公司、国有资本参股公司的股东会、股东大会"提出董事、监事人选"，而并不能直接指定该等人员。

选项D错误，企业改制的类型有：（1）国有独资企业改为国有独资公司；（2）国有独资企业、国有独资公司改为国有资本控股公司或非国有资本控股公司；（3）国有资本控股公司改为非国有资本控股公司。

111 斯尔解析　**B**　选项B正确，判断商品之间是否具有竞争关系，以及界定相关市场的基本标准是商品间较为紧密的相互替代性。

❓ 干扰选项：

选项A错误，在垄断协议及滥用市场支配地位的禁止、以及经营者集中的反垄断审查案件中，均可能涉及相关市场的界定问题。

选项C错误，并非任何市场界定都涉及全部三个维度，大部分反垄断分析中，相关市场只需从商品和地域两个维度进行界定，只有在时间因素可以影响商品之间的竞争关系的特定情形下，才会用到时间维度。

选项D错误，需求替代是界定相关市场的主要分析视角，当供给替代对经营者行为产生的竞争约束类似于需求替代时，也应考虑供给替代。

112　斯尔解析　**A**　我国反垄断行政执法统归国家市场监督管理总局，选项A当选。

❓ 干扰选项：

选项B不当选，反垄断执法机构的法定调查手段包括"查询经营者的银行账户"。

选项C不当选，反垄断执法机构对涉嫌垄断行为调查核实后，认为构成违法垄断行为的，应当依法作出处理决定，不再接受经营者提出的中止调查申请。

选项D不当选，经营者承诺制度主要适用于垄断协议和滥用市场支配地位案件。

113　斯尔解析　**B**　原告起诉时，被诉垄断行为已经持续超过3年，被告提出诉讼时效抗辩的，损害赔偿应当自原告向人民法院起诉之日起向前推算3年计算，选项B正确。

❓ 干扰选项：

选项A错误，作为间接购买人的消费者，只要因垄断行为受损，也可以作为垄断民事案件的原告。

选项C错误，人民法院受理垄断民事纠纷案件，不以执法机构已对相关垄断行为进行了查处为条件。

选项D错误，在反垄断民事诉讼中，当事人可以向人民法院申请1至2名具有相应专门知识的人员出庭，就案件的专门性问题进行说明。专家在法庭上提供的意见并不属于民诉法上的证据形式，而是作为法官判案的参考依据。

114　斯尔解析　**D**　我国《反垄断法》列举了两种受到禁止的纵向垄断协议形式：（1）固定向第三人转售商品的价格；（2）限定向第三人转售商品的最低价格。因此，选项D正确。

❓ 干扰选项：

选项A错误，横向垄断协议引发的民事诉讼中，不再遵循"谁主张、谁举证"的一般举证原则，而适用举证责任倒置，由被告证明其行为不构成违法的横向垄断协议。

选项B错误，横向垄断协议是具有竞争关系的经营者达成的联合限制竞争协议，如生产相同产品的经营者达成的固定产品价格的协议。

选项C错误，横向垄断协议是危害最大的垄断行为。

115　斯尔解析　**D**　在两种情形下，反垄断执法机构不接受中止调查的申请：一是反垄断执法机构对涉嫌垄断行为调查核实后，认为构成违法垄断行为的，应当依法作出处理决定，不再接受经营者提出的中止调查申请；二是涉嫌固定或者变更商品价格（选项A不当选）、限制商品的生产数量或者销售数量（选项B不当选）、分割销售市场或者原材料采购市场（选项C不当选）等三类严重限制竞争的横向垄断协议的，反垄断执法机构不得接受中止调查申请。故本题选择选项D。

116　斯尔解析　B　对外贸易经营者包括法人、其他组织和个人，选项A错误。从事货物进出口或者技术进出口的对外贸易经营者，应当向商务部或者其委托的机构办理备案登记，选项C错误。国营贸易企业的判断标准并非所有制形式，其与我国过去所称的国营企业是完全不同的概念，选项D错误。

应试攻略

　　对外贸易经营者既可以是法人，也可以是非法人组织如合伙，还可以是个人即自然人。判断一个企业是不是国营贸易企业，关键是看该企业是否在国际贸易中享有专营权或特许权，与该企业的所有制形式并无必然联系。

117　斯尔解析　B　实行国营贸易管理货物的进出口业务只能由经授权的企业经营，但国家允许部分数量的国营贸易管理货物的进出口业务由非授权企业经营的除外，选项A错误。国家只对部分而非全部货物实行国营贸易管理，且此类货物应当是明确和公开的，通过目录的方式让公众周知，选项C错误。判断一个企业是不是国营贸易企业，关键是看该企业是否在国际贸易中享有专营权或特许权，与该企业的所有制形式并无必然联系，选项D错误。

118　斯尔解析　A　我国对属于限制进出口的技术实行许可证管理，未经许可不得进出口，选项A正确。

二、多项选择题

119　斯尔解析　ABCD　全面推进依法治国的基本原则包括：（1）坚持中国共产党的领导（选项A正确）；（2）坚持人民主体地位（选项B正确）；（3）坚持法律面前人人平等（选项C正确）；（4）坚持依法治国和以德治国相结合（选项D正确）；（5）坚持从中国实际出发。

120　斯尔解析　BCD　国家在特定情形下可以作为一个整体成为法律关系的主体，如国家作为主权者成为国际公法主体，可以成为对外经济贸易关系中的债权人和债务人，国家可以通过发行国库券参与国内法律关系，选项B正确。行为包括作为和不作为，"竞业禁止合同法律关系"的客体是不从事相同或者相似的经营或执业活动，即不作为的行为，选项C正确。智力成果常成为知识产权法律关系的客体，选项D正确。

🔍 干扰选项：
选项A错误，"共进晚餐"不属于受法律调整的行为，张三与李四虽约定明天共进晚餐，但二人之间不因此产生法律关系。

121　斯尔解析　ABCD　张某自行建造房屋一座并取得该房屋所有权的行为属于事实行为，不属于法律行为，选项A当选。赠与是双方法律行为、无偿法律行为以及负担行为，选项B当选。当事人就合同行使法定解除权的行为仅需一方当事人的意思表示即可成立，因此属于单方法律行为，选项C当选。法律不要求赠与必须采用一定的形式，当事人可自由选择赠与的形式，因此赠与属于不要式法律行为，选项D当选。

122　斯尔解析　ABCD　遗嘱属于无相对人的意思表示，选项A正确。以对话方式发出的要约，自受要约人知道其内容时生效，选项B正确。沉默在有法律规定、当事人约定或者符合当事人之间的交易习惯时，可以视为意思表示，选项C正确。承诺可以撤回，撤回承诺的意思表示应当在承诺通知到达要约人之前或者与承诺通知同时到达要约人，选项D正确。

123　斯尔解析　**ABC**　无效的法律行为"自始无效、当然无效、绝对无效"；可撤销的法律行为在撤销前有效，一经撤销，其效力溯及至行为开始，即自行为开始时无效，选项A正确。效力待定的法律行为在成立时尚未生效，须经权利人追认才能生效，选项B正确。无效民事法律行为"绝对无效"，意味着不能通过当事人的行为予以补正，选项C正确。

　　🖐 干扰选项：
选项D错误，人民法院的判决可以对法律行为的无效进行确认，但这种确认并不是必须的。非法买卖枪支而成立的买卖合同，即使未经法院审判，在中国法律下依然是无效的。

124　斯尔解析　**AD**　民事法律行为所附条件，必须是"不确定"的事实，否则应当作为民事法律行为的期限而非条件。金某在今年是否结婚以及崔某是否秃顶均属于"不确定"的事实，属于附条件的法律行为，选项AD正确。

　　🖐 干扰选项：
选项B错误，赵某的死亡是确定会发生的事实，该行为属于附期限的法律行为。
选项C错误，民事法律行为所附条件，必须是"将来"发生的事实，过去的事实不得作为条件，付某已在眼前，其出生时无论哭不哭都属于过去的事实，并不属于上述"条件"。

125　斯尔解析　**ABCD**　诉讼时效届满，债务人产生抗辩权，但债权人的实体权利并不消灭，选项A当选。当事人未提出诉讼时效抗辩，人民法院不应对诉讼时效问题进行释明及主动适用诉讼时效的规定进行裁判，选项B当选。诉讼时效的期间、计算方法以及中止、中断的事由均由法律规定，当事人与之相异的约定无效，选项C当选。诉讼时效期间届满，当事人一方向对方当事人作出同意履行义务的意思表示或自愿履行义务后，又以诉讼时效期间届满为由进行抗辩的，人民法院不予支持，选项D当选。

126　斯尔解析　**AB**　权利人被义务人控制、权利人是无行为能力人且法定代理人死亡，属于引起诉讼时效中止的法定事由，选项AB正确。

　　🖐 干扰选项：
选项CD错误，权利人为主张权利，"申请"法院宣告义务人死亡，权利人向人民法院"申请"义务人破产，均属于引起诉讼时效中断的法定事由。

127　斯尔解析　**BCD**　最长诉讼时效期间为20年，自权利被侵害之日开始起算，选项A错误。选项BCD所述正确。

128　斯尔解析　**ABCD**　企业国有资产属于国家所有，即全民所有，国务院代表国家行使企业国有资产所有权，选项A正确。国务院和地方人民政府依照法律、行政法规的规定，分别代表国家对国家出资企业履行出资人职责，享有出资人权益，选项B正确。政府授权国有资产监管机构依法对国有资本投资、运营公司履行出资人职责，国有资本投资、运营公司对授权范围内的国有资本履行出资人职责，选项C正确。财政部门是金融企业国有资产的监督管理部门，选项D正确。

129　斯尔解析　**ABCD**　可以不对相关国有资产进行评估的情形有：（1）经各级人民政府或其履行出资人职责的机构批准，对企业整体或者部分资产实施无偿划转（选项A正确）；（2）国有独资企业与其下属独资企业（事业单位）之间或其下属独资企业（事业单位）之间的合并、资产（产权）置换和无偿划转；（3）金融企业在发生多次同类型的经济行为时，同一资产在评估报告使用有效期内，并且资产、市场状况未发生重大变化的；（4）以及上市公司可流通的股权转让时，也可以不进行评估（选项D正确）。选项BC均不属于上述可以不评估的情形，故应当评估，选项BC所述正确。

130 斯尔解析 **ABCD** 国家出资企业，是指国家出资的国有独资企业（选项A正确）、国有独资公司（选项B正确），以及国有资本控股公司（选项C正确）、国有资本参股公司（选项D正确）。

131 斯尔解析 **AB** 经营者滥用知识产权，排除、限制竞争的行为适用反垄断法，但经营者依法行使知识产权的行为不适用反垄断法，选项A正确。反垄断法对农业生产者及农村经济组织在农产品生产、加工、销售、运输、储存等经营活动中实施的联合或者协同行为排除适用，选项B正确。

干扰选项：

选项C错误，对于铁路、石油、电信、电网、烟草等重点行业，国家通过立法赋予国有企业以垄断性经营权，但是，如果这些国有垄断企业从事垄断协议、滥用市场支配地位行为，或者从事可能排除、限制竞争的经营者集中行为，同样应受反垄断法的规制。

选项D错误，中华人民共和国境外的垄断行为，对境内市场竞争产生排除、限制影响的，适用反垄断法。

132 斯尔解析 **ABD** 反垄断法禁止的滥用市场支配地位行为包括：（1）以不公平的高价销售商品或者以不公平的低价购买商品（选项AB正确）；（2）没有正当理由，以低于成本的价格销售商品；（3）没有正当理由，拒绝与交易相对人进行交易；（4）没有正当理由，限定交易相对人只能与其进行交易或者只能与其指定的经营者进行交易；（5）没有正当理由搭售商品，或者在交易时附加其他不合理的交易条件；（6）没有正当理由，对条件相同的交易相对人在交易价格等交易条件上实行差别待遇。需注意的是，上述（2）~（6）均需要以"没有正当理由"为前提，选项C错误、选项D正确。

133 斯尔解析 **ABCD** 外商投资包括以下四类具体情形：（1）外国投资者单独或者与其他投资者共同在中国境内设立外商投资企业（选项A正确）；（2）外国投资者取得中国境内企业的股份、股权、财产份额或者其他类似权益（选项C正确）；（3）外国投资者单独或者与其他投资者共同在中国境内投资新建项目（选项B正确）；（4）法律、行政法规或者国务院规定的其他方式的投资。外商投资不仅包括外商直接投资，还包括外商间接在中国境内进行的投资活动，选项D正确。

134 斯尔解析 **AD** 国家建立外商投资安全审查工作机制，负责组织、协调、指导外资安审工作。工作机制办公室设在国家发展改革委，由国家发展改革委、商务部牵头，承担外资安审日常工作，选项A正确。外商投资军工、军工配套等关系国防安全的领域，以及在军事设施和军工设施周边地域投资，均应提前向外商投资安全审查工作机制办公室申报，但外商投资重要农产品的，其须提前申报的条件还包括"取得所投资企业的实际控制权"，选项B错误。外资安全审查分为一般审查和特别审查，审查期间，当事人不得实施投资。经一般审查，认为外商投资项目影响或者可能影响国家安全的，应当作出启动特别审查的决定，而非直接禁止该项目实施，选项C错误、选项D正确。

135　斯尔解析　BCD　对外贸易救济措施包括反倾销措施、反补贴措施和保障措施。"保障措施"与反倾销措施并列，并不属于反倾销措施的内容，选项A错误。选项BCD均属于反倾销措施。

136　斯尔解析　ABCD　根据我国《外汇管理条例》的规定，外汇包括外币现钞（选项D正确）、外币支付凭证或者支付工具（选项A正确）、外币有价证券（选项B正确）、特别提款权（选项C正确）及其他外汇资产。

137　斯尔解析　ABC　特别提款权货币篮组成货币包括：人民币、美元、欧元、日元、英镑。故本题选择选项ABC。

第四模块　集训主观题

（建议用时：3小时）

138 斯尔解析

（1）甲银行拒绝向F公司付款的理由不成立。

根据票据法律制度，票据关系具有无因性，即票据基础关系的瑕疵不影响票据行为的效力。甲银行与A公司签署的承兑协议虽被撤销，但甲银行承兑行为的效力不因此而受影响，甲银行仍为该汇票上的主债务人，持票人F公司有权请求甲银行承担票据责任。

（2）A公司关于其仅应在600万元合同金额范围内承担票据责任的主张不成立。

根据票据法律制度，票据具有"文义性"，票据上的一切权利义务都严格依照票据上记载的文义而定。题述情况下，虽然A公司与B公司签订的合同金额为600万元，但汇票上记载的金额为900万元，票据责任的金额仍应为900万元。

（3）D公司关于其无须向F公司承担票据责任的主张成立。

根据票据法律制度，背书人在汇票上记载"不得转让"字样，其后手再背书转让的，原背书人对后手的被背书人不承担保证责任。题述情况下，D公司作为背书人，在背书时记载了"不得转让"字样，故其仅对其直接后手E公司承担票据责任，而对F公司（即其后手的被背书人）不承担票据责任。

（4）C公司不应承担票据责任。

根据票据法律制度，在票据上依法签章的主体才可能是票据债务人。C公司未在票据上签章，不应承担票据责任。

139 斯尔解析

（1）C公司未取得票据权利。C公司与项某合谋，伪造的背书行为无效，故不能取得票据权利。

（2）D公司取得票据权利。虽然C公司并非票据权利人，但D公司善意且无重大过失，且支付了相应对价，故取得票据权利。

（3）B公司不应承担票据责任。由于B公司的签章系项某伪造，B公司并未在汇票上签章，因此不是票据义务人，不应承担据责任。

（4）A公司应当承担票据责任。票据伪造行为虽为无效，但A公司的签章是真实的，该真实签章的效力不受伪造行为影响。

140 斯尔解析

（1）A公司对破产申请提出的异议不成立。

根据破产法律制度，债务人以其具有清偿能力或资产超过负债为由提出抗辩异议，但又不能立即清偿债务或与债权人达成和解的，其异议不能成立。本题中，A公司称自身资产超过负债，但是既无法立即清偿B公司债务，也无法与B公司达成和解，故其异议不能成立。

（2）A公司对C公司债务的清偿行为中，以房产设定抵押所担保的30万元部分有效，剩余20万元部分无效。

根据破产法律制度，人民法院受理破产申请后，债务人对个别债权人的债务清偿无效。但是，债务人以其财产向债权人提供物权担保的，其在担保物市场价值内向债权人所作的债务清偿，不受上述规定限制。本题中，C公司对A公司持有的债权里仅有30万元部分以债务人自身财产设定了物权担保，故30万元以内的部分清偿有效，剩余20万元部分清偿无效。

（3）管理人无权请求人民法院撤销A公司对D公司债务的清偿行为。

根据破产法律制度，破产申请受理前一年内债务人提前清偿的未到期债务，在破产申请受理前已经到期，管理人请求撤销该清偿行为的，人民法院不予支持。本题中，A公司提前向D公司清偿的债务在破产申请受理日之前已经到期，故属于不可撤销的提前清偿。

（4）管理人不应当准许E公司取回货物。

根据破产法律制度，出卖人对在运途中标的物未及时行使取回权，在买卖标的物到达管理人后向管理人行使在运途中标的物取回权的，管理人不应准许。

（5）F公司有权取得水果变卖价款。

根据破产法律制度，对债务人占有的权属不清的鲜活易腐等不易保管的财产或者不及时变现价值将严重贬损的财产，管理人应当及时变价并提存变价款，有关权利人可以就该变价款行使取回权。

应试攻略

针对本题的第（2）问，根据法律规定，债务人以其财产向债权人提供物权担保的，人民法院受理破产申请后，债务人在担保物市场价值内向债权人所作的债务清偿有效。

这里至少涉及两个数字：主债务金额、担保物市场价值。本题中，债务人欠C公司的债务总额为50万元，但其中仅有30万元被抵押担保覆盖。因此，即使后续抵押物市场价值高达200万，也只能覆盖30万元债务，C公司也只能在30万元范围内优先受偿。

141 斯尔解析

（1）甲公司破产案件应由A市C县基层人民法院管辖。

根据破产法律制度，破产案件由债务人住所地人民法院管辖。债务人住所地指债务人的主要办事机构所在地。

（2）王某拒绝缴纳剩余40万元出资的理由不成立。

根据破产法律制度，人民法院受理破产申请后，债务人的出资人尚未完全履行出资义务的，管理人应当要求该出资人缴纳所认缴的出资，而不受出资期限的限制。

（3）王某以甲公司欠其40万元借款本息抵销其欠缴出资的主张不成立。

根据破产法律制度，债务人的股东主张以其欠缴债务人的出资与债务人对其负有的债务抵销，债务人管理人提出异议的，人民法院应予支持。

（4）乙公司无权要求丙公司返还红木。

虽然甲公司处分该红木的行为构成无权处分，但丙公司在受让该红木时对甲公司无权处分不知情，已经支付了合理价款，并完成了交付，故丙公司基于善意取得制度取得该红木的所有权，乙公司丧失其对该红木的所有权，故乙公司无权要求丙公司返还红木。

（5）对于甲公司出售红木所得80万元货款，乙公司不享有取回权。

根据破产法律制度，债务人占有的他人财产被违法转让给第三人，依据物权法律制度的规定，第三人已善意取得财产所有权，原权利人无法取回该财产的，转让行为发生在破产申请受理前的，原权利人因财产损失形成的债权，作为普通破产债权清偿。本题中，该红木转让行为发生于2019年4月，而人民法院于2019年6月方裁定受理甲公司的破产申请，转让行为发生于破产申请受理前，且该批红木以市场价格被售予不知情的第三人丙公司并已交付，丙公司已善意取得该批红木所有权，因此80万元货款应作为普通破产债权清偿，故乙公司不享有取回权。

142 斯尔解析

（1）张某有资格向人民法院提出破产重整申请。

根据企业破产法律制度的规定，债权人申请对债务人进行破产清算的，在人民法院受理破产申请后、宣告债务人破产前，债务人或者出资额占债务人注册资本1/10以上的出资人，可以向人民法院申请重整。

（2）重整计划草案通过了出资人组的表决。

根据企业破产法律制度的规定，出资人组对重整计划草案中涉及出资人权益调整事项的表决，经参与表决的出资人所持表决权2/3以上通过的，即为该组通过重整计划草案。参加表决股东的合计出资比例为60%，其中投赞成票的股东的合计出资比例为45%，超过了法定比例。

（3）重整期间，丙银行不能就甲公司抵押的设备实现抵押权。

根据企业破产法律制度的规定，重整期间，为了不因以担保财产清偿执行而影响债务人生产经营，原则上对债务人的特定财产享有的担保权暂停行使。

（4）乙会计师事务所关于"人民法院已批准甲公司自行管理财产和营业事务，因此管理人不再负有义务"的观点不正确。

根据企业破产法律制度的规定，经人民法院批准由债务人自行管理财产和营业事务的，管理人应当对债务人的自行管理行为进行监督。

（5）债权人可以向人民法院提出申请，作出终止债务人自行管理的决定。

根据企业破产法律制度的规定，甲公司擅自转移财产属于严重损害债权人利益的行为，管理人可以申请人民法院作出终止债务人自行管理的决定。本案中，由于管理人怠于履行其监督义务，债权人可以直接向人民法院提出申请。

143 斯尔解析

（1）A公司对破产申请提出的异议不成立。

根据企业破产法律制度的规定，只要债务人的任何一个债权人经人民法院强制执行未能得到清偿，其每一个债权人均有权提出破产申请，不要求申请人自己已经采取了强制执行措施。本题中，债权人B公司经强制执行未能得到清偿，债权人C可以提出破产申请，故该异议不成立。

（2）不影响人民法院对破产申请的受理和审理。

根据企业破产法律制度的规定，受理破产申请后，债务人不能提交或者拒不提交有关材料的，只要现有情况能够表明债务人已经发生破产原因，不影响人民法院对破产申请的受理和审理。

（3）D公司向管理人提出以其受让E公司债权抵销所欠A公司债务的主张不成立。

根据企业破产法律制度的规定，债务人的债务人已知债务人有不能清偿到期债务或者破产申请的事实，对债务人取得债权的，不得抵销，但债务人的债务人因为法律规定或者有破产申请一年前所发生的原因而取得债权的除外。本题中，债务人A公司的债务人D公司，在得知A公司到期不能清偿债务且已被提出破产申请的情况下，在破产申请受理前1个月取得对A公司的债权，不得与对A公司的债务相抵销。

（4）人民法院应当中止审理。

根据企业破产法律制度的规定，在破产申请受理前，债权人主张次债务人代替债务人直接向其偿还债务，案件在破产申请受理时尚未审结的，人民法院应当中止审理。

（5）人民法院裁定对A公司及其母公司、其他关联公司适用实质合并破产审理合法。

根据企业破产法律制度，当关联企业成员之间存在法人人格高度混同、区分各关联企业成员财产的成本过高、严重损害债权人公平利益清偿时，可适用关联企业实质合并破产方式进行审理。

144 斯尔解析

（1）甲公司与乙医院的买卖合同于2021年7月7日成立。

根据合同法律制度的规定，2021年7月6日乙公司向甲公司发出的传真，改变了价款等内容，构成对要约内容的实质变更，属于新要约，甲公司次日的回复构成对此新要约的承诺。

（2）乙医院无权就外观有划痕的呼吸机主张部分解除合同，但有权就严重变形的呼吸机主张部分解除合同。

根据合同法律制度的规定，因标的物不符合质量要求，致使不能实现合同目的的，买受人可以解除合同。外观划痕不影响合同目的，不构成解除事由。又根据法律规定，标的物为数物，其中一物不符合约定的，买受人可以就该物解除合同。因此，就严重变形影响使用的呼吸机，乙公司有权部分解除合同。

（3）甲公司无权请求丙公司赔偿被洪水冲走的呼吸机。

根据合同法律制度的规定，承运人对运输过程中货物的毁损、灭失承担损害赔偿责任，但承运人证明货物的毁损、灭失是因不可抗力等造成的，不承担赔偿责任。本案中，山洪暴发构成不可抗力，呼吸机被洪水冲走，承运人丙公司不承担责任。

（4）甲公司有权要求乙医院支付被洪水冲走呼吸机的价款。

根据合同法律制度的规定，当事人没有约定交付地点或约定不明确，标的物需运输的，出卖人将标的物交付给第一承运人后，标的物毁损、灭失的风险由买受人承担。呼吸机被山洪冲走构成标的物灭失的风险，应由买受人（即乙医院）承担，故乙医院有义务支付该呼吸机的价款。

（5）乙医院无权要求甲公司同时支付违约金和双倍返还定金。

根据合同法律制度的规定，在同一合同中，当事人既约定违约金，又约定定金的，在一方违约时，当事人只能选择适用违约金条款或定金条款，不能同时要求适用两个条款。

（6）甲公司通知丁公司直接向乙医院交付呼吸机，构成甲公司向乙医院的交付。

根据物权法律制度的规定，动产物权设定和转让前，第三人依法占有该动产的，负有交付义务的人可以通过转让请求第三人返还原物的权利代替交付。

（7）乙医院有权要求甲公司就2023年12月6日发现的呼吸机质量瑕疵进行赔偿。

根据合同法律制度的规定，出卖人交付的标的物不符合质量要求的，买受人可以依法要求其承担违约责任。但买受人收到标的物应当及时检验并通知出卖人，买受人在合理期间内未通知或者自标的物收到之日起两年内未通知出卖人的，视为标的物质量符合约定，但对标的物有质量保证期的，适用质量保证期，不适用该两年的规定。乙公司就该瑕疵通知甲公司时虽然已经超过两年，但因双方约定的质量保证期为5年，乙公司在质量保证期内通知甲公司，有权向甲公司主张损害赔偿。

145 斯尔解析

（1）乙公司中止履行向甲公司交付制冰机的义务不构成违约。

根据合同法律制度的规定，双务合同中应先履行义务一方的当事人，有确切证据证明相对人经营状况严重恶化的，可以行使不安抗辩权，中止履行合同。本题中，甲乙双方约定，由乙公司先履行买卖合同；但乙公司在履行前发现甲公司已被人民法院多次公示为失信被执行人，其有权履行上述不安抗辩权。

（2）丙公司有权要求甲公司承担火灾相关的经济损失。

根据合同法律制度的规定，赠与人故意不告知赠与物瑕疵或者保证无瑕疵，造成受赠人损失的，应当承担损害赔偿责任。本题中，甲公司明知该批制冰机存在瑕疵，但故意不告知丙公司，并最终造成丙公司的经济损失，应由甲公司承担损害赔偿责任。

（3）甲公司有权要求丁公司返还制冰机。

根据合同法律制度的规定，赠与可以附义务，赠与附义务的，受赠人应当按照约定履行义务。不履行合同约定义务的，赠与人可以行使撤销权。

（4）戊公司向银行提供的抵押于2022年7月2日生效。根据物权法律制度的规定，动产的抵押权于抵押合同生效时设立。由于抵押合同于2022年7月2日成立并生效，故抵押权同时设立。

（5）王某的主张不成立。

根据合同法律制度的规定，被担保的债权同时存在第三人提供的物的担保和保证时，当事人对承担担保责任的顺序没有约定或者约定不明的，债权人拥有选择权，可以选择就第三人的物保求偿，也可以选择向保证人求偿。因此，王某无权要求银行先就戊提供的制冰机进行求偿。

（6）戊公司出售该制冰机无须经银行同意。

根据物权法律制度的规定，抵押物的所有权人仍是抵押人，故除非当事人另有约定，否则抵押人有权转让抵押物所有权。

（7）银行无权就己公司买走的制冰机行使抵押权。

根据物权法律制度的规定，动产的抵押权自抵押合同生效时设立，未经登记，不得对抗善意第三人。本题中，银行的抵押权未经登记，且己公司为善意第三人，故银行的抵押权不得对抗己公司对制冰机的所有权，其无权就己公司买走的制冰机行使抵押权。

146 斯尔解析

（1）挖掘机维修不必征得甲的同意，乙有权要求甲分担20%的维修费用。

根据物权法律制度的规定，甲、乙二人形成按份共有，按份共有对共有物作重大修缮的，经占份额2/3以上按份共有人同意即可。乙的份额为4/5，故有权单独决定修缮，不必征得甲的同意。共有物修缮费用，当事人没有约定的，按照各自份额负担，故乙有权要求甲承担与其份额相当（即20%）的修缮费用。

（2）乙无权拒绝向丙支付全部维修费用。

根据物权法律制的规定，债权债务的对外关系上，任何一名按份共有人均有义务对债权人承担全部债务。

（3）乙的份额转让无须征得甲的同意。

根据物权法律制度的规定，按份共有人对其份额享有处分自由，可自由转让，无须征得其他共有人同意。

（4）乙在寻找份额买主时要求甲在接到通知之日起15日内决定是否行使优先购买权，不符合法律规定。

根据物权法律制度的规定，优先购买权行使期间须以同等条件确定为前提，发出的通知应包含同等条件之内容，未确定此内容前，优先购买权的期限不得起算。

（5）丁取得挖掘机的所有权。

根据物权法律制度的规定，占共有份额2/3以上多数的共有人即可处分共有物，乙的处分属于有权处分，且已交付。因此，丁可以取得挖掘机的所有权。

（6）甲与戊之间的买卖行为有效。

根据物权法律制度的规定，共有物买卖的行为属于债权行为，不以处分权为有效要件。

（7）丁有权拒绝戊交出挖掘机的请求。

根据物权法律制度的规定，戊虽为善意相对人，但尚未完成交付，不满足善意取得中的交付要件，戊不能取得所有权。丁已自乙处取得所有权，故有权拒绝戊的交付请求。

147 斯尔解析

（1）甲公司对乙银行提供的抵押自2021年1月3日设立。

根据物权法律制度的规定，动产抵押自抵押合同生效之日设立。

（2）张某与乙银行之间已形成有效的保证合同。

根据合同法律制度的规定，第三人单方以书面形式向债权人作出保证，债权人接受且未提出异议的，保证合同成立。

（3）甲公司向己公司出售设备事宜无须经乙银行同意。

根据物权法律制度的规定，抵押期间，抵押人仍是抵押物的所有人；除非当事人另有约定，抵押人有权转让抵押物。

（4）乙银行有权就己公司买走的设备行使抵押权。

根据物权法律制度的规定，以动产抵押的，不得对抗正常经营活动中已经支付合理价款并取得抵押财产的买受人，但己公司购买甲公司生产设备的行为并不属于甲公司的"正常经营活动"。

（5）丁公司向乙银行提出的第1项拒绝理由不成立。

根据物权法律制度的规定，当事人以建设用地使用权依法设立抵押，抵押人以土地上存在违法建筑物为由主张抵押合同无效的，人民法院不予支持。

（6）丁公司向乙银行提出的第2项拒绝理由成立。

根据物权法律制度的规定，被担保的债权既有物的担保又有人的担保的，债务人不履行到期债务或者发生当事人约定的实现担保物权的情形，债权人应当按照约定实现债权；没有约定或者约定不明确，债务人自己提供物的担保的，债权人应当先就该物的担保实现债权。本题中，债务人甲公司以自有设备向债权人乙银行提供抵押，乙银行应先就该设备实现抵押权。

（7）乙银行向戊公司提出的要求不合法。

根据物权法律制度的规定，同一财产既设定抵押权又设定质权的，拍卖、变卖该财产所得价款按照登记、交付的时间先后确定清偿顺序。就甲公司向戊公司出质的设备而言，本题中甲公司向戊公司交付该设备的时间是2021年1月10日，抵押登记时间是2021年1月15日，晚于交付时间。因此，戊公司的质权优先于乙银行的抵押权。

148 **斯尔解析**

（1）2021年7月1日甲公司董事会的出席人数符合规定。

根据公司法律制度的规定，股份公司董事会会议应有过半数的董事出席方可举行。本题中，甲公司董事会由9名董事组成，其中有4名董事本人出席，另有董事孙某书面委托钱某代为出席，出席人数合计为5人，超过了全体董事的半数。

（2）甲公司董事会可以在无正当理由的情况下解除赵某的总经理职务。

根据公司法律制度的规定，董事会有权决定聘任或者解聘公司经理，并未规定聘任和解聘经理须有何种理由。

（3）2021年12月20日赵某卖出所持甲公司2万股股票的行为不合法。

根据公司法律制度的规定，股份公司董事、监事、高级管理人员离职后半年内，不得转让其所持有的本公司股份。本题中，赵某于2021年7月1日离职，并于2021年12月20日卖出所持甲公司股票，其间隔不足半年。

（4）乙公司向甲公司的所有董事提供低息借款用于购房的行为不合法。

根据公司法律制度的规定，股份有限公司不得直接或者通过子公司向董事、监事、高级管理人员提供借款。

（5）甲公司董事会通过为丙公司提供担保的决议后，甲公司即提供该笔担保不合法。

根据公司法律制度的规定，公司为股东或者实际控制人提供担保的，必须经股东大会决议。

（6）①钱某的抗辩不能成立。根据证券法律制度的规定，受到股东、实际控制人控制或者其他外部干预，不得单独作为不予处罚情形认定。

②李某的抗辩不能成立。根据证券法律制度的规定，不直接从事经营管理，不得单独作为不予处罚的情形认定。

149 **斯尔解析**

（1）新民投资按照重整计划向林木集团注资，构成对林森木业的收购。

根据证券法律制度的规定，收购人通过协议、其他安排的方式获得上市公司控制权的，构成间接收购；投资者如实际支配上市公司已发行的具有表决权的股份比例超过30%，即可认为获得上市公司控制权。在本题中，林木集团持有林森木业45%的股份；新民投资注资后，将持有林木集团85%的股权，可实际支配林木集团，进而可实际支配林森木业股份表决权比例为45%，超过30%，可间接实现对林森木业的控制。

（2）新民投资按照重整计划向林木集团注资，必须向林森木业其他所有股东发出收购要约。

根据证券法律制度的规定，通过间接收购，收购人拥有权益的股份超过该公司已发行股份的30%的，应当向该公司所有股东发出全面要约。新民投资参与林木集团重整后，实际支配的林森木业股份超过30%，且不存在豁免要约收购的法定情形，故引发强制要约收购义务。

（3）新民投资对林森木业的要约收购价格符合证券法律制度的规定。

新民投资在要约收购提示性公告日前6个月内并未取得过被收购人的股票，且要约价格高于提示性公告日前30个交易日该种股票的每日加权平均价格的算术平均值，故其要约收购价格符合法律规定。

（4）钱某不能辞去独立董事职务。

根据证券法律制度的规定，在要约收购期间，被收购公司董事不得辞职。